КУЛЬТУРА ПОВСЕДНЕВНОСТИ

Новое
Литературное
Обозрение

ВИТАЛИЙ ЗАДВОРНЫЙ

ФРАНЦУЗСКАЯ КУХНЯ В РОССИИ И РУССКОЙ ЛИТЕРАТУРЕ

НОВОЕ
ЛИТЕРАТУРНОЕ
ОБОЗРЕНИЕ
МОСКВА

2023

УДК [641.5(=133.1)«19»]:008
ББК 36.997(4Фра)52
З-15

Редактор серии Л. Оборин

Задворный, В.
З-15 Французская кухня в России и русской литературе / Виталий Задворный. — М.: Новое литературное обозрение, 2023. — 280 с. (Серия «Культура повседневности»)

ISBN 978-5-4448-1979-1

Средневековая Франция стала одной из первых европейских стран, в которых были созданы кулинарные книги, — и это позволило сохранить непрерывность гастрономической традиции, ведущей свой отсчет еще со времен Римской Галлии. Неудивительно, что влияние этой национальной кухни на общеевропейскую и особенно русскую гастрономическую культуру очень велико. В своей книге В. Задворный прослеживает это влияние на материале русской классической литературы, анализируя, как о французских блюдах писали Пушкин, Вяземский, Толстой, Гончаров, Лесков, Чехов и многие другие. Отдельные главы посвящены истории французской кулинарной книги, обеденной традиции, винам, ресторанам Петербурга и Москвы, а также французским гастрономическим терминам, вошедшим в русский язык. Виталий Задворный — кандидат философских наук, переводчик, главный редактор Католической энциклопедии.

УДК [641.5(=133.1)«19»]:008
ББК 36.997(4Фра)52

В оформлении переплета использована фотография Jordane Mathieu.
© Photo by Jordane Mathieu on Unsplash.com

© В. Задворный, 2023
© С. Тихонов, дизайн обложки, 2023
© ООО «Новое литературное обозрение», 2023

СОДЕРЖАНИЕ

Глава 1. С чего все началось.
Французские кулинарные книги VI–XIX веков ... 7
   Средневековье ... 8
   Эпоха Возрождения ... 21
   Новое время ... 25
   XIX век ... 35

Глава 2. Французский обед в русской литературе ... 45
   Аперитив ... 47
   Антре ... 49
      Устрицы ... 50
      Пате ... 59
   Супы ... 64
   Основное блюдо ... 74
      Мясные блюда ... 75
      Рыбные блюда ... 80
      Трюфель ... 83
   Французские соусы и приправы ... 86
      Соусы ... 86
      Приправы ... 93
   Французская сырная тарелка ... 95
   Освежающие напитки и минеральная вода ... 99
   Десерт ... 100
   Дижестив ... 109

Глава 3. Французские вина в произведениях
русских поэтов и писателей ... 121
   Бургундия ... 122
   Бордо ... 129
   Рона ... 137
   Долина Луары ... 139
   Лангедок-Руссильон ... 140

Шампанское 141
   «Моэт» 159
   «Вдова Клико» 160
   «Мумм» 164
   «Рёдерер» 165

Глава 4. Французские рестораны Петербурга
и Москвы в русской литературе 169

Глава 5. Французский гастрономический словарь
в русском языке 188

Заключение 217

Библиография 220

Примечания 235

Указатель имен 259

ГЛАВА 1. С ЧЕГО ВСЕ НАЧАЛОСЬ. ФРАНЦУЗСКИЕ КУЛИНАРНЫЕ КНИГИ VI–XIX ВЕКОВ

Франция была одной из первых стран средневековой Европы, в которых были созданы кулинарные книги. Французы, очень внимательные к гастрономической культуре, на протяжении веков не только совершенствовали кулинарное искусство, но и бережно сохраняли памятники этого искусства — книги, написанные знаменитыми кулинарами.

Еще в эпоху Античности, после того как Юлий Цезарь завершил процесс присоединения Галлии, будущей Франции, к Римской республике, галлы, войдя в цивилизованный мир — Orbis Romanus, — быстро романизировались. Они восприняли у римлян не только науки и искусства, но и цивилизованный образ жизни, непременной составляющей которого является гастрономическая культура. Уже в Античности получили известность сыры и вина Галлии, и тогда же были заложены виноградники пяти основных современных винодельческих регионов Франции: Бордо (римская Бурдигалия), Бургундии (часть римской провинции Лугдунская Галлия с центром в городе Августодонум, современный Оттён), Долины Роны (Виенна), Прованса (римская Массилия), Лангедок-Руссильона (римская Нарбона).

ГЛАВА 1. С ЧЕГО ВСЕ НАЧАЛОСЬ. ФРАНЦУЗСКИЕ КУЛИНАРНЫЕ КНИГИ VI–XIX ВЕКОВ

Средневековье

После Великого переселения народов и крушения в V веке Западной Римской империи, когда германские племена завладели бывшими римскими провинциями, закончилась эпоха Античности. На территории римской провинции Галлии образовалось королевство франков, от имени которых и получила название современная Франция.

Первой кулинарной книгой наступившей эпохи Средневековья стала книга «Apici excerpta a Vinidario» («Выдержки из Апиция, составленные Винидарием»). Марк Гавий Апиций, римский гурман и любитель роскоши, жил на рубеже эпох: в I веке до нашей эры — I веке нашей эры. Современник Апиция, александрийский грамматик Апион, посвятил ему книгу «Περὶ τῆς Ἀπικίου τρυφῆς» («О роскоши Апиция»), которая не сохранилась, однако о ней упоминает греческий писатель Афиней в сочинении «Пир мудрецов»[1]. Римский ученый-энциклопедист Плиний Старший называет Апиция «прирожденным изобретателем всевозможной роскоши»[2], а Сенека пишет о нем как о гурмане, «заразившем весь свет своим кулинарным искусством»[3]. Именем Апиция подписана самая знаменитая и единственная из сохранившихся римских кулинарных книг — «De re coquinaria» («О кулинарии»)[4]. Правда, окончательная редакция этой книги, дошедшая до нас, датируется IV веком. Отметим сразу, что один из двух сохранившихся манускриптов великой кулинарной книги Античности происходит именно из Франции, из библиотеки аббатства святого Мартина Турского, и датируется примерно 830 годом[5].

Что касается автора «Выдержек из Апиция» Винидария, то о нем не сохранилось никаких сведений, но, судя по имени, он был готом и жил, по-видимому, в V веке. А о его книге можно сказать, что это не оригинальное сочинение, а скромная компиляция рецептов античного руководства по кулинарии «De re coquinaria». И по-другому быть не могло: в эпоху, начавшуюся с разрушения греко-римской культуры в Западной Европе варварскими нашествиями, необходимо было заново возводить здание цивилизации. Однако строительство основания новой Европы началось не с чистого листа, а на прочном фундаменте античной цивилизации. Этим фундаментом были книги и школы. Сохранить и передать потомкам античное наследие стало задачей просвещенных епископов и аббатов, которые формировали библиотеки и создавали скриптории по переписке книг.

Книга «Выдержки из Апиция» Винидария сохранилась в единственном манускрипте VIII века*, называемом «Codex Salmasianus» — по имени открывшего его в XVII веке французского ученого филолога Клода де Сомеза, латинское имя которого было Клавдий Сальмазий. Текст этого манускрипта в начале XX века издал немецкий филолог-классик Макс Им[6].

Сочинение Винидария представляло собой в области гастрономии первую попытку нового, еще варварского мира, завладевшего Европой, приобщиться к высокой и утонченной римской цивилизации. По сравнению с античной книгой «De re coquinaria» сочинение Винидария отмечено простотой. В нем не только нет замысловатых блюд, но оно отличается еще и легкостью структуры — хотя интересно отметить, что в работе Винидария уже просматривается некая «схоластическая» четкость и ясность изложения.

Прежде чем перейти к собственно французским средневековым кулинарным книгам, следует упомянуть еще одно небольшое гастрономическое сочинение VI века —

---
* Codex Parisinus Latinus 10318 — манускрипт, написанный унциальным письмом, который хранится в Парижской национальной библиотеке. В состав этого манускрипта, помимо книги «Apici excerpta a Vinidario», входит также антология позднеантичной латинской поэзии.

ГЛАВА 1. С ЧЕГО ВСЕ НАЧАЛОСЬ. ФРАНЦУЗСКИЕ КУЛИНАРНЫЕ КНИГИ VI-XIX ВЕКОВ

«De observatione ciborum» («О рассмотрении видов пищи») греческого врача Анфима, работавшего при дворе короля остготского королевства в Италии Теодориха Великого. О нем упоминается потому, что его сочинение написано в виде письма к франкскому королю из первой французской королевской династии Меровингов Теодориху I, или, как принято называть его в соответствии с французской исторической традицией — Тьерри I, к которому Анфим был направлен в качестве посла[7].

Сочинение «De observatione ciborum» впервые было издано в 1870 году немецким филологом-классиком Валентином Розе во втором томе «Anecdota graeca», а в 1877 году вышло отдельным изданием[8]. Это сочинение Анфима было переведено на русский язык Николаем Гореловым и помещено в его книге «Закуска для короля, румяна для королевы»[9].

Книга «О рассмотрении видов пищи» начинается с пролога, в котором излагаются принципы здорового питания, ибо, как пишет Анфим, *«здоровье зависит от правильного питания»*. Затем он рассматривает продукты: хлеб, различные виды мяса, птицы, рыбы, а также овощи, молоко, фрукты и специи. Он утверждает, что сырое соленое сало (crudum laredum), которое было одним из важнейших продуктов питания франков, — действенное лекарство от недугов кишечника[10].

Что касается напитков, то Анфим рекомендует пиво, мёд и настойку *aloxinit*. Такого термина не знает классическая латынь, и Николай Горелов переводит его современным словом «вермут», чего, безусловно, делать нельзя, так как история вермута начинается только в XVIII веке. *Aloxinum* — это была настойка полыни не на спирте, а на вине. *Aloxinum* — слово франкского диалекта, характерного для Северной Франции и Германии. В древнейшем латинско-романском глоссарии начала IX века, написанном в немецком аббатстве Райхенау — «Глоссах Райхенау» — указывается:

«absintio = aloxino»[11]. Латинское слово *absinthium* означает «полынь». На старофранцузском языке эта настойка называлась *aloisne*, на староиспанском языке — *alosna*[12]. От этого латинского названия полыни и произошло название знаменитого крепкого напитка французской артистической богемы — абсента. Но, в отличие от средневекового алоксинума, это была уже настойка полыни на спирте.

Также в переводе Николая Горелова написано, что рекомендуется пить «вино», хотя слова «вино» в латинском тексте нет.

> Cervisa bibendo vel medus et aloxinum quam maxime omnibus congruum est ex toto, quia cervisa qui bene facta fuerit, beneficium prestat et rationem habet, sicut et tesanae, quae nos facimus alio genere, tamen generaliter frigida est.

> Полезнее всего пить пиво или мёд и полынную настойку алоксинум, потому что пиво, которое хорошо приготовлено, хотя и охлаждает, оказывает такое же благотворное и полезное действие, как и ячменный отвар*, который мы готовим другим образом»[13].

То, что в этой рекомендации нет вина, — очень необычный факт, особенно для греческого врача, воспитанного на греко-римской гастрономической культуре, основу которой составляла триада «хлеб — вино — оливковое масло». Зато упомянуто пиво, характерное для противостоящей ей германо-славянской гастрономической традиции. Анфим начинает новую европейскую гастрономическую культуру, заключающуюся в творческом синтезе двух гастрономических культур: греко-римской гастрономической культуры

---

* *Tesanae* — ячменный отвар, такого слова также не знает классическая латынь. На классическом латинском языке это *ptisana*, слово греческого происхождения («ячменная каша» или «ячменный отвар»).

(«хлеб — вино — оливковое масло») и германо-славянской («пиво — свинина — сливочное масло»).

Но все же «эпоха кулинарных книг» в Европе началась значительно позже, лишь со второй половины XIII века. Это время для Европы стало эпохой творческого созидания, стремительного развития городов и образования первых университетов. И почти во всех европейских странах в это время начинают появляться кулинарные книги. Древнейшими европейскими средневековыми кулинарными книгами, которые дошли до нашего времени, являются три: датская книга с названием на латинском языке «Libellus de arte coquinaria» («Малая книжечка об искусстве кулинарии»), французская книга «Enseignemenz qui enseingnent a apareillier toutes manieres de viandes» («Наставление, которое обучает готовить мясо всевозможными способами») и итальянская книга, написанная на латинском языке, «Liber de coquina» («Книга о кухне»).

Первое, что следует отметить в разговоре о средневековой кулинарии, — обилие специй. Специи из Индии привозили в страны Средиземноморья арабские купцы, которые продавали их по неимоверно высоким ценам. Специи в Средние века были кулинарным символом богатства, а коллекциями специй гордились, как сегодня гордятся коллекциями элитных вин. Поэтому постоянно в рецептах средневековых кулинарных книг встречается изобилие различных специй, ведь кулинарные книги шеф-повара писали для состоятельных господ.

«Libellus de arte coquinaria» («Малая книжечка об искусстве кулинарии») — древнейшая из сохранившихся кулинарных книг средневековой Европы, ее автор неизвестен. Ее написание предположительно датируется началом XIII века, хотя некоторые исследователи высказывают предположение, что она могла быть написана даже раньше, в XII веке. «Малая книжечка об искусстве кулинарии» сохранилась в манускриптах, написанных на древнедатском языке, однако общее название книги и названия глав даны на латинском. Исследователи убеждены, что эта книга переводная, однако не установлено, на каком языке был написан ее оригинал — на латинском или на старофранцузском (провансальском). Так что не исключено, что ее несохранившийся оригинал был первой французской кулинарной книгой.

«Малая книжечка об искусстве кулинарии» дошла до нас в составе сборника, наиболее древняя рукопись которого датируется примерно 1300 годом. В состав этого сборника также входят еще две книги с очень популярными в Средние века названиями — «Liber Herbarum» («Травник») и «Lapidarius» («Лапидарий»). «Травник» — это книга о лекарственных растениях, а «Лапидарий» — книга о камнях (*lapidus* по-латыни — «камень»). Создание этого сборника приписывается канонику кафедрального собора датского города Роскилле Хенрику Харпестренгу, состоявшему на службе датского короля Эрика IV. Вероятно, Харпестренг перевел не дошедший до нас оригинал этой кулинарной книги на датский язык.

Первой собственно французской кулинарной книгой является «Enseignemenz qui enseingnent a apareillier toutes manieres de viandes» («Наставление, которое обучает готовить мясо всевозможными способами»). Это древнейшая французская кулинарная книга, написанная неизвестным автором между 1290 и 1314 годами. В названии книги присутствует слово «мясо». Но следует отметить, что в старофранцузском языке слово *viande* имело более широкое значение, чем в современном французском, где оно имеет значение «мясо». В Средние века это слово включало также значение и «мясо рыбы».

В «Наставлении» встречаются некоторые названия блюд, а также птиц, знание о которых утрачено, и их невозможно перевести на современный язык. Даже для Реймботуса

Эберхарда де Кастро некоторые термины представляли сложность, он не смог перевести их на латинский язык и оставил без перевода. Например, «Ad faciendum cibum que Gallicae vocatur faux grenon» («Чтобы приготовить блюдо, называемое на французском языке „ложный гренон"»).

«Наставление» — небольшая по объему кулинарная книга. Она содержит рецепты приготовления блюд из свинины, говядины, баранины, домашней и дикой птицы, кролика, а также из некоторых видов рыб. Однако в этой книге уже присутствуют кулинарные термины, которые сохранили значение до наших дней и используются в современной французской кулинарии. Это *civet* и *rôti*, а также блюдо, без которого немыслим ритуал классического французского обеда — *pâté*, то есть пате или паштет.

Сиве — тушеное, нарезанное на кусочки мясо, как правило, дичь, с овощами. Обязательным компонентом сиве является нарезанный репчатый лук, от названия которого и происходит название этого блюда. Слово *civet* происходит от старофранцузского или же провансальского слова *cive* или *civette*, которое в свою очередь происходит от латинского слова *caera* — «лук». В Средние века сиве было не только мясным блюдом, но могло быть и блюдом из рыбы и морепродуктов. В настоящее время сиве из мяса дичи в винном соусе — национальное блюдо окситанской кухни. Роти — жаркое из мяса. Интересно также отметить, что автор «Наставления» подчас предлагает «зимний» и «летний» вариант одного и того же блюда.

При прочтении «Наставления» сразу же бросается в глаза чрезвычайно малое количество соусов по сравнению с современной французской кулинарией и даже французской кулинарией XVIII века. Весь набор соусов состоит из шести видов: *vin aigre* (винный уксус), *verjus* (вержус), *sause verte* (зеленый соус), *moustarde* (горчица), *sause aillie* (чесночный соус) и *bon vin* (хорошее вино). Винный уксус на старофранцузском языке называется «vin aigre», а на современном слове пишется слитно — «vinaigre». Он готовится из закисшего вина. Вержус — кислый сок недозрелого винограда, более мягкий, чем винный уксус. Вержус, широко использовавшийся во французской средневековой кулинарии, в настоящее время применяется крайне редко, как экзотический соус в «старинном стиле»[14]. Зеленый соус — соус, главным компонентом которого являются пряные травы. В настоящее время французский зеленый соус — *sauce verte* — готовится на основе майонеза с добавлением эстрагона, петрушки и шалфея. Так как в Средние века майонез еще не существовал, то зеленый соус готовился на основе винного уксуса с травами, среди которых обязательно была петрушка.

Термин «сидр» — *sidre*, встречающийся в «Наставлении»[15], впервые встречается во французской литературе столетием раньше, в поэме «Conception de Nostre Dame» («Зачатие Богоматери») нормандского поэта XII века Васа[16]. Сидр — это слабоалкогольный напиток, изготовленный из яблочного сока, его крепость составляет около 5%. Аналогичный напиток из грушевого сока во французском языке имеет собственное название — *poiré*. На латинском языке эти напитки назывались *pomatium* (яблочный сидр) и *piratium* (грушевый сидр)[17].

Книга завершается наставлением поварам: «Кто хочет готовить кушанья в хорошем доме, должен запечатлеть в своей памяти все то, о чем написано в этом свитке. Кто же этого не будет иметь в своей памяти, тот не может готовить блюда по вкусу своего господина».

Главной кулинарной книгой французского Средневековья стала написанная около 1390 года книга «Le Viandier» знаменитого шеф-повара, «maître queux»*, как он себя

---

* Выражение «maître queux» происходит от латинского выражения «magister coquus» — «повар начальник», «главный повар».

ГЛАВА 1. С ЧЕГО ВСЕ НАЧАЛОСЬ. ФРАНЦУЗСКИЕ КУЛИНАРНЫЕ КНИГИ VI–XIX ВЕКОВ

называет, Гийома Тиреля, известного под именем Тайеван. Традиционный перевод названия книги на русский язык — «Мясные блюда» — не совсем точен. Как уже было отмечено, слово *viande* в современном французском языке действительно означает «мясо», но раньше оно могло значить и «мясо рыбы». Уже в оглавлении, то есть в самом начале книги, встречается выражение «Viande de Quaresme» — «мясо Великого поста», под которым подразумевается мясо рыбы, так как употребление мяса животных и птиц в этот период католической церковью было запрещено. Выражение «мясо поста» продолжало существовать и в XVI веке, оно встречается в 1564 году у знаменитого французского писателя эпохи Возрождения Франсуа Рабле: «viandes de quaresme»[18].

Гийом Тирель начал карьеру помощником повара у королевы Франции Жанны д'Эврё. Затем служил поваром у первого короля французской династии Валуа, сменившей династию Капетингов, — Филиппа VI. Потом Тирель пошел на повышение, став первым поваром короля Карла V. В 1381 году он поступил на службу к королю Карлу VI, который назначил его шеф-поваром королевской кухни и возвел в дворянское достоинство. Сохранилась надгробная плита Гийома Тиреля, которая в настоящее время находится в крипте новой церкви Сен-Леже (св. Леодегария)* небольшого города Сен-Жермен-ан-Ле, расположенного в двадцати километрах к западу от Парижа.

Это сочинение Тиреля после изобретения книгопечатания с 1490 по 1604 год издавалось пятнадцать раз. Тирель был настолько известен, что даже самый знаменитый поэт средневековой Франции Франсуа Вийон упомянул Тайевана

---

* Новая церковь в честь епископа VII века св. Леодегария, вместо древней, закрытой во время Французской революции и впоследствии разрушенной, была построена в 1961 году в стиле конструктивизма и ничем не напоминает древние базилики.

в строках поэмы «Le Testament» («Завещание»), в которых говорится о том, как «изжарить злые языки», то есть как наказать злых людей, завистников и клеветников: «Если искать это у Тайевана в главе о фрикасе, то я уверен, что об этом, как ни ищи, ни вдоль, ни поперек, ничего не найдешь»[19]. В 1965 году в Париже на улице Ламне (Lamennais, 15), расположенной между авеню Фридланд и Елисейскими Полями, был открыт ресторан, названный в честь этого средневекового кулинара, — «Le Taillevent», имевший до 2007 года три мишленовские звезды, а в настоящее время — две. В этом ресторане можно отведать блюда, приготовленные по рецептам Гийома Тиреля.

Как и многие средневековые кулинарные книги, «Le Viandier» начинается несколько неожиданно для современного читателя. Так, Тирель начинает с рассказа о том, «как исправить все виды пересоленных супов», не добавляя в них ни воды, ни вина, ни другой жидкости. Затем следуют очень краткие наставления по приготовлению мяса. И только после этого начинается, собственно, первая глава, посвященная густым мясным супам. И первыми появляются супы — *Chaudun de porc* (шодун из свинины) и *Cretonnee de pois novieux* (кретоне из свежего горошка), названия которых исчезли из современного французского языка. Причем следует отметить, что таких названий у Гийома Тиреля, которые уже исчезли из современного французского кулинарного словаря, достаточно много. Некоторые названия блюд более понятны, как, например, *Cominee de poulaille*. Оно происходит от специи кумин, присутствующей в этом блюде.

Наряду с совершенно исчезнувшими названиями блюд неожиданно встречается блюдо с названием «винегрет». Неожиданно, потому что оно помещено в разделе густых супов. Причем пишется оно на старофранцузском языке раздельно в два слова: «vin aigrette». Существительное *vin* переводится как «вино», а прилагательное *aigre* — «кислое». Каким-то образом средневековый французский густой суп превратился в столь привычный для русского человека салат «винегрет». По-видимому, это произошло из-за того, что в винегрет добавляют уксус — *vinaigre*, а так как в русской кулинарии в XIX веке, когда появился винегрет, приоритетное положение занимала французская кухня с ее терминологией, французское слово обрело новую жизнь в русском языке.

Некоторые названия блюд исчезли из французского языка, а какие-то изменили значение, как, например, *entremets* (антреме). Если в современном французском языке это легкое сладкое блюдо, подаваемое после сыра и перед десертом, то у Тиреля это мясное блюдо, как *Petits morceaux* (маленькие кусочки), которое готовится из ног, печени и желудков, или *Volaille farcie* (фаршированная домашняя птица).

Почти одновременно с профессиональным поваром Гийомом Тирелем пишет кулинарную книгу «Le ménagier de Paris» («Парижский домохозяин») кулинар-любитель, имя которого осталось неизвестным. Это была скорее не кулинарная книга, а наставление по ведению домашнего хозяйства, в котором пятая глава второй части содержала кулинарные рецепты. Книга написана между июнем 1392 и сентябрем 1394 года немолодым парижанином, который женился на пятнадцатилетней девушке-сироте из провинции. По ее просьбе он составил руководство по ведению домашнего хозяйства и кулинарии, первые же главы посвятив нравственным наставлениям, как следует вести себя замужней женщине, в том числе и о необходимости послушания мужу.

В XIX веке критическое издание книги было подготовлено Жеромом Пишоном[20], а век спустя, в 1961 году, вышло роскошное двухтомное издание с факсимильным воспроизведением манускрипта и переводом на современный французский язык, снабженное предисловием французского историка Пьера Гаксотта. Затем появились и другие новые переводы на современные языки[21].

Кулинарная часть книги начинается с перечисления меню различных обедов, сначала на обычные дни, а затем на постные. Книга не отличается систематичностью — сначала «Парижский домохозяин» предлагает два варианта обеда из шести блюд. Затем отходит от этого принципа и в следующих вариантах обедов варьирует число блюд и забывает о десертах. Потом предлагаются варианты меню для ужина, который состоит из трех-четырех блюд. Меню постных ужинов также предусматривается. После этого следуют рецепты блюд, начиная с супов. Кулинарные рецепты автором были во многом заимствованы из книги Гийома Тиреля. Однако в его книге присутствуют и такие блюда, которых нет у его предшественников, как, например, *bourrées à la sausse chaude* (бурре с теплым соусом)[22]. По-видимому, это было блюдо из миноги: *bourrées* — «фашина из тонких прутьев», «связка хвороста».

Завершает эпоху Средневековья кулинарная книга «Du fait de cuysine» («О кухне»), написанная в 1420 году мэтром Шикаром, личным поваром савойского герцога Амадея VIII. Савойское герцогство — это историческая область, просуществовавшая с 1416 по 1720 год. Территория герцогства включала юго-восточные районы предгорий Альп современной Франции и северо-западные районы современной Италии.

Несмотря на то что в то время Савойское герцогство не входило в состав Французского королевства, можно говорить об этой книге как о французской, потому что она не только была написана на французском языке, но и продолжала французскую кулинарную традицию. Книга мэтра Шикара дождалась своего критического издания лишь в конце XX века[23].

Так как мэтр Шикар подготавливал официальные пиры, его книга начинается с бесконечно длинного перечня описания продуктов, необходимых для приготовления блюд пира, а также необходимой кухонной утвари. И лишь после этого перечисления необходимых продуктов мэтр Шикар приступает к описанию блюд. Первое блюдо — это суп, а именно *Brouet de Savoie* (савойская похлебка), второе блюдо — это роти, то есть жаркое. Сначала дается общее наставление по приготовлению жаркого, и затем мэтр Шикар переходит к их описанию. Первое жаркое носит совершенно вышедшее из употребления название *tremolette*. Это сложное блюдо представляет собой жаркое из куропатки, которое готовится с зобами куропатки и куриной печенью, предварительно сваренными в говяжьем или бараньем бульоне, а затем обжаренными на вертеле вместе с хлебом, пропитанным соусом. Книга завершается десертом — *emplumeus de pomes* (на современном французском языке — *mousseline de pommes*), то есть блюдом из запеченных с сахаром и специями тонко нарезанных кусочков яблок.

Кулинарная книга мэтра Шикара завершает эпоху Средневековья, однако сохранились еще два малоизвестных французских средневековых сборника кулинарных рецептов. Первый из них — сборник неизвестного автора «Le Vivendier», название которого на русский язык можно условно перевести как «Ответственный за питание». Эта книга была составлена между 1420 и 1440 годами во Фландрии. Первое ее издание, подготовленное исследователем средневековой и ренессансной кулинарии Бруно Лорью, вышло в 1997 году, а в 2009 году Жан-Франсуа Коста-Тефен опубликовал новое издание[24]. Книга содержит 73 рецепта, расположенных несколько беспорядочно, то есть блюда обычных дней и дней постных имеются как в начале книги, так и в конце. В сборнике присутствуют многие рецепты Гийома Тиреля и мэтра Шикара, но также есть и оригинальные рецепты, как, например, *Barbe Robert* — соус на основе горчицы со специями, с которого и начинается «Le Vivendier»:

> Чтобы приготовить соус «Барб Робер», возьмите немного чистой воды и вскипятите ее со сливочным маслом. Добавьте вина, горчицы, вержуса и специй в том количестве и соотношении, какое вам по вкусу. Доведите все это до кипения и варите. Затем возьмите нарезанное на кусочки мясо вашего цыпленка и положите в эту кастрюлю. Доведите до кипения. Затем обжарьте. Будьте внимательны, чтобы соус был достаточной консистенции. Для цвета добавьте немного шафрана[25].

Появляются и другие новые соусы: *saulce non boullie dicte cameline* (невареный соус, называемый «камелин») — он готовится из смеси специй: корицы, гвоздики, кардамона, а также обжаренного хлеба, вержуса, вина и винного уксуса; *saulces boulliez dun poivre jaunet* (вареный соус из желтого перца), *blanque sause* (белый соус), который готовится на основе пропитанного бульоном белого хлеба, специй и вержуса и винного уксуса. Причем этот белый соус можно сделать желтым, добавив шафрана, или зеленым, добавив щавеля.

Еще один сборник кулинарных рецептов «Le recueil de Riom» («Сборник Рьома») был составлен около 1466 года в городе Рьом в Оверни также неизвестным автором, мелким дворянином или горожанином. Он содержит 48 рецептов, причем очень кратких, в стиле первой французской кулинарной книги «Наставление».

Эпоха Возрождения

Эпоха Возрождения, у истоков которой стояли итальянские мыслители и художники, в начале XVI века пришла и во Францию. В области гастрономии Ренессанс был ознаменован решительным наступлением «нового светлого сахара» на «темный средневековый мёд», который был практически единственным источником сладости для людей «мрачного» Средневековья. В Античности сахар использовался как лекарственное средство, а в Средние века был дорогой специей. Превращение его в доступный продукт в Европе произошло только в эпоху Крестовых походов[26]. Крестоносцы в Святой земле отвоевали у арабов не только Иерусалим, впоследствии ими утраченный, но еще навсегда «завоевали» и сахар. Историк архиепископ Вильгельм Тирский в сочинении «История деяний в заморских землях» писал, что местность около города Тир «изобилует медовым тростником (*canamella*), из которого делается сахар (*zachara*), драгоценный по пользе своей для здоровья смертных»[27]. Не удержав Иерусалим и Палестину, крестоносцы все же сохранили технологию производства сахара, и, будучи оттесненными на острова Средиземного моря (Родос, Кипр, Крит и Мальту), начали там выращивать сахарный тростник и производить сахар. А уже из Средиземноморья испанцы и португальцы завезли сахарный тростник на плантации открытой ими Америки, и «американский» сахар в изобилии наполнил сахарницы на столах Европы. Сладкие блюда во дворцах итальянских аристократов подавались и в качестве закусок, и в качестве десертов. Изысканные скульптуры из сахара, над созданием которых трудились самые знаменитые художники и скульпторы Ренессанса, в том числе Леонардо да Винчи, украшали торжества и приемы[28]. Увлечение сахаром вместе с культурой Ренессанса пришло и во Францию.

Благодаря сахару появились не только новые сладкие блюда, но и возможность консервирования фруктов. Эпоха Возрождения открыла первую страницу в истории варенья. Столь обыденное для современного человека варенье в то время было предметом гордости и страстного увлечения европейских интеллектуалов. И неудивительно, что первой французской ренессансной кулинарной книгой стала вышедшая в 1552 году книга о конфитюрах великого астролога Мишеля Нострадамуса, не прошедшего мимо этого нового увлечения. Книга, состоящая из двух частей, косметологической и кулинарной, была им названа «Le vray et parfaict embellissement de la face suivi de la Seconde partie, contenant la façon et manière de faire toutes confitures liquides tant en succre, miel, qu'en vin cuit» («Истинный и совершенный способ и приемы украшения лица, за чем следует вторая часть, содержащая способ и приемы изготовления всех видов жидких конфитюров, как с сахаром и мёдом, так и с вареным вином»)[29]. Эта книга, выдержав несколько изданий в XVI веке, в наше время дождалась и комментированных изданий с переводом на современный французский язык — в том числе она вышла и в переводе неутомимого переводчика старинных французских кулинарных книг Жан-Франсуа Коста-Тефена[30]. Во второй части книги Нострадамус приводил рецепты изготовления конфитюров из груш, лимонов, апельсинов, вишни и других фруктов, а также из имбиря, объяснял, как засахаривать миндаль, орешки итальянской пинии, как делать конфеты и сахарный сироп[31].

Но все же главной кулинарной книгой французского Ренессанса стало сочинение французского кулинара Лансело де Касто «Ouverture de cuisine» («Введение в кухню»), увидевшее свет в 1604 году и ознаменовавшее переход от средневековой кухни к кухне Нового времени[32]. Лансело де Касто был шеф-поваром трех князей-архиепископов Льежа, которые последовательно занимали эту кафедру с 1557 по 1612 год: Роберта Бергского, Жерара де Грёсбека и Эрнеста Баварского.

Ренессанс, пришедший во Францию из Италии, принес не только новую итальянскую философию и искусство, но и новые итальянские блюда. Это итальянские колбасы: *saulsisse de Bologne* (Болонская колбаса), *mortadella* (мортаделла), *ceruelade* (сервелат), а также главная итальянская еда — паста и ее разновидности: *maquaron* (макароны), *rafioule* или *raphioules* (равиоли). Вот рецепт макарон Лансело де Касто:

> *Чтобы приготовить макароны.* Приготовьте яичное тесто со сливочным маслом и сделайте из него большие вытянутые листы, а затем нарежьте на полоски шириной в три пальца, режьте их, как режут ткань, затем положите их вариться в кипящую воду так же, как равиоли, затем выложите на тарелку, полейте растопленным сливочным маслом с пармезаном, а также корицей, которые следует хорошо перемешать, и немного еще посыпьте сверху корицей[33].

Другое влияние на французскую кулинарию пришло из Испании, положившей начало новой эпохи — эпохи Великих географических открытий. Испанская экспедиция, возглавляемая итальянцем Христофором Колумбом, наладила поставки не известных ранее в Европе продуктов из Нового Света, главными из которых были помидоры, картофель, шоколад и индейка.

Новые продукты в рацион Старого Света входили не как *deus ex machina*, а медленно и постепенно. Во Франции забавный случай произошел с картофелем, который сначала назывался трюфелем. Картофель по своему внешнему виду показался французам похожим на трюфель. Современное французское название картофеля — *pomme de terre* (дословно: «земляное яблоко») — в XVII веке относилось к топинамбуру[34], и лишь в начале XVIII века топинамбуру дали другое название — *poire de terre* (дословно: «земляная груша»)[35]. Термин *pomme de terre* для картофеля окончательно был закреплен в Словаре Французской академии наук, изданном в 1835 году[36]. И уже в кулинарной книге Альбера «Cuisinier Parisien» («Парижский повар»), шестое издание которой вышло в 1838 году, в рецепте жареного картофеля встречается привычное название: *Pommes-de-terres frites*[37].

У Лансело де Касто картофель называется еще по аналогии с трюфелем — *tartoufle*. Описаны четыре блюда с картофелем, в том числе *Tartoufle boullie* — вареный картофель, а также овощ присутствует в качестве компонента к испанскому блюду *Oylla podrida*. Это тушеное мясо с овощами. Олья подрида в известном романе Мигеля де Сервантеса была главным блюдом обеда рыцаря печального образа — Дон Кихота[38].

Лансело де Касто уже указывает время приготовления блюд: например, в рецепте блюда *Tomaselle de foye* (томазель из печени) он указывает, что нарезанную на кусочки печень следует довести до кипения и варить в течение прочтения молитвы «Pater noster» («Отче наш»)[39]. Современное измерение времени в часах войдет в кулинарию в конце XVII века: Франсуа Пьер де Ла Варенн время приготовления блюд указывает в часах (час, полчаса, четверть часа), но минут у него тоже пока еще нет. И, конечно же, в кулинарной книге Лансело де Касто много сахара, который он добавляет даже в супы (венгерский суп из каплуна), в том числе и в рыбные[40]. Благодаря сахару у Лансело де Касто появляются марципан (*marsepain*), сухие цукаты (*succades seches*), мармелад (*malmelad*), сахарные трубочки (*canelles succrees*), большой сахарный бисквит (*grand biscuit succré*) и многие другие сладости.

Новое время

Первой кулинарной книгой Нового времени во Франции — времени, с которого французская кулинария начала завоевывать мир, — была вышедшая в 1651 году книга «Le Cuisinier

François» («Французский повар») Франсуа Пьера де Ла Варенна, которая выдержала около 250 изданий и издавалась вплоть до 1815 года[41].

Франсуа Пьер де Ла Варенн родился в Бургундии и служил шеф-поваром у генерала Луи-Шалона дю Бле, маркиза д'Юкселя[42]. В приготовлении блюд он отошел от средневекового обилия специй, главным у него стал естественный вкус продуктов. «Французский повар» — это объемная книга, в которой на 458 страницах представлено очень большое число рецептов различных блюд. И, конечно же, она отличается от средневековых кулинарных книг подробностью изложения рецептов.

Книга начинается с рецептов супов, затем после раздела о желе Ла Варенн переходит к рецептам мясных блюд. За мясными блюдами следуют постные: сначала постные супы, затем постное основное блюдо. К постным относятся блюда из рыбы, морских моллюсков, а также из лягушек — *Potage aux grenoüilles* (суп из лягушек). Отдельная глава посвящена овощам, пряным травам и грибам. Затем идут кремы и молочные блюда, в том числе итальянская рикотта. В разделе «Кондитерские изделия» приводятся рецепты всевозможных пирогов: с мясом, рыбой, яйцами, травами, фруктами, сыром. Здесь же помещены рецепты приготовления пате. Интересно отметить, что Ла Варенн в своей кулинарной книге приводит также два рецепта изготовления «освященного хлеба» (pain benist), который раздают в храме верующим после мессы. Это не гостия, а аналог русской просфоры. Однако, судя по рецептам, в отличие от просфоры, это очень вкусное кондитерское изделие[43].

Позже Франсуа Пьер де Ла Варенн написал книгу «Le Pâtissier François» («Французский кондитер»), вышедшую в Париже в 1653 году[44]. Название «кондитер» несколько условное, так как кондитер готовил не только печеные десерты, но и пироги в целом, в том числе и пироги с мясом. Затем последовала книга, посвященная приготовлению конфитюров «Le Parfaict Confiturier» («Искусный изготовитель конфитюров»)[45], а за ней — «L'École des ragoûts» («Школа рагу»)[46].

Следом за книгой знаменитого Ла Варенна всего лишь четыре года спустя, в 1656-м, выходит книга «Le Cuisinier» («Повар») малоизвестного, а ныне совсем забытого кулинара Пьера де Луна. До сих пор неясно, настоящее это имя или псевдоним: «Pierre de Lune» — «Лунный камень»[47]. Впрочем, в Испании существовал дворянский титул «граф де Луна», известный с XIII века. Носителем фамилии «де Луна» был и антипапа XIV века Бенедикт XIII (Педро Мартинес де Луна — Pedro Martínez de Luna). Как следует из предисловия к книге, Пьер де Лун был поваром герцога Рогана. В 1660 году вышло новое издание его книги под названием «Le Nouveau et Parfait Cuisinier» («Новый и совершенный повар»). Однако никаких других сведений, кроме его кулинарных книг, о Пьере де Луне не сохранилось.

Пьер де Лун придумал набор ароматических трав или специй, который он назвал *paquet* (сейчас его называют *bouquet garni*), — букетик из сушеных пряных трав, завернутых в лавровые листья и перевязанных ниткой. В этот набор трав входят шнитт-лук, тимьян, петрушка, кервель. Он используется при приготовлении супов и тушеных блюд. Также Пьер де Лун первый начал добавлять в соусы муку, что стало основой «roux». Об этом «roux» речь пойдет в Главе 2, в разделе «Соусы».

Французский агроном Николя де Боннефон в 1651 году издал книгу «Délices de la Campagne» («Удовольствия сельской жизни»), которая представляет собой в то же время и достаточно подробное гастрономическое сочинение. Николя де Боннефон называет себя «Valet de chambre du Roi» (дворецкий короля), но более о нем ничего не известно[48].

Первая глава книги Николя де Боннефона посвящена хлебу. В том числе, он приводит рецепт хлеба для мессы, то есть гостии. Далее следуют бисквиты, макароны, пироги, а также, в отличие от других кулинаров, он пишет о винах, наверное, потому что в названии книги присутствует слово «удовольствие». Вторая часть — о пряных травах. Третья — о птице, мясе и рыбе.

В 1680 году вышла кулинарная книга под названием «L'Ecole parfaite des officiers de bouche» («Идеальная школа придворных поваров»). Ее автором был Жан Рибу[49]. Эта книга неоднократно переиздавалась, однако о ее авторе тоже не сохранилось никаких сведений. Книга отличается от предыдущих кулинарных сочинений обилием иллюстраций, демонстрирующих, как разделывать птицу и различные виды мяса, рыбы, раков, как разрезать фрукты перед подачей к столу. В главе о десертах у Жана Рибу появляется термин «консервы» (conserve), но он используется исключительно для варений из фруктов. Присутствует много фруктовых желе, в отличие от средневековых кулинарных книг, где желе — это заливное из рыбы.

Рубеж XVII–XVIII веков во французской кулинарии был ознаменован деятельностью прославленного повара Франсуа Массьяло, первая кулинарная книга которого «Cuisinier royal et bourgeois» («Королевский и городской повар») вышла в 1691 году, а затем появилось ее новое дополненное издание «Le nouveau cuisinier royal et bourgeois» («Новый королевский и городской повар»). Эта книга была переведена на английский язык и издана в Лондоне в 1702 году[50]. Об этом замечательном кулинаре сохранились исторические известия. Он служил шеф-поваром у герцога Филиппа I Орлеанского — младшего брата короля Людовика XIV — и у его сына Филиппа II Орлеанского, а также у кардинала Сезара д'Эстре и военного министра Франции Франсуа-Мишеля Летелье маркиза де Лувуа.

Книга Массьяло — это внушительный по объему кулинарный труд, в котором меню соотнесено с временами года, причем для каждого месяца автор предусматривает особое меню и даже указывает, в какие месяцы следует есть какие фрукты. Затем Массьяло написал книгу о десертах «Nouvelle instruction pour les confitures, les liqueurs, et les fruits» («Новое руководство по приготовлению конфитюров, ликёров и фруктов»), которая увидела свет в 1712 году. В этой книге приведены не только рецепты конфитюров из различных фруктов, но также описаны кофе, чай и шоколад, который в это время был еще напитком, а не плиткой. Массьяло объясняет, как нужно готовить эти напитки, отмечая, что кофе во Франции получил повсеместное распространение, в отличие от чая. Он объясняет это тем, что чай значительно дороже кофе, ведь его доставляют из Китая и Японии[51]. Несмотря на то что в наше время чай значительно подешевел, французы и по сей день, как правило, не пьют чай, предпочитая ему кофе. Затем, переходя к дижестивам, Массьяло описывает крепкие спиртные напитки, *eaux de vie* или *esprits de vin*[52]. Книга Массьяло «Новый королевский и городской повар» неоднократно переиздавалась и после его кончины, при этом в нее вносились изменения и новые рецепты. На это нужно обращать внимание при использовании рецептов из его посмертных изданий.

Младшим современником Массьяло был кулинар Венсан Ла Шапель, работавший сначала в Англии у английского государственного деятеля, дипломата и писателя Филипа Дормера Стэнхоупа, графа Честерфилда, затем у португальского короля Жуана V. Вернувшись во Францию, Ла Шапель работал шеф-поваром маркизы де Помпадур, для которой приготовил особый десерт — *puits d'amour* («источник любви»), ставший впоследствии французским национальным десертом. Это пирожное готовится из слоеного или заварного теста, сверху покрывается желе из

ГЛАВА 1. С ЧЕГО ВСЕ НАЧАЛОСЬ. ФРАНЦУЗСКИЕ КУЛИНАРНЫЕ КНИГИ VI–XIX ВЕКОВ

красной смородины или абрикосовым конфитюром, а середина пирожного, то есть «источник», остается полой и заполняется кремом патисьер. В 1735 году в Гааге вышла книга Ла Шапеля «Le Cuisinier moderne» («Современный повар») в четырех томах[53]. Он первым из французских кулинаров привел рецепт из русской кухни — это «Entremêts à la Moscovites, qui s'apelle Kaissele» (антреме по-московски, которое называется кисель)[54].

Ла Шапель был не только великим кулинаром, но и известным масоном, основавшим в 1734 году одну из масонских лож. Он также является автором трех сборников масонских песнопений. В настоящее время одна из масонских лож в Нидерландах носит его имя.

В 1740 году увидела свет кулинарная книга неизвестного автора «Le Cuisinier Gascon» («Гасконский повар»), небольшого формата и объемом всего лишь 194 страницы[55]. Рецепты предваряет посвящение, обращенное к принцу де Домб. Его высочество адресат этой книги Луи-Огюст де Бурбон принц де Домб был внуком короля Людовика XIV и его официальной фаворитки маркизы де Монтеспан. Известный военачальник в то же время был искусным кулинаром, что было хорошо известно при дворе, поэтому эту книгу традиционно атрибутируют именно ему[56].

Книга содержит 217 рецептов, по своей краткости и расположению без какого-либо порядка напоминающих средневековые кулинарные книги. Некоторые из рецептов имеют экзотические названия, как, например, *sauce bachique* (вакхический соус), который готовится на основе бургундского вина, сахара, корицы, гвоздики, кожуры зеленого лимона, мускатного ореха и кориандра[57]. Или *Oeufs au Soleil* (яйца на солнце). Это восемь поджаренных яиц, которые затем располагаются на пироге с названием *Bignet*[58]. Или же *Hachis d'œufs sans malice* («рубленые яйца без какого-либо умысла»), рецепт которых приводится ниже:

Возьмите сваренные вкрутую яйца, срежьте половину белка, вторую половину мелко нарежьте с желтками, положите туда предварительно так же мелко нарезанную петрушку, лук, шампиньоны, для улучшения вкуса залейте это хорошей сметаной. В завершение положите туда кусок ванвского сливочного масла, смешанного с мукой, для лучшего перемешивания добавьте лимонного сока и подавайте[59].

Сливочное масло из деревни Ванв (ныне это пригород Парижа) считалось лучшим французским сливочным маслом в XVII–XVIII веках. В XVII веке даже появилась поговорка: «avoir le coeur doux comme du bon beurre de Vanves» (иметь доброе сердце, как доброе ванвское сливочное масло).

Можно заметить, как итальянская паста настойчиво входит во французскую кулинарию. У «Гасконского повара» есть уже не только макароны (*macaronis*) и равиоли (*rafiolis*), но и ньоки (*nioc*)[60]. В 1747 году гасконский повар переиздал свою книгу с добавлением «Lettre du Patissier Anglois» («Письмо английского кондитера»)[61]. Это «Письмо» представляет собой интересные философские размышления о гастрономии и напрямую апеллирует к Апицию.

Французский литератор, составитель многотомных компилятивных собраний Франсуа-Александр Обер де Ла Шене-Дебуа в 1750 году издал словарь «Dictionnaire des aliments, vins et liqueurs» («Словарь продуктов питания, вин и ликёров»)[62]. Это был настоящий энциклопедический словарь по гастрономии, в котором статьи располагались в алфавитном порядке, вышедший на год раньше первого тома великой французской «Энциклопедии наук, искусств и ремесел» Дени Дидро и Жана Даламбера, увидевшего свет в 1751 году.

В 1755 году была опубликована кулинарная книга, подписанная именем Менон: «Les soupers de la cour, ou L'art de travailler toutes sortes d'alimens» («Придворные трапезы, или Искусство приготовления всякого рода продуктов»)⁶³. Menon — псевдоним неизвестного автора книг по кулинарии, жившего во Франции в XVIII веке. Почему им был выбран псевдоним Менон — имя, которое носил известный софист из одноименного диалога Платона, — остается загадкой.

У Менона продолжают входить во французскую кулинарию новые итальянские блюда: у него появляется лазанья. Менон называет ее *potage de Lazagne* и помещает в разделе постных супов:

> Лазанья — это итальянское [сухое] тесто того же состава, что и макароны, но в отличие от них оно своей формой напоминает стружки из столярной мастерской. Для приготовления промойте его и варите как рис на очень малом огне в хорошем и малосоленом бульоне. Затем переложите его в дуршлаг, чтобы дать стечь бульону. Возьмите тарелку, на которой будете подавать, выложите на него слой этого теста, а сверху положите несколько кусочков сливочного масла и много тертого сыра — Пармезана или Грюйера, затем сверху положите следующий слой лазаньи, также посыпьте сыром, и так выкладывайте слой за слоем, пока тарелка не будет полной. Нужно, чтобы верхний слой также был посыпан сыром. Поставьте блюдо на малый огонь, накройте его крышкой, чтобы оно не подгорало от языков пламени сверху. Вы можете подавать, когда оно станет красивого золотистого цвета»⁶⁴.

У Менона начинает формироваться философский взгляд на кулинарию, что найдет свое классическое выражение в трактате «Физиология вкуса, или Размышления о трансцендентной гастрономии» Жана Антельма Брийя-Саварена, о котором речь впереди. Менон, в частности, пишет: «Физика учит нас, что различие пищи, связанное как с достатком, так и с климатом, порождает различия не только в телосложении, но и в талантах, наклонностях и нравах наций. Какую перемену видим мы в душах людей севера, с тех пор как сахар, пряности, вино и другие продукты, которые производятся в теплых краях, стали частью их обычной пищи?»[65]

После свержения Старого порядка, уже в революционной Франции весной 1795 года была издана небольшая кулинарная книга под названием «La Cuisinière républicaine» («Республиканская кухарка»)[66]. Книга снабжена подзаголовком: «обучает простому способу употребления в пищу картофеля с несколькими советами касательно необходимых мер по его хранению». Принято считать, что эта книга была написана мадам Мериго, вдовой книготорговца[67], и была издана ее сыном — Мериго-младшим. Книга вышла без указания автора, и если она действительно принадлежит мадам Мериго, то является первой французской кулинарной книгой, написанной женщиной-кулинаром. Книга содержит множество «простых и экономичных» рецептов с картофелем. Автор предлагает различные рецепты картофеля с салатом, с рыбой, с шампиньонами, с салом.

Романтическое революционное сознание создало свой календарь, взяв новую точку отсчета жизни. Отсчет лет во французском республиканском календаре начинался с 22 сентября 1792 года, с первого дня провозглашения республики. Республиканская кулинария тоже жила по новому календарю: на титульном листе книги «La Cuisinière républicaine» стоит дата «III год Республики». Если книга вышла весной, то это был один из весенних месяцев третьего республиканского календаря: жерминаль, флореаль или прериаль. Таким образом, если переводить на наше летосчисление, должен был наступить 1795 год.

Однако романтика отрицания традиции не способна надолго удержаться в реальной жизни — так это было во Франции, так это было и после Октябрьской революции в России, когда на смену разрушению всего «до основанья»

ГЛАВА 1. С ЧЕГО ВСЕ НАЧАЛОСЬ. ФРАНЦУЗСКИЕ КУЛИНАРНЫЕ КНИГИ VI-XIX ВЕКОВ

пришел «сталинский ампир». Наполеон I Бонапарт в 1804 году провозгласил Францию империей, а для ритуала императорской коронации был приглашен папа римский Пий VII. Императорскую кулинарию провозгласил парижский кулинар Андре Виар, издав в 1806 году книгу под названием «Le Cuisinier impérial» («Императорский повар»), в которой содержится почти 950 рецептов блюд и соусов. Андре Виар, находясь на службе французского посланника в России графа Луи-Филиппа де Сегюра, посетил Россию, и не только Петербург: в 1787 году, находясь в свите графа, он совершил поездку в Крым с императрицей Екатериной II.

В дальнейшем, при переизданиях книги Андре Виара, ее название изменялось в зависимости от политической обстановки во Франции. Начиная с девятого издания, которое вышло в 1817 году, когда Францией правил король Людовик XVIII, книга выходила с названием «Le Cuisinier royal» («Королевский повар»). А двадцать второе издание, вышедшее в свет уже после смерти автора, в переломном 1852 году, в котором закончилась Вторая республика и началась Вторая империя, в несколько неопределенной политической ситуации получило и неопределенное название «Cuisinier national» («Национальный повар»). В 1858 году, уже при прочно установившейся власти императора Наполеона III, книга обрела свое первоначальное название — «Le Cuisinier impérial» («Имперский повар»)[68].

Заглянув в XIX век, о котором речь далее, отметим еще две кулинарные книги. Во-первых, книгу Б. Альбера, чье имя осталось неизвестным — мы знаем только его инициал, Альбер служил шеф-поваром кардинала Жозефа Феша, брата матери императора Наполеона I, знаменитого коллекционера произведений искусства. Альбер написал кулинарную книгу «Le Cuisinier Parisien» («Парижский повар»)[69]. Книга Альбера начинается с соусов, а повествование о самих соусах предваряет глава об их компонентах, таких как «ру», «букэ гарни», винный уксус и т. д.

Вторая книга — это «L'art du cuisinier» («Искусство повара»)[70], написанная ресторатором Антуаном Бовилье, о котором более подробно речь пойдет в Главе 4, посвященной ресторанам. В ней Антуан Бовилье, следуя традиции, утвердившейся во французской кулинарии в XVIII веке, составлял меню для каждого времени года.

XIX век

В XIX веке кулинарные книги во Франции появляются уже лавинообразно, и у нас нет возможности подробно рассматривать их, поэтому остановимся только на наиболее значимых.

Начало XIX века во французской кулинарии было ознаменовано ее философским осмыслением. В век философов и рационального знания появляется первый французский философский трактат по гастрономии, написанный знаменитым юристом, политиком, литератором, эпикурейцем и кулинаром Жаном Антельмом Брийя-Савареном, полное название которого «Physiologie du Goût, ou Méditations de Gastronomie Transcendante; ouvrage théorique, historique et à l'ordre du jour, dédié aux Gastronomes parisiens, par un Professeur, membre de plusieurs sociétés littéraires et savantes» («Физиология вкуса, или Размышления о трансцендентной гастрономии, теоретическая, историческая и современная работа, посвященная парижским гастрономам профессором, членом нескольких литературных и ученых сообществ»). Он был опубликован в двух томах в 1825 году, за два месяца до смерти Брийя-Саварена, без указания автора[71]. В 1834 году вышло его второе издание, в котором в предисловии была помещена биография Брийя-Саварена, а в 1838 году книга была издана с предисловием знаменитого французского писателя, большого гурмана Оноре де Бальзака.

Далекий предшественник Брийя-Саварена в «философии гастрономии» итальянский гуманист эпохи Возрождения Бартоломео Платина свое гастрономическое сочинение «De obsoniis ac honesta voluptate» («О кушаньях и достойном наслаждении»), изданное в 1475 году, относил к философским книгам[72]. Брийя-Саварен положил также начало историческим исследованиям в области гастрономии. Книга «Физиология вкуса» начинается с двадцати афоризмов «Профессора», то есть самого Брийя-Саварена, которые предназначены «стать пролегоменами к этому сочинению», за которыми следует «Диалог автора со своим другом». Из афоризмов Брийя-Саварена:

Афоризм 1. Вселенная есть не что иное, как жизнь, а все, что живет, — питается.

Афоризм 2. Животные кормятся, человек ест, но только умный человек умеет есть.

Афоризм 5. Творец, обязав человека есть для того, чтобы жить, приглашает его к этому аппетитом и награждает за это удовольствием.

Афоризм 7. Удовольствие, доставляемое столом, доступно всем возрастам, всем состояниям, всем странам и каждый день. Если сравнить его с другими удовольствиями, то оно остается для нас единственным, чтобы нас утешать с потерей других[73].

Книга состоит из двух частей и «Гастрономической поэмы», в стихах воспевающей «человека за столом». Первая часть — это 30 «медитаций», то есть 30 глав-размышлений, посвященных философии и истории гастрономии. Во второй части 27 глав, в которых, по большей части, приведены рецепты и различные рассказы, в том числе стихи античных поэтов.

Эта гастрономическая книга Брийя-Саварена была в библиотеке Александра Сергеевича Пушкина. В одном из писем к своей жене Наталье Пушкин, перефразируя четвертый афоризм Брийя-Саварена «Dis-moi ce que tu manges, je te dirai, que tu es» («Скажи мне, что ты ешь, и я скажу, кто ты»), пишет: «Dis-moi ce que tu bois, je te dirai qui tu es. Пьешь ли ты ромашку или eau d'orange?» («Скажи мне, что ты пьешь, и я скажу, кто ты. Пьешь ли ты ромашку или оранжад?»)[74]. Пушкин выписал также еще один афоризм Брийя-Саварена в «Заметках и афоризмах разных годов, год 1834», но несколько его изменил в стиле изречения короля Людовика XVIII «L'exactitude est la politesse des rois» («Точность — вежливость королей»): Пушкин превратил его в «L'exactitude est la politesse des cuisiniers» («Точность — вежливость поваров»)[75]. У Брийя-Саварена этот афоризм выглядит следующим образом: «La qualité la plus indispensable du cuisinier est l'exactitude» («Самое необходимое качество повара — точность»).

Современником Брийя-Саварена был не менее известный философ-гастроном Александр Гримо де Ла Реньер, который в 1803 году начал издавать знаменитый «Almanach des Gourmands» («Альманах гурманов»). С 1803 по 1812 год вышло восемь томов этого Альманаха[76]. В 2011 году в переводе на русский язык Веры Мильчиной вышло достаточно полное издание сочинений Гримо де Ла Реньера в одном томе[77].

В том, что Гримо де Ла Реньер был философом, сомневаться не приходится, ведь только философ мог дать такое определение супа: «Суп для обеда — то же самое, что портик или перистиль для здания, это значит, что он не только является его первым блюдом, но он должен представить [приступающим к обеду] истинную идею трапезы»[78].

В 1839 году, уже после кончины Гримо де Ла Реньера, вышло в свет еще одно его сочинение — словарь французской кухни под названием «Néo-physiologie du gout par ordre alhabétique, ou Dictionnaire génerál de la cuisine française ancienne et modern» («Нео-физиология вкуса в алфавитном порядке, или Большой словарь древней и современной французской кухни»)[79].

Но если основателями французской философии гастрономии были Брийя-Саварен и Гримо де Ла Реньер, то основателем классической французской кулинарии стал Мари-Антуан Карем. Для кулинара он имел не очень подходящую фамилию — *carême* в переводе с французского означает «Великий пост». Однако это не помешало ему заслужить почетный титул «короля шеф-поваров и шеф-повара королей»[80].

Мари-Антуан Карем родился в 1784 году в бедной семье. Он начал свою карьеру в 1792 году в Париже, в простой таверне. В 1798 году его заметил и взял в ученики известный кондитер Сильвен Байи, магазин которого находился возле дворца Пале-Рояль. Карем начал создавать из бисквита, сливок, взбитых белков, цукатов и других продуктов модели знаменитых замков, соборов — *pièces montées*, которые стали пользоваться спросом. Образцами для Карема, который серьезно увлекся изучением архитектуры, служили альбомы великих архитекторов эпохи Возрождения Джакопо да Виньолы и Андреа Палладио, которые он штудировал в «Cabinet des estampes» («Кабинет эстампов») при Национальной библиотеке. Он также время от времени выполнял заказы для министра иностранных дел Шарля Мориса Талейрана, который вскоре пригласил его к себе на службу.

В 1814 году Мари-Антуан Карем готовил обеды для прибывшего в Париж русского императора Александра I. В 1816 году Карем в течение восьми месяцев работал шеф-поваром в Лондоне у принца-регента, впоследствии английского короля Георга IV. Затем он работал шеф-поваром в Вене у посла Великобритании и в Париже у принца Вюртембургского и княгини Екатерины Багратион.

В 1819 году Карем побывал в России, но ему не удалось получить должность шеф-повара русского императорского двора. Петербург настолько захватил воображение Карема, что он позже издал небольшую книгу объемом в 26 страниц, посвятив ее российскому императору Александру I, где были предложены шесть проектов по украшению Петербурга — «Projets d'architecture dédiés à Alexandre 1er, empereur de toutes les Russies» («Архитектурные проекты, посвященные Александру I, императору Всероссийскому»)[81]. В этой книге Карем предложил украсить Петербург, прежде всего, колонной Мира и Искусств, а также храмом Мира и Искусств. Юношеское увлечение архитектурой не было им забыто! Затем, уже вернувшись в Париж, Карем приступил к разработке плана архитектурного украшения Парижа, уделяя основное внимание водоснабжению и фонтанам. Он изложил свои проекты в следующей своей архитектурной книге — «Projets de trente fontaines pour l'embellissement de la ville de Paris» («Проекты тридцати фонтанов для украшения города Парижа»)[82].

В 1823 году Карем начал работать у банкира Джеймса де Ротшильда, одного из богатейших людей Франции. Ротшильд, не будучи человеком аристократического происхождения, благодаря своему знаменитому повару смог войти в великосветское общество, собирая на обеды в салоне высший свет Парижа.

Мари Антуан Карем был не только великим поваром, но и весьма плодовитым кулинарным писателем — ведь он писал не только книги по архитектуре. Точно не известно, когда он сменил имя с Мари-Антуан на Мари-Антонен. Может быть, он хотел иметь русское имя Антонин, надеясь получить должность повара при русском императорском дворе, или не желал ассоциаций с именем казненной королевы Марии-Антуанетты. На титульном листе его книг, как правило, стоят только инициалы: M. A. Carême, и лишь две его книги подписаны с указанием полного имени: это сочинение в трех томах, подписанное «M. Antonin Carême. L'Art de la Cuisine Française au XIXe siècle» («Искусство французской кухни в XIX веке»), первое издание которого вышло в 1828 году, и книга, написанная в соавторстве с Бовилье, но вышедшая уже после смерти Карема, в 1848 году: «La Cuisine ordinaire» («Повседневная кухня»).

Еще в начале своей творческой карьеры, в 1815 году, Карем издал две книги — «Le Pâtissier Royal Parisien» («Парижский королевский кондитер»)[83] и «Le Pâtissier pittoresque» («Живописный кондитер»)[84]. В 1822 году вышла в свет его главная кулинарная книга — «Le maitre d'hotel français, ou Parallèle de la cuisine ancienne et moderne» («Французский метрдотель, или Сопоставление древней и современной кухни»)[85]. Затем, в 1828 году, он издал еще одну книгу — «Le Cuisinier Parisien» («Парижский повар»)[86]. Карем задумал также написать кулинарную энциклопедию в пяти томах «Искусство французской кухни в XIX веке», однако успел завершить только три[87]. Первый том начинается с посвящения баронессе Ротшильд, затем следует объемное вступление, посвященное истории кулинарии с эпохи Античности. После чего описываются празднества в честь коронации российского императора Николая I. И только после этого, собственно, автор переходит к французской кухне, которую открывает рецептом приготовления потафё. Второй том начинается с афоризмов самого Карема, восхваляющих, прежде всего, французскую кулинарию.

В середине XIX века сочинение Карема было переведено на русский язык Тимофеем Тимофеевичем Учителевым, метрдотелем Двора великой княгини Марии Николаевны, как написано на титульном листе книги, или тафельдекером, согласно придворному штату, введенному в 1796 году императором Павлом I[88]. В обязанности тафельдекера входили сервировка царского стола и заведывание всеми принадлежностями столового убранства.

Учеником Карема был кулинар и так же, как и его учитель, гастрономический писатель Жюль Гуффе, который проработал вместе с ним семь лет. В 1855 году Жюль Гуффе стал шеф-поваром императора Наполеона III. Свой опыт он изложил в двух книгах — «Le Livre de Cuisine» («Кулинарная книга»)[89] и «Le Livre de Pâtisserie» («Книга по выпечке и кондитерским изделиям»)[90]. «Кулинарная книга» состоит из двух частей: первая часть, озаглавленная «La Cuisine de Ménages» («Домашняя кухня»), предназначена для домохозяек, искусных в кулинарии и не очень. Во вступлении Жюль Гуффе описывает всю кухонную утварь, печи и способы готовки основных продуктов. Книга хорошо иллюстрирована и дает полное представление о кухне середины XIX века. Жюль Гуффе, видимо, был человеком очень обстоятельным. Так, он не только подробно описал все кухонные принадлежности, но и снабдил книгу алфавитным индексом блюд и продуктов. Описание рецептов приготовления блюд Гуффе начал с говяжьего бульона, который, по его мнению, «является душой домашней кухни»[91].

Вторая часть книги «La Grande Cuisine» («Кухня для гурманов»), как следует из ее названия, посвящена высокой кухне. Здесь автор уже приводит более сложные рецепты. Но, как видно из его книги, Гуффе не был просто поваром, а скорее творцом художественных композиций из овощей, рыб, цыплят и морепродуктов. Его кулинарные композиции, изображенные на цветных вкладках, напоминают картины итальянского художника эпохи Возрождения Джузеппе Арчимбольдо, писавшего портреты, составленные из фруктов, овощей, цветов и обитателей морских глубин. Наиболее известным произведением Арчимбольдо является портрет императора Рудольфа II в образе Вертумна, римского бога времен года. Наверное, это увлечение итальянским искусством и архитектурой Гуффе унаследовал у своего великого учителя Карема.

Вторая книга Жюля Гуффе «Le Livre de Pâtisserie» не менее подробна и также снабжена рисунками. В начале книги автор приводит определения кондитерских терминов и даже дает советы начинающим кондитерам. Знаменитый французский кулинар нашего времени, обладатель трех мишленовских звезд Бернар Луазо посвятил творчеству Жюля Гуффе одну из своих книг — «Les fastes de la cuisine française: les recettes de Jules Gouffé reinterpretées par Bernard Loiseau» («Роскошь французской кухни: рецепты Жюля Гуффе в интерпретации Бернара Луазо»), которая вышла в 1994 году[92].

Александр Дюма был не только великим писателем, но и изысканным кулинаром, автором «Le Grand Dictionnaire de Cuisine» («Большого кулинарного словаря»), который был издан в Париже в 1873 году уже после смерти писателя[93]. После неимоверно обширного вступления, в котором приведен также кулинарный календарь Гримо де Ла Реньера, Александр Дюма лишь со сто седьмой страницы начинает кулинарную энциклопедию. Но так как эта книга издана на русском языке[94], не стоит подробно останавливаться на ней: перейдем от кулинарного писателя к кулинарному журналисту.

Одним из первых гастрономических журналистов был французский кулинар Жозеф Фавр. 15 сентября 1877 года он основал первый кулинарный журнал «La Science culinaire» («Кулинарная наука»), издававшийся, в отличие от «Альманаха гурманов» Гримо де Ла Реньера, не литератором, а поваром-профессионалом. В 1879 году Фавр основал Union Universelle pour le Progrès de l'Art Culinaire (Международный союз для прогресса кулинарного искусства). Парижское отделение этой ассоциации в 1888 году было реорганизовано и получило название «Académie culinaire de France» («Французская кулинарная академия»), которая существует и в наши дни. В 1879 году Жозеф Фавр приступил к изданию «Dictionnaire universel de cuisine pratique» («Всеобщего словаря практической кулинарии»)[95].

Фавр увлекался анархизмом и был знаком с главой русских анархистов Михаилом Бакуниным, для обеда с которым в Лугано у подножья горы Сан-Сальваторе зимой 1875–1876 годов он приготовил десерт «pouding Salvator». На этом ужине присутствовали также французские и итальянские товарищи: Бенуа Малон и Артур Арну пили дорогое красное итальянское вино Бароло, Эррико Малатеста, Жюль Гед и сам Жозеф Фавр пили белое итальянское вино Асти, а Бакунин — пиво, а затем чай. После продолжительной беседы о том, как осуществить мечту о счастье трудового народа, они вкусили замечательный пудинг, приготовленный Фавром[96].

В начале XX века великий повар Огюст Эскофье придал завершенный вид классической французской кулинарии, в 1903 году опубликовав книгу «Le Guide Culinaire» («Руководство по кулинарии»)[97], которая подвела итог поискам французских кулинаров совершенства обеда в целом и отдельных его блюд. В 2005 году книга была издана в переводе на русский язык[98].

Огюст Эскофье родился в 1846 году на юге Франции, в деревне Вильнёв-Лубе около Ниццы. Дом, где он родился, в 1966 году был превращен в Музей кулинарного искусства Эскофье, который принадлежит «Фонду Огюста Эскофье». Свой трудовой путь Эскофье начал в ресторане своего дяди Le Restaurant Français в Ницце. Во время Франко-прусской войны он служил поваром в армии. Свой первый собственный ресторан «Le Faisan d'Or» («Золотой фазан») Эскофье открыл в 1878 году в Каннах. Поворотным пунктом в его карьере стала встреча с Сезаром Рицем, основателем фешенебельных гостиниц Ritz. Эскофье организовывал и возглавлял рестораны в этих гостиницах. Занимаясь «высокой кухней» для обеспеченных людей, Эскофье помогал также французской католической женской монашеской конгрегации «Petites Sœurs des pauvres» («Малые сестры бедных»). В 1919 году Эскофье был награжден президентом Франции Раймоном Пуанкаре орденом Почетного легиона, а в 1928 году стал первым из поваров кавалером этого французского национального ордена, созданного по образу рыцарских орденов, принадлежность к которому является признанием особых заслуг перед Францией. Эскофье, помимо своего основного труда, написал еще целый ряд книг по кулинарии, среди которых «Le Livre des Menus» («Книга рецептов», 1912), «L'Aide-Mémoire culinaire» («Кулинарный справочник», 1919), «Ma Cuisine» («Моя кухня», 1934). В 1911 году он начал издавать ежемесячный журнал «Le Carnet d'Epicure» («Записки гурмана»), который перестал выходить в связи с началом Первой мировой войны. Будучи приверженцем идеи социальной справедливости, в 1910 году Эскофье написал книгу о необходимости поддержки поваров и их семей «Projet d'assistance mutuelle pour l'extinction du paupérisme» («Проект взаимопомощи с целью пресечения бедности»).

С Огюстом Эскофье не завершается история французского кулинарного искусства: XX век дал целую плеяду прославленных французских поваров и кулинарных писателей — автора «Larousse Gastronomique» Проспера Монтанье, шеф-повара с орденом Почетного легиона Поля Бокюза, посвятившего всю свою жизнь героической защите традиционной французской кухни, Бернара Луазо и многих других, но в нашем повествовании мы ставим точку на рубеже 1920-х годов. Первая мировая война, в которой рухнули одряхлевшие европейские империи, ознаменовала начало новой эпохи, которая требует совсем другого рассказа.

ГЛАВА 2. ФРАНЦУЗСКИЙ ОБЕД В РУССКОЙ ЛИТЕРАТУРЕ

Во французском языке на протяжении веков произошли изменения в понятиях «завтрак», «обед» и «ужин». Современный французский завтрак (*petit déjeuner*) очень легкий, поэтому он так и называется — «маленький завтрак». Собственно, «завтрак» — *déjeuner* — в настоящее время скорее соответствует нашему обеду. Его принимают пополудни, он состоит из нескольких блюд и непременно бывает с вином. Современный термин *petit déjeuner* вошел во французский язык лишь в XIX веке, «сместив» *déjeuner* на обеденное время. Понятие же «обед» — *dîner*, соответственно, сместилось на вечер, а когда же теперь будет «ужин» — *souper*, знает уже далеко не каждый француз. При этом на протяжении веков менялось время обеда и ужина, как видно из средневекового стишка:

> Lever à cinq, dîner à neuf
> Souper à cinq, coucher à neuf
> Font vivre d'ans nonante et neuf.

> Вставать в пять, обедать в девять,
> Ужинать в пять, ложиться в девять,
> И будешь жить лет до девяносто девяти[1].

Затем, с течением времени, это стихотворение несколько изменилось, и расписание стало на час позже:

> Lever à six, dîner à dix
> Souper à six, coucher à dix
> Font vivre l'homme dix fois dix.

> Вставать в шесть, обедать в десять,
> Ужинать в шесть, ложиться в десять,
> И будешь жить ты, о человек, десять раз по десять.

Средневековый француз обедал сначала в девять часов утра, затем в десять, а ужинал сначала в пять, а затем в шесть часов вечера. Однако эта поговорка, дав рекомендации, как дожить до 99 или же до 100 лет, не сообщает, в котором часу должен быть завтрак — *déjeuner*. Французское слово *déjeuner*, «перестать поститься» (*jeûne* — «пост»), обозначает прием пищи после ночного сна, в течение которого человек ничего не ел, а значит, постился. Уже в XIX веке понятия *déjeuner, dîner, souper* были не совсем однозначны, а *souper*, который в настоящее время иногда толкуется как «поздний ужин», в XIX веке был еще ужином вполне обычным. Однако тогда же, в XIX веке, был придуман неологизм *déjeuner dînatoire* (дословно — «обеденный завтрак»), используемый Львом Толстым в комедии «Плоды просвещения»: «Не то чтобы обед, а déjeuner dînatoire. И прекрасный, я вам скажу, был завтрак: поросячьи окорочка — прелесть!»[2]

Классический французский обед имеет строгую структуру, которую нельзя ни в чем изменить или нарушить. Французский обед, если он называется «французским», должен непременно состоять как минимум из шести основных элементов, расположенных в незыблемом порядке:

Аперитив

Антре

Основное блюдо

Сырная тарелка

Десерт

Дижестив

Аперитив

Аперитив — это напиток, который «открывает» обед, и его название происходит от латинского глагола *aperire* — «открывать». Торжественные обеды во Франции принято открывать шампанским. Для рядового обеда аперитивом могут быть розовые вина, или же маленькая стопка молодого кальвадоса на севере Франции, или стакан пастиса на её солнечном юге. О шампанском, в русской литературе «царящем» над всеми винами, обедами и ужинами и воспетом практически всеми без исключения русскими поэтами и писателями, речь пойдёт в следующей главе. Отметим два оригинальных аперитива из главных винодельческих регионов Франции — Бордо и Бургундии. Это аперитив на основе белых вин Бордо и цитрусового ликёра Lillet, или бургундский аперитив Kir royal — на основе ликёра из черной смородины — *crème de cassis*. Если первый аперитив назван в честь его создателей братьев Раймона и Поля Лилле, то второй — в честь католического священника, героя движения Сопротивления, кавалера ордена Почётного легиона, мэра города Дижона, спикера парламента Франции, винодела-любителя и друга Никиты Сергеевича Хрущёва — Феликса Кира. Священник Феликс Кир, действительно, был уникальной личностью, как и этот неподражаемый и оригинальный коктейль.

Сейчас речь пойдёт о двух ныне совершенно забытых, но некогда необычайно популярных французских аперитивах, память о которых осталась на страницах русской литературы. Первый из них — Dubonnet — очень не понравился Алексею Николаевичу Толстому. Писатель в романе «Гиперболоид инженера Гарина» отзывается о нём весьма нелестно: «Дюбоне — отвратительный напиток, вбиваемый рекламами в головы парижан»[3].

Dubonnet — это сладкий аперитив на основе креплёного вина, коры хинного дерева, апельсиновой цедры, пряных трав и специй, крепость его составляет 14,8%. Этот аперитив был изобретен в 1846 году аптекарем Жозефом Дюбонне, который, помимо лекарств, торговал и вином. Аперитив Dubonnet предназначался для французских солдат, воевавших в Северной Африке, как лекарство от малярии, так как содержал хинин. Один из внуков Жозефа Дюбонне, Андре Дюбонне, также был отважным солдатом, летчиком, героем Первой мировой войны и кавалером ордена Почетного легиона. Другой внук — Эмиль Дюбонне, тоже был летчиком и в 1912 году на воздушном шаре совершил перелет из Парижа в Россию. Аперитив Dubonnet вскоре приобрел популярность, в том числе благодаря успешной рекламе, что и отметил Алексей Толстой. Автором рекламных плакатов этого аперитива был французский художник-авангардист, родившийся в городе Харькове, входившем тогда в состав Российской империи, Адольф-Жан-Мари Мурон, известный больше под псевдонимом Кассандр. На его рекламном триптихе «Dubo, Dubon, Dubonnet» изображен человек, бесцветный на первой части триптиха, который обретает цвет с каждым глотком аперитива. Аперитив Dubonnet выпускается и поныне, с 1976 года он принадлежит одной из крупнейших французских алкогольных компаний Pernod Ricard.

Но если Dubonnet, так же как Kir royal, можно купить в Москве и в наше время, то аперитив Koto, столь популярный в начале XX века, сейчас совершенно забыт даже во Франции. Однако он навсегда остался в истории благодаря стихотворению Владимира Маяковского «Город», написанному в 1925 году:

> Один Париж —
>   адвокатов,
>   казарм,
> другой —
>   без казарм и без Эррио.

Не оторвать
        от второго
                глаза —
от этого города серого.
Со стен обещают:
                «Un verre de Koto
donne de l'energie».
Вином любви
        каким
                и кто
мою взбудоражит жизнь?[4]

Koto был двух видов, красный и белый, сохранившиеся винтажные плакаты и этикетки характеризуют его как «мощное вино», «вино, заряжающее энергией».

Антре

Для первого блюда обеда во французском языке существуют два термина — *entrée* и *hors-d'œuvre*, которые прежде различались, но в настоящее время с упрощением обеденного ритуала стали синонимами. Термин *hors-d'œuvre* дословно означает «вне дела», под «делом» подразумевается вкушение главных блюд обеда, а *entrée* — дословно «вход», «вступление».

Современный термин *entrée* — это аналог итальянского *antipasto*. Но итальянские *antipasti* могут быть очень разнообразными — от хлебных хрустящих палочек до ассорти из прошутто или морепродуктов. Хотя, в принципе, перед главным блюдом во Франции тоже могут подаваться различные варианты антре, бургундские улитки или устрицы, но все же классика жанра, которая составляет особую специфику французской кухни, — это пате. Но, прежде чем перейти к пате — этому главному виду антре, рассмотрим другой запечатленный в русской литературе вид французского антре — устрицы.

Устрицы

Устрицы у нас в России принято считать одним из самых французских блюд. И это правильно. Устрицы во французской кулинарии появились еще до того, как возникла сама Франция, то есть в то время, когда Галлия была еще провинцией великого Рима. Кулинария Римской империи, будучи уже кулинарией утонченной, считала более изысканными блюда из рыбы и морепродуктов, чем из мяса, которое жарили на вертеле герои Гомера.

Об устрицах Галлии поведал миру Авсоний, замечательный латинский поэт эпохи упадка Римской империи, родом из города Бурдигала, который ныне называется Бордо, живший накануне вторжения варварских племен, получившего в исторической науке название Великого переселения народов. Авсоний в стихотворном письме «К Феону, при получении от него тридцати устриц» благодарил своего друга за присылку устриц, которых Феон разводил в своем поместье на берегу Атлантического океана:

> Устриц, байских достойные вод, разжиревшие в пресной
> Влаге затонов, куда и морские заходят приливы, —
> Этот твой дар получил я, Феон, и сейчас перечислю,
> Стих за стихом, сколько штук этих устриц нашел я в подарке[5].

Байский залив расположен около Неаполя и славился в эпоху Римской империи своими устрицами, которые воспевали римские поэты.

После завершения Великого переселения народов и образования на территории римской провинции Галлия Франкского королевства Меровингов об устрицах в VI веке писал византийский врач Анфим в гастрономическом послании к франкскому королю Тьерри I «De observatione ciborum» («О рассмотрении видов пищи»). Устрицам в своем сочинении он посвятил один абзац, но такой поучительный, что стоит привести его полностью:

Устриц же, по желанию, можно употреблять, но не часто, так как они обладают холодной и флегматичной [природой]. Если же их жарить [тушить], то лучше, чтобы они оставались закрытыми в раковинах. Если же кто ест их сырыми, то есть кушает в свежем, необработанном [термически] виде, жесткими, то он должен срезать то, что свисает вокруг мяса устрицы. Если же кто съест устрицы, которые неприятно пахнут, то другого яда ему уже не надо[6].

Спустя семь веков, уже, собственно, в первой французской кулинарной книге «Enseignemenz qui enseingnent a apareillier toutes manieres de viandes» («Наставление, которое обучает готовить мясо всевозможными способами»), также присутствует блюдо из устриц. Устриц предлагается варить:

> Устрицы: в виде сиве, сваренные сначала в воде с луком, перцем, шафраном. Подавать с чесночным и миндалевым соусом. Серых устриц подавать с солью и квасным хлебом[7].

В кулинарной книге «Le Viandier» Гийома Тиреля блюд с устрицами нет, а из морепродуктов есть только moules — мидии, хотя, впрочем, под этим термином можно понимать все морские съедобные ракушки. Как следует из рецепта, их тоже нужно хорошо промыть и сварить, прежде чем подавать на стол:

> Мидии [морские ракушки]. Хорошо промыть и варить в горшке с вином и солью. Кушать с уксусом[8].

В следующей средневековой французской кулинарной книге «Le Ménagier de Paris» («Парижский домохозяин») устрицы подаются в качестве антре рыбного обеда. Это рецепт сиве из устриц, хотя и значительно более подробный, чем в первой французской кулинарной книге, все же недостаточно ясный:

Сиве из устриц. Обдайте кипятком и очень хорошо промойте устрицы. Сварите их в одной воде и процедите. Пожарьте их с луком, отваренным в оливковом масле. Потом возьмите в большом количестве панировочные сухари или тертую корку хлеба. Затем погрузите устриц в гороховое пюре или в кипяченую воду со спокойным (то есть не кислым) вином, затем процедите. Потом возьмите корицу, гвоздику, длинный перец, мясо устриц, а также шафран для придания цвета, залейте вержусом и уксусом и отложите. Затем натрите ваши панировочные сухари или сухую корку хлеба в пюре или воду (с вином, в которой были) устрицы и выложите это сверху на устриц, когда они будут готовы[9].

В современной французской кулинарии присутствуют блюда из запеченных устриц, например, с твердым сыром, сладким перцем, сельдереем и зеленью. Устриц можно не только запекать, но и готовить с ними пирог, как предлагает Лансело де Касто[10], или мариновать по рецепту Франсуа Пьера де Ла Варенна[11]. Альбер, шеф-повар кардинала Жозефа Феша, рекомендует варить из них суп, убеждая, что он более полезный и восстанавливающий силы, чем мясные супы:

Суп из устриц. Разомните в ступке две дюжины свежих и хорошо промытых устриц, затем положите их в бульон и варите на малом огне в течение получаса. Процедите бульон через сито и положите гренки. Этот суп, более восстанавливающий силы и более здоровый, чем любое консоме из мяса[12].

Хотя устриц не обходили вниманием средневековые кулинарные книги, а также книги эпохи Возрождения и Нового времени, звездный час для них настал в XVIII веке, в эпоху Просвещения. В это время они даже становятся объектом изобразительного искусства, их изображают на картинах, посвященных галантным празднествам. Наиболее известной и широко цитируемой картиной является написанное в 1735 году полотно французского художника Жан-Франсуа де Труа «Le Déjeuner d'huîtres» — «Обед с устрицами», на котором изображены веселые и довольные аристократы, поедающие устриц.

В Средние века и даже в Новое время устрицы, как и другие морепродукты, как мы уже видели, подавали в вареном или жареном виде. Мода на свежие устрицы установилась в XVIII веке[13]. В 1804 году Гримо де Ла Реньер писал, что «устриц следует есть в сыром виде перед обедом»[14]. А век спустя Жозеф Фавр во «Всеобщем словаре практической кухни», включив рецепт жареных устриц, в скобках все же добавил: «варварская кухня»[15].

Однако ни запеченные, ни маринованные устрицы, и тем более суп из устриц, не стали героями гастрономических пассажей у русских писателей: те писали только о свежих устрицах. В русской литературе они впервые появляются в середине XVIII века, в первой редакции комедии Дениса Фонвизина «Недоросль», относящейся к 1760-м годам. Провинциальная барыня Улита Абакумовна обращается к просвещенному столичному дворянину Добромыслову:

Улита: Сказывают, что у вас в Питере едят лягушек, черепах и какие-то еще устрицы.

Добромыслов: Устрицы и я ел и дети, а лягушек не ел[16].

Если верить историческим литературным реконструкциям, например, историческому роману Вячеслава Шишкова «Емельян Пугачев», то за поставку свежих устриц крепостной мог получить свободу:

Граф Петр Борисыч Шереметев, или, как его прозвали за несметные богатства, Младший Крёз, был не в духе. Сегодня в его великолепном дворце званый ужин. Да не какой-нибудь, не для одной вельможной знати, к которой чванный граф относился в душе с большим презрением, на этом ужине будет присутствовать высочайшая особа — великий князь Павел Петрович. Может статься, и сама «матушка» пожалует. И, как на грех, во всем Петербурге нет свежих устриц. Скандал! Без устриц великий князь за стол не сядет, приученный к сей гастрономической дряни старым чертом Никитою Паниным.

И вот крепостной Шереметева, которому он разрешил заниматься торговлей, спасает положение:

«Из Риги, ваше сиятельство! Только-только паруса спустил на своем кораблике... Да вот услыхал, что вы интересуетесь... Я мигом к вам. Свеженькие...» Граф Шереметев, разложив бумагу на верхнем дне бочонка и не слушая купца, быстро писал. Затем посыпал бумагу песочком из фарфоровой песочницы, поднял голову, взял бумагу за уголок и подал ее купцу: «Получай, господин Шелушин, Назар Гаврилыч. Отныне вольный ты... Со всем родом твоим»[17].

В этом же романе рассказывается также о «пивном супе на устрицах»[18].

Великий русский поэт XVIII века Гавриил Державин в стихотворении «Похвала сельской жизни», написанном в 1798 году, воспевая жизнь в собственном поместье, заметил, что предпочитает простую русскую еду модной французской кухне:

> Тогда-то устрицы го-гу,
> Всех мушелей заморских грузы,
> Лягушки, фрикасе, рагу,
> Чем окормляют нас французы,
> И уж ничто не вкусно мне[19].

В те времена, когда еще не существовали холодильные установки, доставка скоропортящихся продуктов, в том числе и устриц, представляла немалую сложность. Подчас устрицы за время доставки приобретали «специфический запах». Русские гурманы назвали этот аромат шикарным и восхитительным, и для устриц «с душком» придумали название — «го-гу», таким образом транскрибировав французское выражение *haut-goût* («высокий вкус»).

Полвека спустя, в середине XIX столетия, почти забытый ныне писатель из «шестидесятников» (в XIX веке тоже были свои «шестидесятники») Николай Успенский в рассказе «Издалека и вблизи» отмечал, что устрицы в России были не менее востребованы, чем шампанское и стерлядь: «Зайдешь куда-нибудь в ресторан, только и слышишь: „Дюжину устриц! Sterlet à la minute, бутылку шампанского!"»[20]

А немного позже Антон Чехов в рассказе «Что чаще всего встречается в романах, повестях и т. п.?» с иронией замечает, что устрицы — непременный спутник русской литературы: «Портфель из русской кожи, китайский фарфор, английское седло, револьвер, не дающий осечки, орден в петличке, ананасы, шампанское, трюфели и устрицы»[21].

И это действительно было так. Устрицы являлись непременным атрибутом изысканного обеда. Мы видим их на столе Обломова, который старается «блеснуть тонкостью и изяществом угощения»[22].

Михаил Салтыков-Щедрин в «Дневнике провинциала в Петербурге» описывает обед в петербургском ресторане героя рассказа с помещиком Прокопом: «Мы садимся за особый стол; приносят громадное блюдо, усеянное устрицами. Но завистливые глаза Прокопа уже прозревают в будущем и усматривают там потребность в новом таком же блюде. „Вели еще десятка четыре вскрыть!" — командует он»[23].

Николай Некрасов в стихотворении «Наш век» изображает апофеоз устриц, являющихся кумиром петербургского денди, который:

> ...за устрицу с лимоном
> Рад отдать и жизнь, и честь[24].

А в рассказе «Помещик двадцати трех душ» Некрасов вкладывает в уста героя пронзительные слова, где устрицы стоят в одном ряду с самыми счастливыми минутами его жизни: «Забуду я сладость первой конфетки, забуду тот нелепый восторг, который заставлял меня бегать высуня язык, когда я увидел в „Сыне отечества" первое мое стихотворение, с примечанием, которым я был очень доволен, забуду вас, расстегаи и танцовщицы, вас, устрицы и шампанское…»[25].

Устрицы были непременным атрибутом гастрономических увеселений золотой молодежи в XIX веке, как это отмечал Иван Панаев в своем рассказе «Белая горячка»: «Это молодежь веселая и беспечная, для которой жизнь ровно ничего не стоит, для которой в жизни нет ничего такого, над чем бы стоило призадуматься, для которой всякий день — столы, уставленные жирными устрицами, и трюфелями, и кровавыми ростбифами»[26]. Панаев утверждает также, что «великолепный ужин» должен быть непременно с устрицами[27]. Ему вторит и Федор Достоевский в повести «Двойник», описывая роскошь и блеск обеда, «который походил более на какой-то пир вальтасаровский, чем на обед», и не обходился без устриц[28].

Поставщиками лучших устриц в Россию в XIX веке были два города: немецкий Фленсбург и бельгийский Остенде. Поэтому такие устрицы в России и получили названия по имени этих городов. О фленсбургских и остендских устрицах речь идет в знаменитом «гастрономическом диалоге» романа Льва Толстого «Анна Каренина», в котором участвуют изощренный гурман Степан Аркадьевич Облонский и неопытный в гастрономии Константин Левин. К этому диалогу мы будем неоднократно возвращаться:

— А! Устрицы.
Степан Аркадьич задумался.

— Не изменить ли план, Левин? — сказал он, остановив палец на карте. И лицо его выражало серьезное недоумение. — Хороши ли устрицы? Ты смотри!

— Фленсбургские, ваше сиятельство, остендских нет.

— Фленсбургские-то фленсбургские, да свежи ли?

— Вчера получены-с.

— Так что ж, не начать ли с устриц…

Степан Аркадьич смял накрахмаленную салфетку, засунул ее себе за жилет и, положив покойно руки, взялся за устрицы.

— А, недурны, — говорил он, сдирая серебряною вилочкой с перламутровой раковины шлюпающих устриц и проглатывая их одну за другой. — Недурны, — повторял он, вскидывая влажные и блестящие глаза то на Левина, то на татарина.

Левин ел и устрицы, хотя белый хлеб с сыром был ему приятнее. Но он любовался на Облонского. Даже татарин, отвинтивший пробку и разливавший игристое вино по разлатым тонким рюмкам, с заметною улыбкой удовольствия, поправляя свой белый галстук, поглядывал на Степана Аркадьича.

— А ты не очень любишь устрицы? — сказал Степан Аркадьич, выпивая свой бокал. — Или ты озабочен? А?[29]

В самом блистательном гастрономе Москвы — «дворце роскошном» Елисеева «жирные остендские устрицы, фигурно разложенные на слое снега, покрывавшего блюда, казалось, дышали», писал Владимир Гиляровский, вспоминая старую Москву в своей эпопее «Москва и москвичи»[30]. Впрочем, Владимир Набоков в «Лекциях по русской литературе» отмечает, что «фленсбургские и остендские устрицы были редкостью»[31].

Тема устриц, по-видимому, как-то особенно волновала Чехова: они у него и в «Рассказе неизвестного человека»[32], и в «Ариадне»[33], и в «Злостных банкротах»[34]. В «Попрыгунье» писатель как бы подводит итог этой теме: «Все шли в столовую и всякий раз видели на столе одно и то же:

блюдо с устрицами…»³⁵. А в «Осколках московской жизни» он пишет о прокурорах, адвокатах и докторах, которые в бытность студентами брали в долг у общества студенческой взаимопомощи, а разбогатев, не думают оплатить свой долг: «Поедают они у Оливье жирные двухрублевые обеды, женятся на богатых купчихах, пьют монахор, глотают устриц. И устрицы лезут им в глотку!»³⁶ Но самый пронзительный образ этого моллюска появляется у Чехова в болезненном воображении голодного мальчика в рассказе «Устрицы»: «Так вот что значит устрицы! Я воображаю себе животное, похожее на лягушку. Лягушка сидит в раковине, глядит оттуда большими блестящими глазами и играет своими отвратительными челюстями. Я представляю себе, как приносят с рынка это животное в раковине, с клешнями, блестящими глазами и со склизкой кожей… Дети все прячутся, а кухарка, брезгливо морщась, берет животное за клешню, кладет его на тарелку и несет в столовую. Взрослые берут его и едят… едят живьем, с глазами, с зубами, с лапками! А оно пищит и старается укусить за губу…»³⁷.

По-видимому, образ устриц для Чехова был не столько образом гастрономического продукта, сколько неким атрибутом или даже символом бездуховной сытой жизни. И устрицы за это отомстили Чехову. Как пишет Максим Горький в очерке «А. П. Чехов»: «Его врагом была пошлость; он всю жизнь боролся с ней, ее он осмеивал и ее изображал бесстрастным, острым пером, умея найти плесень пошлости даже там, где с первого взгляда, казалось, все устроено очень хорошо, удобно, даже — с блеском… И пошлость за это отомстила ему скверненькой выходкой, положив его труп — труп поэта — в вагон для перевозки „устриц". И далее Горький еще раз обращается к этому вагону, подчеркивая сюрреалистичность происходящего: «Гроб писателя, так „нежно любимого" Москвой, был привезен в каком-то зеленом вагоне с надписью крупными буквами на дверях его: „Для устриц"»[38].

Но кроме этого мрачного чеховского образа устриц существовал и другой, романтический образ, запечатленный Анной Ахматовой в стихотворении «Вечером»:

> Свежо и остро пахли морем
> На блюде устрицы во льду[39].

Пате

Самой характерной чертой французского обеда, которая отличает его от всех других обедов мира, является *paté*, который на русский язык в самом широком смысле можно перевести как паштет. Слово *paté* происходит от старофранцузского слова «pasté» (пирог, то есть что-либо запеченное в муке).

Впервые во французской литературе пате упоминается в написанном между 1359 и 1377 годами романе в стихах «Le roman des deduis» («Роман об увеселениях»), под увеселениями понимаются радости охоты, средневекового нормандского поэта Гаса де Ла Биня[40]. Он упоминает пате из жирных куропаток, перепелок и жаворонков, а также описывает способ приготовления этого блюда, в которое нужно положить яйца, панировочные сухари, горох, но не класть сыр и специи. Причем в старофранцузском языке это блюдо пишется с буквой «s» в середине — *pasté*. Почти как у Достоевского в романе «Униженные и оскорбленные» — «пастет»[41]. И Некрасов в рассказе «Необыкновенный завтрак» также пишет «паштет» с буквой «с»: «чудесный пастет», которым восхищается герой его рассказа[42].

Во французских средневековых кулинарных книгах приводятся рецепты пате, но это еще рубленое мясо, запеченное в тесте. В книге «Le Ménagier de Paris» пате подается в качестве первого блюда, то есть антре. Это мясные пате: пате из телятины (*pastés de veel*) и говядины (*pastés de beuf*); пате из птицы: пате из каплунов (*pastés de chapons*) и жаворонков (*pastés d'alouettes*); пате из рыбы: пате из леща и лосося (*pastés de bresmes et de saumon*); пате из морепродуктов (*pastés mouelle*) и другие[43]. Современный вид пате приобретает у Альбера, у которого *pâté froid* готовится из фарша вареного мяса, сала и сливочного масла[44].

В настоящее время во французской гастрономии, кроме общего названия «пате», существует также три его разновидности: *terrine* (террин), *mousse* (мусс) и *rillette* (рийет). Наиболее древним из этих терминов является террин, его рецепт есть в кулинарной книге Менона, где он выступает синонимом пате[45]. В XIX веке у Жюля Гуффе это уже отдельные виды — *terrine* и *paté*[46]. В настоящее время террин — это пате с более грубой консистенцией, в нем присутствуют мелкие кусочки мяса. Мусс, наоборот, — это пате с гладкой консистенцией. Рийет — это нежный пате, в котором присутствуют мягкие волокна мяса. Рийет готовят из птицы и свинины. Мясо сначала отваривают, а затем тушат, а потом смешивают с салом и приправами. Существуют различные рийеты: утиный рийет с апельсином, гусиный рийет, рийет из индейки.

Также наряду с этими тремя видами пате продолжает существовать с эпохи Средневековья *pâté en croûte* — пате в запеченном тесте. Разновидностью «пате ан крут» является дважды воспетый Пушкиным в романе «Евгений Онегин» — «Страсбурга пирог нетленный»:

> Beef-steaks и стразбургский пирог
> Шампанской обливать бутылкой[47].

Страсбургский пирог присутствует и в стихотворном послании Пушкина к его другу, известному эпикурейцу Михаилу Щербинину:

> Кто Наденьку, под вечерок,
> За тайным ужином ласкает
> И жирный страсбургский пирог
> Вином душистым запивает[48].

Страсбургский пирог продолжал украшать столы петербургской аристократии и в середине XIX века, о чем сообщает внимательный и тонкий описатель повседневной жизни Иван Панаев в «Опыте о хлыщах»: «Через минуту на серебряном подносе принесен был только что початый страсбургский пирог…»[49].

Пате, как известно, подается в холодном виде, и, в отличие от русской традиции паштетов, его не следует мазать на хлеб, а надо есть ножом и вилкой. Это блюдо обладает тонким вкусом, и поэтому с ним нельзя поступать так, как описано в гастрономической поэме «Обед» приятеля Пушкина — поэта Владимира Филимонова:

> Однажды был такой обед,
> Где с хреном кушали паштет,
> Где пирамида из котлет
> Была усыпана корицей,
> Где поросенок с чечевицей
> Стоял обвитый в колбасах,
> А гусь копченый — весь в цветах[50].

Как видно, не все умели правильно есть пате и в XIX веке. Николай Лесков в рассказе «Загон» приводит слова пожилого образованного буфетчика одного из героев рассказа, помещика Всеволжского, жившего на широкую ногу: «Бывало, подаешь заседателю Б. французский паштет, а у самого слезы на рукав фрака падают. Видеть стыдно, как он все расковыряет, а взять не умеет. И шепнешь ему, бывало: „Ваше высокородие! Не угодно ли я вам лучше икорки подам?" А он и сам рад: „Сделай милость, говорит, я икру обожаю!"»[51]

Владимир Филимонов отмечает два вида пате: пате из мяса серны (Pâté de Chamois симплонский») и с трюфелями: *«С трюфлями паштет»*[52]. Симплон не французский город, а швейцарский, но кантон Вале, в котором он расположен, преимущественно франкоязычный.

Из всех видов пате самый известный и самый изысканный, безусловно, *foie gras* (жирная печень), который представляет собой приготовленную печень откормленного по особой технологии гуся или утки. Французское название блюда происходит от названия блюда, приведенного в римской кулинарной книге «De re coquinaria», — *ficatum*[53]. Этот латинский кулинарный термин образован от выражения *jecur ficatum* — «печень [гуся], откормленного фигами», которое редуцировалось, и *ficatum* стало означать просто «печень».

Во французской кулинарии блюдо с названием *foyes gras* появляется в 1712 году в книге Франсуа Массьяло, которое он предлагает подавать на *hors-d'ouvres* и *entremets*, то есть перед главным блюдом, и приводит несколько рецептов фуа-гра, в том числе с трюфелями и шампиньонами[54]. Затем рецепты фуа-гра встречаются в книге Венсана Ла Шапеля, изданной в 1735 году[55], а потом уже и в изданной в 1755 году книге Менона. Однако, несмотря на название — *foyes gras*, это блюдо отличается от современной фуа-гра, хотя оно тоже подавалось на антре. Вот один из рецептов фуа-гра, приведенный Меноном:

> Фуа-гра с луком и пармезаном. Очистите дюжину маленьких луковиц и положите их вариться в небольшом количестве бульона. Когда они сварятся, процедите и возьмите полдюжины фуа-гра, которые поджарьте с ломтиками сала, пучком пряных трав, половиной стакана белого вина, таким же количеством бульона и небольшой щепоткой соли. Возьмите блюдо, на которое вы будете выкладывать фуа-гра, налейте на дно соус, приготовленный из следующих ингредиентов: несколько ложек процеженного

крепкого отвара, два кусочка хлеба, растопленного сливочного масла, два желтка сырых яиц. Также положите немного пармезана. Потом расположите фуа-гра и маленькие луковицы, несколько гренок, обжаренных в сливочном масле, все полейте оставшимся соусом, посыпьте тертым пармезаном и половиной сухого кусочка хлеба. Запеките в духовке или под крышкой керамической формы для пирогов, затем слейте жир и положите немного белого мяса телятины[56].

Происхождение современного блюда фуа-гра неизвестно, его изобретение часто приписывают французскому повару Жан-Пьеру Клозу, служившему у маршала Луи Жоржа Эразма де Контада, а само изобретение датируют 1780 годом. Существуют и другие версии о происхождении фуа-гра (венгерская и еврейская), тоже не подтвержденные никакими источниками. Но происхождение фуа-гра из Страсбурга, откуда был родом и страсбургский пирог, находит подтверждение у «гастрономического философа» Жан-Антельма Брийя-Саварена, который в своей книге «Physiologie de gout, ou Méditations de gastronomie transcendante» («Физиология вкуса, или Размышления о трансцендентной гастрономии») описывает восторг гурманов перед этим «gibraltar de fois gras de Strasbourg» (большим фуа-гра из Страсбурга): «Все разговоры сразу прекратились из-за избытка сердечных чувств… и когда были внесены тарелки, я видел на всех лицах сначала пламень желания, потом экстаз радости, а затем совершенное умиротворение блаженства»[57].

А влюбленный в фуа-гра друг Пушкина Сергей Соболевский даже решил заняться изданием литературного журнала, чтобы заработать денег на это изысканное блюдо. Александр Сергеевич в письме к жене Наталье писал: «Получил я письмо от Соболевского, которому нужны деньги для pâtés de foie gras, и который для того затевает альманах»[58]. Возможно, это была просто шутка.

Супы

Слово «суп» пришло в русский язык из Франции. Во французском языке существуют два близких по значению термина *soupe* и *potage*, которые различаются тем, что *soupe* — это, в большей степени, легкий суп, а *potage*, скорее, густой суп с овощами (*plantes potagères* — «овощи»). Для супа существует еще один термин — *brouet*, он в большой степени соответствует русскому термину «похлебка», и этот термин во французском языке, как и в русском, имеет средневековые или деревенские коннотации.

Владимир Филимонов в поэме «Обед» безапелляционно заявляет, что нет в мире лучшего супа, чем французский суп:

> Вот суп французский, лучший в мире,
> À la tortue, à Loiselle,
> Вот printanier с гренками в сыре[59].

О супе *à la tortue* и о супе *printanier* (весенний), который правильно писать *printanière*, так как «суп» во французском языке женского рода, речь впереди. Что же касается супа *à Loiselle*, здесь возникает ассоциация с *la soupe à l'oseille* — супом со щавелем. Есть также французский соус *Sauce à l'Oseille*, рецепт которого приводит Менон, и тогда это просто опечатка, хотя, может быть, Филимонов имел в виду что-то другое, например, фамилию человека, в честь которого был назван суп, или город в Нормандии — Уасель. Но во французских кулинарных книгах упоминания о супе с таким названием не найдены.

В настоящее время супы редко присутствуют во французском обеде — *déjeuner*. Супы подаются на обед в семьях с патриархальным укладом или переносятся на вечернее время — *dîner*. Однако существуют супы, ставшие символами французской кухни, как, например, луковый суп или буйабес. Впрочем, буйабес — это не суп в русском понимании этого слова, а в большей степени основное блюдо обеда средиземноморского Прованса.

Французские супы, как правило, — легкие бульоны или супы-пюре. Антон Чехов в рассказе «Скучная история» пишет о сделавшем карьеру и разбогатевшем враче, которого потчуют на обед французским супом-пюре: «Вместо тех простых блюд, к которым я привык, когда был студентом и лекарем, теперь меня кормят супом-пюре, в котором плавают какие-то белые сосульки»[60].

Первый французский суп, который мы встречаем в русской литературе, а именно в 1821 году, это «тортю» — суп из черепахи, или «суп а ла тортю». Сейчас черепаховый суп во французской кулинарии стал достоянием истории, а французский историк гастрономии Жан Вито даже уверял, что его и не было во французской кухне, а под этим экзотическим названием готовили традиционное блюдо *tête de veau*, то есть это была *fausse tortue* — «ложная черепаха»[61]. Однако Жан Вито все же вводит нас в заблуждение. Франсуа Массьяло в 1693 году привел два варианта черепахового супа: *potage de tortuës en maigre* (постный суп из черепахи) и *potage de tortuës en gras* (непостный суп из черепахи). И готовится именно черепаха:

> Следует взять черепах, отрезать головы и лапки за день до [приготовления супа] и положить их отмачиваться в воде, чтобы из черепах вышла кровь[62].

Также Жюль Гуффе в XIX веке приводит рецепт *potage tortue*, супа из настоящей черепахи, хотя у него есть и *potage fausse tortue* (суп из «ложной» черепахи), который готовится из говядины[63].

В 1821 году о «супе а ля тортю» писал поэт Петр Вяземский историку Александру Тургеневу: «Бывал суп а ла тортю, стерлядь на шампанском, жирные и пряные лакомства; бывало… мало ли что было, но теперь кашка на телячьем бульоне, кисель овсяный»[64].

Тем же годом датируются и два сообщения о черепаховом супе дипломата и государственного деятеля Константина Булгакова в письме к брату: «Третьего дня ели мы черепаховый суп у графа Несельроде. Я нахожу, что fausse tortue лучше, а эта, настоящая, точно, ни рыба, ни мясо. Она привезена была живая»[65]. В другом своем письме к брату Булгаков говорит о том, что это блюдо с французским названием английского происхождения: «Ели черепаховый суп, изготовленный в Ост-Индии и присланный мне Воронцовым из Лондона»[66]. Для транспортировки блюд, как сообщает Булгаков, существовала «какая-то жестяная посуда нового изобретения, где они сберегаются от всякой порчи»[67].

Черепаховый суп как-то внезапно появился в России в первой половине XIX века, и его появление отметили многие русские писатели. Тонкий наблюдатель гастрономии, Лев Толстой упомянул о нем в своем романе «Война и мир», в котором действие разворачивается как раз в первой половине XIX века. В романе этот суп упоминается дважды. Сначала в эпизоде обеда Пьера Безухова у графа Ростова: «Пьер мало говорил, оглядывал новые лица и много ел. Начиная от двух супов, из которых он выбрал à la tortue, и кулебяки и до рябчиков, он не пропускал ни одного блюда и ни одного вина»[68]. А второй раз — в эпизоде, в котором старый граф Илья Андреевич Ростов занимается подготовкой обеда в Английском клубе в честь князя Багратиона: «Так смотри же, гребешков, гребешков в тортю положи, знаешь! — Холодных, стало быть, три? — спрашивал повар. Граф задумался. — Нельзя меньше, три…»[69]

Однако черепаховый суп вскоре исчезает из поля зрения русских писателей, за исключением его упоминания Николаем Некрасовым в 1849 году в романе «Три страны света»[70], и снова появляется лишь в конце XIX века в «Неоконченной повести» Алексея Апухтина, в которой граф Хотынцев, министр и утонченный гурман, заказывает в петербургском французском ресторане суп «tortue claire»: «Выбор супа занял минуты две. „Ты мне дашь, — сказал он внушительно Абрашке, — во-первых, tortue claire"»[71]. Заказ *tortue claire*, безусловно, свидетельствовал об аристократических вкусах известного министра, ведь приготовление этого супа, как описывает его современник Алексея Апухтина французский ресторатор, кулинарный писатель Огюст Эскофье в «Кулинарном путеводителе», было очень сложным: суп «редко готовится непосредственно на кухне. Его предпочитают покупать готовым, либо в свежем, либо в консервированном виде, в специальных торговых домах». Но Эскофье в своей кулинарной книге все же приводит его рецепт[72].

В целом можно сказать, что французские супы, в отличие от других французских блюд, достаточно редко попадали на страницы русской литературы — но иногда все же попадали. Так, в рассказе Чехова «Глупый француз» француз, клоун из цирка, заказывает в московском трактире консоме:

— Дайте мне консоме! — приказал он половому.
— Прикажете с пашотом или без пашота?
— Нет, с пашотом слишком сытно… Две-три гренки, пожалуй, дайте…[73]

Под «пашотом», по-видимому, здесь понимается яйцо пашот (*œuf poché*), это название происходит от французского глагола *pocher* — «опускать в кипяток». Яйца разбиваются в горячую воду, в результате чего получается мягкий кремообразный желток, окутанный лепестками белка. А *consommé* — это крепкий осветленный куриный или говяжий бульон, который кипятится дважды, и после каждого кипячения с него снимается жир. Для осветления говяжий или куриный фарш смешивается с яичными белками, взбивается и добавляется в кипящий бульон. После того как эта масса всплывет, она удаляется, а бульон процеживается. Первая французская кулинарная книга, в которой приводится рецепт консоме, — «Le Cuisinier» Пьера де Луна[74].

Суп с романтическим названием «прентаньер» (*soupe printanière*) удостоился значительно большего внимания у русских писателей. Его название переводится как «весенний суп». Это суп из ранних овощей, среди которых обязательно присутствует репа или молодой картофель. Другими ингредиентами супа могут быть шпинат, щавель, редис, лук, морковь, а также сливочное масло. В суп может быть добавлен соус велюте и сухое белое вино. Этот суп тоже не очень древний. Он впервые появляется в 1755 году в кулинарной книге Менона, хотя называется там «бульон прентанье» (*bouillon printanier*):

> Положите в маленький чугунок или керамический горшок корку хлеба, кусок сливочного масла величиной с грецкий орех и два или три пучка травы, типа щавеля, кервеля, латук-салата, портулака и репы — все это должно быть тщательно почищено, помыто и мелко нарезано. Все залейте пинтой воды и кипятите, пока объем воды не уменьшится вдвое, а затем процедите через сито[75].

Еще раз вернемся к гастрономическому диалогу романа «Анна Каренина», где Степан Аркадьевич Облонский продолжает составлять меню обеда с Левиным:

> — Ну, так дай ты нам, братец ты мой… суп с кореньями…
> — Прентаньер, — подхватил татарин. Но Степан Аркадьич, видно, не хотел ему доставлять удовольствие называть по-французски кушанья.
> — С кореньями, знаешь?[76]

Суп прентаньер занимал достойное место в меню вымышленного ресторана «Грибоедов» членов Союза писателей, блестяще описанного в романе Михаила Булгакова «Мастер и Маргарита»: «А в июле, когда вся семья на даче, а вас неотложные литературные дела держат в городе, — на веранде, в тени вьющегося винограда, в золотом пятне на чистейшей скатерти тарелочка супа-прентаньер»[77].

Еще один овощной суп — *potage à la paysanne*, суп в деревенском стиле — появляется у Анатолия Мариенгофа в романе «Циники», действие которого разворачивается в тяжелые и голодные первые годы после революции 1917 года[78]. Рецепт этого супа приводит и Огюст Эскофье, а ингредиентами являются морковь, репа, лук-порей, сельдерей и репчатый лук[79]. В современных французских рецептах супа присутствуют окорок, колбаса из Морто (*saucisse de Morteau* — копченая колбаса из города на востоке Франции) или копченое сало. В 1918 году мечтать о мясных компонентах этого супа, конечно же, не приходилось.

Значительно более известный французский суп — луковый (*soupe à l'oignon*) — чуть постарше супа прентаньер: он появился в XVII веке. Как и многие прославленные блюда, которые первоначально были скудной едой трудящихся, луковый суп «вышел из народа». Хотя совершенно лишенная правдоподобия легенда утверждает королевское происхождение лукового супа, приписывая его изобретение французскому королю Людовику XV. В действительности же, уже два рецепта лукового супа (potage d'oygnon) были приведены в книге Франсуа Пьера де Ла Варенна, то есть еще за полвека до рождения Людовика XV. Первый рецепт Ла Варенна не очень напоминает современный луковый суп:

> Луковый суп. Положите в кастрюлю хорошее мясо, например, говядину, телятину или каплуна. В то время как оно начнет вариться, нужно взять двадцать или тридцать белых луковиц

и, сняв с них первую кожуру, поставьте их вариться в воде до того времени, пока они будут немного сварены. Затем выньте их и положите в кастрюлю с мясом. За три часа перед тем, как снять суп, положите в него небольшой пучок тмина и майорана, гвоздику и корни петрушки».

Второй его рецепт более интересный:

Разогрейте хорошее, используемое в пищу растительное масло или, еще лучше, растопите сливочное масло, положите в него мелко нарезанный лук, когда он сварится или поджарится, положите его в горшок с горячей водой, посолите, добавьте немного хлебного мякиша, а еще лучше, возьмите вместо него гренки, поджаренные на огне, обмокните их в бульон, который в горшке, затем добавьте два или больше сваренных вкрутую яичных желтков, капните винным уксусом или вержусом, процедите через сито, и выложите на сковороду или горшок с бульоном. Доведите до кипения, залейте супом нарезанный хлеб и варите достаточное время. В завершение добавьте немного винного уксуса или вержуса и разлейте суп. Можно натереть сверху мускатный орех, это способствует тому, чтобы он медленно варился[80].

Если в первом рецепте нет основного ингредиента современного лукового супа, которым является пассерованный лук, то во втором он присутствует. Термин «пассерование» тоже французского происхождения: от глагола *passer* — «проходить», «пропускать». Мелко нарезанный лук-шалот медленно поджаривают на сливочном масле до получения однородной массы золотисто-коричневого цвета и добавляют муки для того, чтобы эта масса загустела.

Очень краткий рецепт лукового супа приводит и Массьяло, у него он — «белый луковый суп» (*potage d'oignons au blanc*), но автор отмечает, что суп можно сделать рыжим, если лук пассеровать[81]. В настоящее время существует много различных рецептов приготовления лукового супа, в него также могут быть добавлены гренки, и тогда получится *soupe gratinée à l'oignon* (луковый суп гратине). О луковом супе упоминает Алексей Толстой в рассказе «Рукопись, найденная под кроватью»: «Михаил Михайлович пожелал скушать лукового супу на рынках. Мы спокойно пошли есть луковый суп»[82].

Во Франции в XVIII–XIX веках был популярен суп жульен — это был настоящий суп, а не горячая закуска, которая получила большое распространение у нас в России. Рецепт супа *Julienne* первым приводит Массьяло, утверждая, что для его приготовления можно использовать различные виды мяса: лопатку баранины, говядину, каплуна, курицу и голубя[83]. За ним следует Менон, предлагая «жульен» в двух вариантах: мясного супа и постного супа[84]. У Антуана Бовилье жульен — это разновидность постного принтаньера[85], также и в середине XIX века у Жюля Гуффе жульен — это постный суп[86]. О супе жульен упоминает Чехов в рассказе «Дочь советника коммерции»: «Подали суп жульен»[87].

Самое большое место в русской литературе из всех французских супов, без всякого сомнения, отведено буйабесу. Французское название *bouillabaisse*, по-видимому, происходит от провансальских слов *bouiabaisso* (кипящий) и *abaissa* (уменьшенный в объеме, то есть загустевший). Сначала буйабес был супом марсельских рыбаков, а когда средиземноморское побережье Франции стало дорогим курортом, в ресторанах Марселя был создан дорогой суп, в состав которого были добавлены омары и другие редкие морепродукты. В отличие от других рыбных супов, овощи для буйабеса готовятся отдельно, они обжариваются и тушатся. Буйабес готовится не менее чем из семи видов рыбы из акватории французского средиземноморского побережья, среди которых: раскасс (*rascasse*) из семейства скорпеновых, полосатая барабуля (*rouget barbet*), морской дракон (*vive*), морской угорь (*congre*), солнечник обыкновенный (*saint-pierre*), дорада (*daurade*), мерлан (*merlan*), удильщик, или морской черт (*baudroie*), красная тигла (*grondin*), а также многочисленные «дары моря» (*fruits de mer*). Густой чесночный соус *rouille*, название которого происходит от его красно-коричневого цвета и переводится на русский язык как «ржавчина», кладут уже в тарелку готового буйабеса. О буйабесе первым в русской литературе упомянул Михаил Салтыков-Щедрин в рассказе «Привет», один из героев которого говорит: «А то буйль-абесс! А они даже и ее только по праздникам едят — диковина!»[88] Но самое подробное описание буйабеса в русской литературе привел Александр Куприн в «Рассказе о рыбке „раскасс"»:

> Многим любителям вкусно и пикантно покушать должно быть известно название острого жесткого провансальского супа или, если хотите, южной ухи — «буйабез». Жгучее блюдо это требует очень сложного приготовления, потому что в него входит великое множество составных ингредиентов, являющихся иногда секретом как шикарного ресторана, так и маленького, но знаменитого кабачка. В марсельский буйабез, насколько помню, включаются, кроме обычного основного навара из всякой съедобной рыбы, еще: лангусты, омары, устрицы, мули (мидии по-одесски), крабы, речные раки, морские ежи, морские звезды, морские коньки, конечности и глаза осьминогого спрута, моллюски, называемые кловисс, виолет и иначе, томаты, лимонные корки, кайенский свирепейший перец, всевозможные пряные травы и прочие возбудительные приправы, очень много шафрана, лука и наконец пропасть крепкого провансальского чеснока, добрым ароматом которого пропитаны все старинные узенькие улицы древних южных городов. Чем пышнее и торжественней буйабез, тем больше в нем составных частей и тем огненнее воздействие на рот, горло, пищепровод и желудок. Конечно, рецепт этой дьявольской ухи может быть чрезвычайно разнообразным, но главная часть ее,

без которой блюдо совершенно немыслимо, это — неважная на вид, белесая маленькая рыбка, называющаяся для русского уха очень странно — «раскасс». Этот «раскасс» необычайно костист: куда нашим ершу, окуню и лещу. Все его тело кажется унизанным и насквозь пронизанным мелкими многогранными кубиками, снабженными чертовским множеством острых и тонких шипов. Есть «раскасс» не решаются даже голодные кошки, но навар из него придает буйабезу вместе с крепостью настоящий марсельский тон, вкус и шик. По-французски «раскасс» пишется: «Rascass», а иногда даже «Raskase». Она принадлежит к семейству Scorpene, члены которого за свою колючесть и за устрашающий внешний вид повсеместно зовутся «diables de mer», или «морскими чертями»[89].

Иван Бунин в воспоминаниях «Третий Толстой» рассказывает о том, как он ел буйабес в гостях у Алексея Толстого: «Жили мы с Толстыми в Париже особенно дружно, встречались с ними часто, то бывали они в гостях у наших общих друзей и знакомых, то Толстой приходил к нам с Наташей, то присылал нам записочки в таком, например, роде: „У нас нынче буйабез от Прьюнье, … мы с Наташей боимся, что никто не придет. Умоляю — быть в семь с половиной!"»[90]. Prunier — знаменитый парижский ресторан, открытый в 1872 году известным поваром Альфредом Прюнье, который специализировался на рыбных блюдах. Второй ресторан с названием Prunier Traktir открыл в Париже сын Альфреда Прюнье Эмиль в 1924 году.

Еще один русский эмигрант, художник и литератор Юрий Анненков в «Дневнике моих встреч» вспоминает о том, как он ел буйабес с Владимиром Маяковским: «В последний раз я встретил Маяковского в Ницце, в 1929 году. Падали сумерки… Мы зашли в уютный ресторанчик около пляжа. Несмотря на скромный вид этого трактирчика, буйябез был замечательный»[91].

Саша Черный в рассказе «Буйабес» рисует гротескный образ этого супа, впрочем, не самого супа, скорее, он в юмористическом духе показывает всю сложность его приготовления. Начинается рассказ с того, как заинтриговало это слово русских детей, приехавших в Тулон: «Слово приятное, что и говорить… Но что оно значит, даже дядя Петя не знал, даром что когда-то ветеринарный институт окончил и имена всех жуков на свете знал. Надюша решила, что „буйабес" — это, вероятно, тулонская наклонная башня… Почему бы и Тулону не иметь такой башни для туристов? … Старшая, Катенька, самая умная, высказала догадку, что „буйабес", должно быть, тулонское матросское ругательство… Словом, только в провансальском рыбачьем поселке, когда приехали на место, — все разъяснилось. У синего залива старик-рыбак варил на опушке прибрежной рощи знаменитую провансальскую похлебку из красной рыбы и прочих морских жителей, заправленную… чем только не заправленную! Дачники похваливали, и называлась эта похлебка „буйабес"»[92]. А когда дети узнали, что это такое, то их попытка сварить самостоятельно буйабес закончилась, конечно же, плачевно.

Русские писатели, эмигрировавшие из советской России, как-то очень нежно полюбили буйабес. Вот и Борис Зайцев в рассказе «Легкое бремя» пишет о нем: «Марсель я знаю… Или же буйабесы сравнивал, в каком ресторане лучше, сидя на набережной, вновь перед этим синим морем»[93].

Основное блюдо

Основное блюдо, которое на языке высокой кулинарии носит название *plat de résistance*, что означает «блюдо стойкости», а в обыденном языке — *plat principal*, готовится на основе мяса, птицы, рыбы и морепродуктов. Это, в принципе, привычно для всех европейских кулинарных традиций — пожалуй, единственным исключением из этого перечня является блюдо из лягушачьих лапок.

Мясные блюда

Первым из французских мясных блюд, с которым познакомила русского читателя отечественная литература, было фрикасе — *fricassée*. Александр Сумароков в 1772 году в комедии «Рогоносец по воображению» упомянул «фрукасе из свинины с черносливом»[94]. Спустя 25 лет о фрикасе напишет Гавриил Державин в стихотворении «Похвала сельской жизни», о котором у нас уже шла речь, когда мы говорили об устрицах. Фрикасе, название которого происходит от французского глагола *fricasser* — «жарить», «тушить», представляет собой небольшие кусочки белого мяса, обжаренные или запеченные в белом соусе. Готовится оно обычно из телятины, крольчатины или курицы. Термин «фрикасе» во французском кулинарном языке появился достаточно поздно, в начале XVII века у Лансело де Касто, и пока еще не в качестве отдельного блюда[95]. У Франсуа Пьера де Ла Варенна это уже самостоятельное блюдо. У него приводится немалое число рецептов фрикасе, в том числе *Fricasée d'oyseaux ou autre viande à la sauce rousse* (Фрикасе из птиц или другого мяса с красным соусом), *Fricassées de poulets, ou pigeonneaux, ou d'autre viande cruë* (Фрикасе из цыплят, или голубей, или другого свежего мяса)[96].

Также в конце XVIII века, в 1790 году, в русской литературе появляется вместе с фрикасе блюдо с названием «рагу», об этих «*французских кушаньях*» вспомнил Александр Радищев на станции Пешки во время своего «Путешествия из Петербурга в Москву»[97]: «…доколе не доберуся опять до рагу, фрикасе, паштетов и прочего французского кушанья». Гоголь в повести «Коляска» также пишет о фрикасе и добавляет еще одно французское блюдо — желе: «Обед был чрезвычайный: осетрина, белуга, стерляди, дрофы, спаржа, перепелки, куропатки, грибы доказывали, что повар еще со вчерашнего дня не брал в рот горячего, и четыре солдата с ножами в руках работали на помощь ему всю ночь фрикасеи и желеи»[98]. У Ивана Тургенева в романе «Новь» на обеде «с шиком» у купца Галушкина, который хотя и был старовером, но почитал французскую кухню, тоже были «фрыкасеи»[99].

Название «желе» происходит от французского глагола *geler* — «замораживать», а существительное *gelée* означает «мороз». В русском языке аналогом названия этого блюда является «студень» или «холодец», то есть студеное, холодное, замороженное блюдо. На старофранцузском языке название блюда — *gelee*. Желе присутствует уже в первой французской кулинарной книге «Enseignemenz qui enseingnent a apareillier toutes manieres de viandes» — соответственно, это первый в мире рецепт желе:

> Если вы хотите сделать рыбное желе, то очистите рыбу от костей и нарежьте на кусочки. Это [желе] готовится из следующих видов рыб: карп, линь и тюрбо. Поставьте вариться рыбу в чистом [то есть не разбавленном водой] крепком вине. Потом возьмите корицу, имбирь, длинный перец, гарингал, нард и немного шафрана, перемешайте их, и все высыпьте [в готовящуюся рыбу]. Затем снимите с огня, разложите рыбу по тарелкам и полейте сверху. Если вам покажется, что желе очень густое, то разбавьте его. Оставьте охлаждаться до утра. И тогда возьмите получившееся желе[100].

Гарингал (*garingal*) — это, по-видимому, галангал, растение из семейства имбирных. Эта специя широко использовалась в средневековой кулинарии. В Средние века желе было исключительно рыбным блюдом, как мы видим и у Гийома Тиреля[101]. Но уже в эпоху Возрождения у Лансело де Касто желе не связывается исключительно с рыбой: возможна и свинина в желе. Он приводит рецепты, как сделать желе разного цвета: красное, зеленое, фиолетовое, черное[102].

О необыкновенном ужине с иллюминированным желе рассказывает Иван Панаев в рассказе «Опыт о хлыщах»: «Ужин был действительно необыкновенный: четыре блюда под различными, весьма хитрыми украшениями, из которых некоторые представляли вид бастионов, а другие походили на готические башни; нога ветчины была завернута в султан, искусно вырезанный из цветной бумаги, а желе было иллюминовано стеариновым огарком, вставленным внутрь его дрожащих стенок. Повар обнаружил если не поварской, то, по крайней мере, архитектурный талант»[103].

Традиционное французское блюдо из говядины *pot-au-feu* (потофё) буквально переводится как «горшок на огне». Говядина в бульоне с овощами и пряными травами варится в течение нескольких часов, как правило — четыре часа, на медленном огне. Во Франции это блюдо рассматривалось как деревенское. Ги де Мопассан в рассказе «Ожерелье» представляет его как некий символ серых будней: «Когда она садилась обедать за круглый стол, покрытый трехдневной свежести скатертью, напротив мужа, который, снимая крышку с суповой миски, объявлял радостно: „А, добрый потофё [le bon pot-au-feu]! Я не знаю ничего более вкусного!" — она мечтала об утонченных обедах, о сверкающем серебре, о гобеленах, украшающих стены героями древности и сказочными птицами в зарослях волшебного леса»[104]. Видимо, и Федор Достоевский в очерке «Зимние заметки о летних впечатлениях» связывал это блюдо с добродетельной семейной жизнью: «Отчего ему мерещится, что эпузы все до единой верны до последней крайности… pot-au-feu варится на добродетельнейшем огне»[105]. «Эпузы» — это транскрипция французского слова *épouse* — «жена», поставленного во множественном числе.

ГЛАВА 2. ФРАНЦУЗСКИЙ ОБЕД В РУССКОЙ ЛИТЕРАТУРЕ

В рассказе Алексея Толстого «Без крыльев» неожиданно появляется французское блюдо *boeuf-braisé*: «С голоду здесь не умрем. Борщ с мясом, битки в томате и бёф-брезе»[106]. Неожиданно, потому что это весьма сложное в приготовлении блюдо поставлено в один ряд с блюдами очень простыми. Бёф-брезе готовится очень медленным тушением, что, собственно, и означает французское слово *braisé* (изначально *braises* — это «древесные угли»).

Бёф-брезе — достаточно новое блюдо, в старинных французских кулинарных книгах его нет, а появляется оно только у Мари-Антуана Карема в его книге «L'art de la cuisine française au dix-neuvième siècle» («Искусство французской кухни в девятнадцатом веке»)[107]. Сначала мясо отделяют от костей, отбивают и плотно укатывают в компактный кусок, обвязывая его нитками, чтобы эта форма сохранялась при варке. Мясо помещается в тесную кастрюлю и заливается кипящим брезом, а между мясом и стенками кастрюли кладут различные овощи. Термин *braise* — крепкий говяжий бульон — появляется уже у Ла Варенна[108]. Затем кастрюлю накрывают пергаментной бумагой и ставят в духовку. Отваривание длится час на сильном огне. Три-четыре раза за это время мясо переворачивают и доливают брез. Спустя час снимают крышку и бумагу, сливают остатки бреза и в течение 10–15 минут колеруют мясо в открытой посуде на среднем огне в духовке до образования корочки.

В повести Чехова «Мужики» есть упоминание о котлетах маршаль, когда встречаются два бывших повара: один, уже очень пожилой, — повар старого генерала, который готовил еще такие экзотические блюда, как кушанье из бычьих глаз, называвшееся «поутру проснувшись», а другой, один из главных героев этого рассказа, — Николай, повар ресторана «Славянский базар». Николай спросил у старшего товарища: «А котлеты маршаль тогда делали?»

«Нет», — ответил тот. На что ему Николай: «Эх вы, горе-повара!»[109] Затем эти котлеты маршаль мы встречаем в рассказе Бориса Зайцева «Жемчуг»[110].

Историк кухни Вильям Похлебкин утверждает, что название «марешаль» означает «в стиле маршала», то есть «высокопитательное, очень вкусное, нежное по консистенции блюдо, которое мог есть даже маршал (синоним престарелого, пресыщенного и лишенного зубов человека)»[111]. Согласно неподтвержденной легенде, этим маршалом был маршал Франции Шарль-Франсуа-Фредерик II де Монморанси-Люксембург. Но, во всяком случае, впервые во французской кулинарии термин *Filets de poularde à la Maréchale* зафиксирован в книге Антуана Бовилье «L'art du cuisinier» («Искусство повара»), а затем и Андре Виара «Le Cuisinier royal» («Королевский повар»)[112], которая, как мы помним, тоже вышла уже после падения императора Наполеона I, когда Франция ненадолго снова стала королевством. Котлеты *à la Maréchale* готовят из самого нежного мяса куриной грудки с панировкой, в которую добавляют яйцо и быстро обжаривают на фритюре. В других рецептах вместо куриной грудки используется другое нежнейшее мясо — так называемые *noisettes d'agneau* (дословно — «орешки ягненка»), сложная вырезка из седла барашка, из которого убираются кости и мясо, которое относится к брюшку, и полученная вырезка с тонким краем заворачивается срезанным кусочком сала.

О блюде из седла барашка, *selle du mouton*, сообщает Алексей Апухтин в «Неоконченной повести», описывая эпизод, когда уже знакомый нам министр граф Хотынцев, чтобы скрыть от деспотичной жены невинный деловой обед в ресторане с сотрудником (ведь неприлично же человеку такой должности обедать с подчиненными), придумывает меню, якобы бывшее у его знакомого Петра Петровича, которого он, конечно же, не посещал[113].

Рыбные блюда

Из французских рыбных блюд в русской литературе лидирующее положение занимает блюдо из тюрбо (*turbo*), самой дорогой рыбы из отряда камбалообразных. Тюрбо не выращивают в искусственных водоемах, и она имеет очень нежное белое мясо. В самом названии этой рыбы чувствуется что-то французское. И действительно, она спутница французской кулинарии с эпохи Средневековья. Уже в первой французской кулинарной книге «Наставление» из нее предлагается делать желе (о чем мы упоминали выше), Гийом Тирель предлагает подавать ее с зеленым соусом или вержусом, «Парижский домохозяин» повторяет рецепт Тайевана, не обходят ее своим вниманием и мэтр Шикар, Лансело де Касто, а также Ла Варенн и Менон.

Тюрбо следует готовить и подавать целиком. О тюрбо восторженно писал Александр Гримо де Ла Реньер:

> Ее мясо одновременно нежное и твердое, деликатное и маслянистое, восхищает не только своей белизной, но и своим превосходным вкусом. Чтобы правильно подать тюрбо, нужно иметь хорошо заостренную лопатку для рыбных блюд из позолоченного серебра или, по крайней мере, из серебра, и помнить, что никогда нельзя пользоваться ножом для разделения рыбы на кусочки[114].

Тюрбо не мог обойти вниманием Лев Толстой, и в романе «Анна Каренина» в известном нам уже гастрономическом диалоге Степан Аркадьевич Облонский обращается к Левину: «„Ты ведь любишь тюрбо?“ — сказал он Левину. „Что? — переспросил Левин. — Тюрбо? Да, я ужасно люблю тюрбо“». И Степан Аркадьевич заказал «тюрбо под густым соусом»[115].

Мечты о тюрбо преследовали Чехова, когда он ехал по жутким дорогам в командировку описывать остров Сахалин (ведь тогда еще не была проложена Транссибирская магистраль). По дороге из Томска в Иркутск он писал другу и издателю Алексею Суворину: «Всю дорогу я голодал, как собака. Набивал себе брюхо хлебом, чтобы не мечтать о тюрбо, спарже и проч. Даже о гречневой каше мечтал. По целым часам мечтал»[116]. О тюрбо, сравнивая его с русскими рыбами, рассуждают и герои рассказа Михаила Салтыкова-Щедрина «Привет»[117]. Алексей Толстой в фантастическом романе «Гиперболоид инженера Гарина» называет тюрбо в перечне блюд, которые рекомендует французский кулинар для восстановления сил американскому миллионеру мистеру Роллингу: «Устрицы, немного вареного тюрбо, крылышко цыпленка и несколько стебельков спаржи. Эта гамма вернет вам силы»[118].

Очень распространенное французское рыбное блюдо, названное в честь знаменитого министра финансов короля Людовика XIV Жан-Батиста Кольбера — *Merlan Colbert*, тоже присутствует в русской литературе. Хотя у Чехова оно называется не «Мерлан Кольбер», а «Судак Кольбер», именно его он рекомендует Ивану Бунину в письме от 1904 года[119]. Рецепт блюда *Merlan à la Colbert* есть в книге «Le Guide Culinaire» Огюста Эскофье[120]. Алексей Апухтин в «Неоконченной повести» так же, как и Чехов, называет мерлана судаком, и вместо «Merlan à la normande» пишет «soudac à la normande»[121]. Жозеф Фавр в «Dictionnaire universel de cuisine pratique» пишет, что «судак» — русское название рыбы, которая на французском языке называется *sander*: («Soudac — le nom russe du sander»), и приводит рецепт русского блюда — *Sander à la Gatschina*[122]. Исключительно русские коннотации с судаком и в кулинарном словаре Александра Дюма — *Soudac à moscovite*[123].

Изысканное и дорогое французское блюдо аквитанской кухни *écrevisse à la bordelaise* — рак по-бордоски — мы встречаем у Салтыкова-Щедрина в его сочинении, которому трудно подобрать определение и отнести к какому-либо жанру, — «Мелочах жизни». Щедрин рисует образ успешного издателя, «газетчика» Непомнящего, которому «уже все надоело. Он едва притрагивается к великолепному шо фруа, почти с презрением отламывает клешню рак à la bordelaise, пососет и бросит»[124]. Этих раков описывает и Александр Амфитеатров в романе «Девятидесятники»: «Кузина, попробуйте, пожалуйста, эти огромные красные — не крокодилы нильские, но только раки, приготовленные à la bordelaise: специальность дома»[125].

Еще одно рыбное французское блюдо — матлот, название которого переводится на русский язык как «матрос», так как, по-видимому, это прежде была еда матросов, — встречается в русской литературе начала XIX века у Владимира Филимонова в поэме «Обед»: «матлот с вином из окуней»[126]. Оно представляет собой блюдо из кусочков рыбы, обжаренной с овощами, соусом и вином. Отведать его предлагает персонаж трилогии Алексея Толстого «Хождение по мукам» известный гурман фон Лизе: «Член „Национального центра" фон Лизе, известный гурман, посоветовал меню: бульон, пирожки, матлёт из налима в красном вине…»[127]. «Матлот из налимов» присутствует и в рассказе Чехова «Пьяные»[128].

Матлот появляется во французской кулинарии в XVII веке. Первым рецепт *Poisson à la matelote* предлагает Ла Варенн. Но в этом рецепте нет вина, а только винный уксус:

Возьмите, например, свежей скумбрии. Когда она будет почищена, вымойте ее. Варите в соленой воде, в которую можно добавить винного уксуса или вержуса, пряные травы, цедру апельсина, некоторые добавляют сыр. Вы можете кушать эту рыбу с небольшим количеством оставшегося бульона или оставить ее остывать в бульоне, затем ее вынуть из бульона и подавать с соусом, какой вам нравится[129].

А Менон предлагает рецепты матлотов из скумбрии (*macreuses en matelote*) и миноги (*lapreaux en matelottes*) — и у него рыба варится уже в бульоне с добавлением бургундского вина[130]. Также он приводит рецепты куриных матлотов.

Трюфель

Завершив обзор мясных и рыбных блюд, присутствующих в русской литературе, перейдем к апофеозу французской кулинарии — трюфелю. Трюфель — «роскошь юных лет, / Французской кухни лучший цвет», как он назван Пушкиным в романе «Евгений Онегин»[131], — действительно представляет собой гастрономическую роскошь французской кухни, но, наверное, не только юных лет.

Трюфель вместе с шампанским — гастрономический символ торжества. Авдотья Панаева вспоминает: когда известный литературный критик и историк русской литературы Павел Анненков приобрел права на издание сочинений Пушкина, то его коллеги по журналу «Современник» потребовали отметить это событие именно трюфелями, а «Панаев не вытерпел и сказал ему: — А ты должен сегодня угостить нас всех шампанским. <…> — Да, да, ужином с трюфелями и большим количеством шампанского, надо сделать вспрыски, — опять раздались голоса»[132]. Однако Анненкову, человеку прижимистому и не устраивавшему никаких ужинов за свой счет, и на этот раз удалось отвертеться. Авдотья Панаева также вспоминает, в каком блаженном состоянии духа находился литературный критик и переводчик Василий Боткин, брат знаменитого врача Сергея Боткина, когда приехал с обеда у знаменитой в то время хозяйки великосветского салона Пешель, «которая угостила трюфелями и шампанским»[133].

А Некрасов в своей поэме «Кому на Руси жить хорошо» приводит монолог лакея, гордого тем, что он имел счастье облизывать тарелки, на которых подавался «французский лучший трюфель»:

> За стулом у светлейшего
> У князя Переметьева
> Я сорок лет стоял,
> С французским лучшим трюфелем
> Тарелки я лизал[134].

Иван Тургенев в шуточном стихотворении «Соборное послание» сетует на то, что желание вкусить «пулярок с трюфелями» перевесило стремление Василия Боткина приехать на встречу с друзьями:

> И все наши просьбы,
> Наши жаркие убежденья
> Презрел; так ужасно
> Ему захотелось
> Поесть ваших пулярок
> С рисом и трюфелями[135].

На Макарьевой ярмарке, самой главной ярмарке царской России, проходившей в Нижнем Новгороде, в меню ресторанов, по сообщению Павла Мельникова-Печерского в романе «На горах», присутствовал «ескалоп о трюф»[136].

У Алексея Апухтина в «Неоконченной повести» два героя этого повествования, конечно же, изысканные гурманы, граф Стронький и князь Киргизов даже начинают ожесточенный спор о трюфелях: «Граф Стронький похвастался, что в его имении Больших-Подлининках родятся трюфели не хуже французских. Князь Киргизов опровергал это и признавал только те трюфели, которые привозятся из Перигора»[137]. Владимир Филимонов также боготворил перигорский трюфель:

> О черный, масляный, душистый,
> Трюфль, Перигора красота[138].

Перигор, расположенный на юго-западе Франции, к востоку от Бордо, славится трюфелями. Черный перигорский трюфель, хотя и уступающий итальянскому сопернику, белому трюфелю Пьемонта, тем не менее, является одним из самых изысканных и дорогих трюфелей.

Блюда с трюфелем вошли во французскую кулинарию достаточно поздно: только в XVII веке, когда изысканность и утонченность стали доминировать и в кулинарии. У Франсуа Массьяло в конце XVII века трюфель называется *truffle*. Массьяло приводит большое число блюд с этим изысканным продуктом, среди них — *poulard aux truffles* (пулярска с трюфелями), *filet de mouton aux truffles* (филе баранины с трюфелями)[139]. Менон в своей кулинарной книге дает уже современное французское название трюфеля — *truffe*, и у него еще больше блюд с трюфелями. Это и сосиски с трюфелями (*saucisses aux truffes*), и цыплята с трюфелями (*poulets aux truffes*), и пулярки с трюфелем (*poulardes aux truffes*), и индейка, начиненная трюфелями по-испански (*dindon farcis de truffes à l'Espagnole*), и другие[140].

Индейка, привезенная испанцами из Америки, на французском языке имеет отдельное название для женского рода — *dinde*, то есть собственно индейка, и мужского рода — *dindon*, «индейский петух». Слово *dinde* появилось в результате слитного написания «d'Inde», то есть «из Индии» — ведь Америка сначала называлась Новой Индией. Заслуга в распространении индейки в европейской кулинарии принадлежала миссионерам-иезуитам, которые начали разводить ее на своих американских птицефермах. Иезуиты в Латинской Америке имели большие владения, а с 1610 по 1768 год даже существовало так называемое Иезуитское государство в Парагвае. Это «иезуитское происхождение» индейки было хорошо известно нашему Владимиру Филимонову, который писал в поэме «Обед»:

> Вот изуитов жирный друг,
> Индейский девственный петух[141].

Массьяло, помимо рецептов различных мясных блюд с трюфелями, приводит рецепт соуса с этими чудесными грибами[142]. О французских соусах следует сказать особо.

Французские соусы и приправы

Соусы

Именно соусы во многом способствовали распространению славы французской кулинарии. Как писал Огюст Эскофье: «Соусы представляют важнейшую часть кулинарии. Именно они создали и поддерживают всемирное превосходство французской кухни вплоть до сего дня»[143]. При этом еще в эпоху Средневековья, как уже отмечалось, французские соусы не отличались разнообразием. Первый шаг к обретению всемирной славы французских соусов был сделан в кулинарной книге XV века «Le vivendier», в которой появляется отдельная небольшая глава о соусах. Хотя она содержит всего лишь четыре рецепта, по ходу книги даются рецепты еще трех соусов: белого, желтого и зеленого — и, что самое замечательное, эта книга начинается именно с рецепта соуса под названием *Barbe Robert* на основе горчицы (его рецепт приведен в Главе 1).

Но проходит три столетия, и уже в XVIII веке французская кулинария без невообразимого обилия соусов была немыслима. Рассказывают, что известный гурман Шарль Морис де Талейран, будущий министр иностранных дел Франции, вернувшись в 1796 году из Соединенных Штатов Америки, сказал с иронией об американцах: «*У них я нашел страну с тридцатью двумя религиями, но всего лишь с одним соусом*». Старший современник Талейрана Менон приводит бесчисленное, как кажется на первый взгляд, число соусов — а если их все же сосчитать, то получается 75 наименований[144]:

Sauce à la Nomparcille; Sauce à la Nivernoise; Sauce petite Italienne; Sauce Italienne blanche Sauce à la Mariniere; Sauce au Celadon; Sauce au Coloris; Sauce au Consommé; Sauce à la Saxe; Sauce à la Liaison; Sauce à l'Oseille; Sauce à la Mariette; Sauce au Cerfeuil; Sauce au Persil; Sauce à la Civette; Sauce à la garone; Sauce au Fenouil; Sauce à l'Amiral; Sauce à la Royale; Sauce à la flamande; Sauce à la Hâte; Sauce à l'Agneau; Sauce à l'Avare; Sauce au Verjus; Sauce au Pauvre Homme; Sauce douce; Sauce au Fumet; Sauce Ravigotte; Ravigotte froide; Sauce à la Madelaine; Sauce à l'aspic; Sauce à la Gendarme; Sauce à la Belle-vuë; Sauce à la Moruë; Sauce à la Polonoise; Sauce au Foye; Sauce au Vin; Sauces blanches; Sauce à l'Espagnole; Sauce Robert; Sauce à la Moutarde; Sauce à la Carpe; Sauce à l'Anguille; Sauce au Brochet; Sauce à la Béchamel; Sauce au Maquereau; Sauce Rémoulade; Sauce Poivrade; Sauce au Fenouil; Sauce hachée; Sauce au Bain-Marie; Sauce au Porc-frais; Sauce à la Nonette; Sauce verte; Sauce verte d'une autre façon; Sauce piquante; Sauce au Bleu Celeste; Sauce au Pontife; Sauce à la Nichon; Sauce au Révérend; Sauce à la Milanoise; Sauce à l'Orange; Sauce aux Canards; S'auce à l'Echalotte; Sauces au Persîl; Sauce au Bled verd; Sauce à la Reine; Sauce d'Acide; Sauce à la Bécasse; Sauce aux Truffes; Sauces maigre de plusieurs façons; Sauce genérale; Sauce au Beurre noir; Sauce simple.

В начале XIX века Мари-Антуан Карем систематизировал это огромное количество французских соусов. Он подразделил их на четыре основные группы — *grandes sauces* (великие соусы): эспаньоль (испанский соус), велуте, альманд (немецкий соус) и бешамель[145]. Следующий шаг в этой систематизации сделал Жюль Гюффе, который первым ввел понятие *sauce mère* (материнский соус), то есть соус, являющийся основой для производных от него соусов: «Я полагаю, что будет правильным дать основным соусам название «материнские соусы», чтобы точно определить ту главную роль, которую они играют в изготовлении других многочисленных соусов, которые являются их производными»[146].

Вот эти «материнские соусы», согласно классификации Гюффе:

Espagnole grasse — мясной эспаньоль (мясной испанский)
Espagnole maigre — постный эспаньоль (постный испанский)
Velouté grasse — мясной велуте
Velouté maigre — постный велуте
Allemande — альманд (немецкий)
Béchamel à l'ancienne — бешамель в старинном стиле
Béchamel de volaille — куриный бешамель
Béchamel maigre — постный бешамель
Poivrade brune — коричневый пуаврад (соус с перцем)
Poivrade blanche — белый пуаврад
Poivrade maigre — постный пуаврад
Marinade — маринад

А в начале XX века Эскофье завершил формирование классификации французских соусов. У него «великие основные соусы» — это *Espagnole, Velouté, Allemande, Béchamel, Sauce Tomate*[147].

Бешамель — основной белый соус, ингредиентами которого являются мука, сливочное масло, молоко или сливки. Этот соус появился в XVIII веке, когда была мода называть гастрономические блюда именами вельмож, высокопоставленных чиновников и государственных деятелей. Поэтому он был удостоен имени Луи де Бешамеля, маркиза де Нуантель, знаменитого финансиста налогового ведомства и покровителя искусств. Хотя изобретение этого соуса часто приписывается Франсуа Пьеру де Ла Варенну, у него соуса с таким названием нет. Бешамель встречается у Менона как мясной соус:

Соус а-ля бешамель. Положите в кастрюлю кусок окорока, несколько шампиньонов, два лука-шалота, зубок чеснока, две гвоздики, один лавровый лист, немного базилика, кусок сливочного масла. Поставьте все это на огонь и, дождавшись начала окрашивания, положите туда хорошую щепотку муки, полейте сливками или хорошим молоком. Кипятите на слабом огне полчаса, затем процедите все через сито. По желанию, можете добавить щепотку мелко нарезанной белой петрушки[148].

Альбер в своей книге «Le Cuisinier Parisien» приводит два рецепта бешамеля: мясного и постного, но и в этот постный, как он пишет, можно добавить мясной или куриный бульон, и от этого соус станет еще лучше[149]. У Антуана Бовилье бешамель — мясной соус[150], так же, как и в рецепте Эскофье:

> Бешамель (на 4 литра). Взять белый ру, приготовленный из 250 граммов сливочного масла и 300 граммов муки, и обжаренный в течение времени, необходимого для того, чтобы исчез вкус сырой муки. Развести его, размешивая в четырех литрах кипящего молока, в которое положите 20 граммов соли, и довести до кипения. Добавить 250 граммов хорошо проваренной до белого цвета постной телятины, которую следует варить с нарезанным луком, веточкой тмина, щепоткой молотого перца и мускатным орехом, и нарезать на мелкие кубики. Затем все это варить на малом огне в течение одного часа, процедить через сито и смазать сливочным маслом поверхность[151].

Как отмечалось в Главе 1, Пьер де Лун первый начал добавлять в соусы муку, благодаря чему появилась *roux* (буквально «обжаренный») — обжаренная со сливочным маслом пшеничная мука. Существует три вида ру:

> Белый ру (*roux blanc*) — пшеничная мука обжаривается со сливочным маслом в течение небольшого времени, чтобы она не изменила свой белый цвет; белый ру — основа бешамеля.

Золотистый ру (*roux blond*) — пшеничная мука со сливочным маслом обжаривается дольше, до золотистого цвета; золотистый ру — основа велуте.

Коричневый ру (*roux brun*) — обжаривается еще дольше, чем золотой ру, — до коричневатого цвета, коричневый ру — основа эспаньоля.

Французское название велуте (*velouté*) означает «бархатистый». Компоненты велуте — золотистый ру, куриный или телячий бульон (мясной велуте) или рыбный бульон (постный велуте), соль, молотый черный перец.

Эспаньоль — испанский коричневый соус. Во французской кулинарии термином «à l'espagnole» (по-испански) называют блюда, приготовленные с помидорами, луком и сладким перцем. Основа этого соуса — коричневый ру, а компонентами являются мясной бульон, помидоры, морковь, лук, тмин и лавровый лист.

Альманд — соус велуте, в который добавлены яичные желтки, грибной отвар, молотый мускатный орех, несколько капель лимонного сока и сливочное масло. Во время Первой мировой войны, в которой Германия была главным противником Франции, этот соус был переименован в *sauce parisienne* (парижский соус) или *sauce blonde* (светлый соус). В настоящее время, когда вражда между французами и немцами уже ушла в прошлое, этот соус вновь называют *Allemande*.

Производным от соуса альманд является самый известный у нас соус — *Mayonnaise*. О майонезе в кулинарной литературе приводится немало легенд, которые мы опустим, но засвидетельствуем факт: наиболее ранний рецепт майонеза, который мы нашли во французских кулинарных книгах, содержится в книге Альбера, изданной в 1825 году:

Майонез. Положите в фаянсовую чашу один или два сырых яичных желтка с солью и лимонным соком, добавьте немного оливкового масла, постоянно размешивая. Ваш соус не замедлит загустеть. Добавляйте в него время от времени немного крепкого ароматного винного соуса. Вы можете добавить еще оливкового масла, пока соус не утратит свою консистенцию. Подавайте его к рыбным салатам, салатам из домашней птицы и салатам из вареных овощей[152].

Майонез, самый «русский» из французских соусов, первым вошел и в русскую литературу. В поэме «Обед» Владимира Филимонова, изданной в 1837 году, читаем: «Как сбитый в снеге майонез»[153].

Sauce Tomate, томатный соус, готовится из перетертых вареных помидоров, которые тушат на слабом огне на сковороде с оливковым маслом. Затем добавляют базилик, петрушку и другие пряные травы, а иногда еще обжаренный лук и чеснок.

В русской литературе даже те из наших соотечественников, которые были апологетами русской кухни, еще в XIX веке оценили французские соусы, как это видно из диалога в рассказе Салтыкова-Щедрина «Привет»:

— Зато они в соусах — мастера! То есть, впрочем, французы только... Мастера, бестии, соусы приготовлять!
— Еще бы! Субиз, морне, беарнез, борделез... пальчики оближешь!
— Хитер народ! Настоящей провизии нет, так на соусах выезжают![154]

Из этих четырех соусов, вызвавших восторженные восклицания героев Салтыкова-Щедрина, два — субиз и морне — относятся к виду основного соуса бешамель, беарнез относится к виду основного соуса альманд, а борделез — к виду основного соуса эспаньоль.

Соус *Soubise* готовится на основе бешамеля, к которому добавляется луковое пюре. Соус получил название в честь представителя одного из самых аристократических французских родов маршала Франции Шарля де Рогана-Субиза. Рецепт этого соуса впервые приводит в 1820 году Андре Виар во втором издании своей книги «Le Cuisinier royal»[155]. Два варианта рецепта соуса субиз приведены в книге Огюста Эскофье. В первом варианте к бешамелю и луковому пюре добавляются белый перец, сахарная пудра и сливки. Во втором варианте добавляются рис карнароли, белый бульон консоме, сахар и сливочное масло[156].

Соус *Mornay* тоже готовится на основе бешамеля, в который добавляются яичный желток и тертый твердый сыр. Соус был назван, по-видимому, в честь французского аристократического рода де Морне, представители которого были видными военачальниками и политиками в XVII–XIX веках. Хотя этот соус подавался во французских ресторанах, вероятно, уже в середине XIX века, в кулинарную литературу он вошел достаточно поздно: его рецепт приводит лишь Огюст Эскофье[157].

Соус *Béarnaise* относится к виду соуса альманд, поэтому он готовится на основе яичного желтка и сливочного масла, соли и щепотки молотого черного перца, эстрагона и винного уксуса, согласно первому его зафиксированному рецепту в книге Жюля Гюффе[158].

Bordelaise — бордоский соус, производный от эспаньоля, и неудивительно: ведь от Бордо до Испании совсем недалеко. Согласно Гюффе, который также приводит первым рецепт и этого соуса, к соусу эспаньоль добавляется белое вино бордо, а также лук-шалот и молотый перец[159].

Соус бешамель появляется в русской литературе вместе с майонезом в 1838 году у Владимира Филимонова как один из символов французской жизни *l'Ancien Régime*: «Расин, любовницы, аббаты, / Великий ужин, бешамель»[160].

Затем много лет спустя о бешамеле упоминает Владимир Гиляровский в рассказе «Грачи прилетели»[161].

Французские соусы также встречаются в «Анне Карениной», в уже упомянутом гастрономическом диалоге. В нем шла речь о тюрбо, приготовленном с соусом бомарше: «Тюрбо сос Бомарше»[162]. Но этот *sauce Baumarchais* является, по-видимому, просто выдумкой Льва Толстого, во всяком случае, в основных французских кулинарных книгах его нет.

Помимо «классических» соусов французской кухни, в XX веке было изобретено множество так называемых промышленных соусов, один из которых стал героем сатирического стихотворения Владислава Ходасевича. Это соус *Viandox* на основе экстракта мяса, соли, сои и ароматизаторов, запущенный в промышленное производство в 20-х годах XX века. Ходасевич в «Куплетах» высмеивает рекламный лозунг этого соуса: «Un vrai Viandox stimule et réconforte!» («Истинный Виандокс стимулирует и укрепляет!»)[163].

Приправы

Несколько слов о французской горчице. Во французской кулинарии горчица считается не соусом, а приправой. Приправы — более общее понятие, включающее в себя не только соусы, но и сухие специи. Французское название горчицы — *moutarde* происходит от латинского выражения *mustum ardens* (обжигающее виноградное сусло).

Безусловно, самая известная французская горчица — это *moutarde de Dijon*. Менее известна *moutarde de Bourgogne*, хотя это единственная французская горчица, имеющая статус географического защищенного продукта IGP.

В настоящее время в Европе принята сертификация по месту происхождения продукта и сертификация его качества. Традиция названия продуктов по месту их происхождения уходит своими корнями в эпоху Античности —

особенно тех, качество которых особо подчеркивалось. Что же касается античных вин, то практически все они назывались по месту производства (фалернское, цекубское, статанское и другие). В 1992 году Евросоюз принял правила о защите продуктов по месту их происхождения, и были установлены категории качества продуктов. Высшая категоря — на французском языке — AOP (Appellation d'Origine Protegée). Этот знак сертификации означает, что продукт является уникальным: он произведен в определенном регионе из сырья данного региона и в соответствии с традиционной технологией. Второе место занимает категория IGP (Indication Géographique Protégée). Это название региона или определенной местности, которое служит обозначением сельскохозяйственного продукта. Продукты с этими названиями запрещено производить не только в других странах, но и в других регионах страны происхождения продукта.

Также стоит упомянуть о *Moutarde violette de Brive* — бривской фиолетовой горчице, которая готовится из семян горчицы и виноградного муста, и *Moutarde au Moût de Raisin* — горчице с виноградным мустом. Андрей Белый в романе «Котик Летаев» пишет о французской горчице, но не приводит ее конкретное название[164].

В некотором смысле к приправам может быть отнесена также и флёрдоранжевая вода — «l'eau de fleur d'orange», то есть вода, настоянная на цветках апельсина. Смесь флёрдоранжевой воды с миндальным молоком называется «оршад», о нем речь пойдет ниже, в разделе «Напитки». Флёрдоранжевая вода была одной из любимых приправ Франсуа Пьера де Ла Варенна: он использует ее в качестве ингредиента различных салатов и молочных блюд, супа из миндаля, а также таких блюд, как каперсы в сахаре и фисташки[165].

К приправам можно, хотя, конечно, только условно, отнести и «прованское масло» — устаревшее, ныне практически не используемое название оливкового масла. Прованс — французское побережье Средиземного моря — уже с эпохи Античности славился оливковым маслом. В Россию прежде оливковое масло поставлялось из Франции, однако сейчас французское оливковое масло невозможно встретить в московских магазинах: его полностью вытеснило итальянское, испанское и греческое оливковое масло. Так что «прованское масло» осталось только в литературе, хотя еще моя бабушка именно так называла растительное масло. У Чехова в рассказе «Иванов» один из персонажей, Лебедев, утверждает: «Водку тоже хорошо икрой закусывать. Только как? С умом надо… Взять икры паюсной четверку, две луковочки зеленого лучку, прованского масла, смешать все это и, знаешь, этак… поверх всего лимончиком. Смерть! От одного аромата угоришь»[166].

Французская сырная тарелка

По правилам французского обеда, после основного блюда перед десертом подаются сыры. Это даже более незыблемое правило, чем пате перед основным блюдом. В настоящее время во Франции их производится около 500 наименований. В конце XV века итальянский медик и гастрономический писатель Панталеоне да Конфиенца, на латинском языке Панталеон де Конфлюенция, в своей книге «Summa laciciniorum» («Сумма о сырах») начал главу, посвященную французским сырам, с фразы: «Istud solum capitulum exigeret unum tractatum» («Одна эта глава заслуживает отдельного трактата»)[167]. Уже в XV веке разнообразие французских сыров вызывало восхищение у иностранцев.

Звезда славы французских сыров начала восходить в эпоху Средневековья, хотя еще в Средние века так же, как и в эпоху Античности, сыр занимал более скромное положение в иерархии продуктов, чем мясо, будучи пищей бедняков и крестьян. Сыр в раннее Средневековье до XI века в католической церкви считался постным продуктом, поэтому за его совершенствование взялись монахи-кулинары[168]. Бельгийский историк Лео Мулен, перечисляя известные современные французские сыры, такие как бри, марой, сен-нектер, пон-л'эвек и другие, остроумно заметил, возможно ли, вообще, найти какой-нибудь сорт французского сыра, который бы не происходил из аббатств?[169] Таким образом, начавшийся в Средние века процесс облагораживания сыра привел к тому, что к XVIII веку сыр превратился в дорогой изысканный продукт.

Однако, несмотря на свою всемирную славу, французские сыры в русской литературе получили довольно скромное отражение. Не прошли русские писатели мимо самого известного французского мягкого сыра — бри. Ведь если Италия славится своими твердыми сырами, то Франция знаменита мягкими и голубыми сырами с благородной плесенью. Родина мягких сыров, в том числе и бри — север Франции, историческая область Иль-де-Франс, со столицей в Париже, которая в Средние века представляла собой такое же ядро будущей Франции, как Московское княжество в Древней Руси, а также Нормандия и Бретань.

Сыр бри получил название от средневекового графства Бри на северо-востоке Иль-де-Франс. Первое упоминание об этом сыре встречается в поэме французского поэта XIII века Гийома де ла Вильнёва «Crieries de Paris» («Голоса Парижа»)[170]. Вскоре слава бри распространилась за Альпы, он стал известен и в Италии. В древнейшей итальянской кулинарной книге «Liber de coquina» («Книга о кухне»), написанной на латинском языке в конце XIII или начале XIV века, он назван «caseo de Bria»[171]. «Caseus» на латинском языке означает «сыр». В принципе, появление французского сыра в средневековой итальянской книге неудивительно, ведь «Liber de coquina» была написана в Неаполитанском королевстве, в котором в то время правила Анжуйская, то есть французская, династия. Ее основателем был Карл Анжуйский, младший брат французского короля Людовика IX. И в следующей итальянской кулинарной книге, написанной уже на итальянском языке, «Libro della cocina» («Книга о кухне»), мы встречаем бри, который в ней назван «cascio di bria»[172]. «Cascio» — так назывался сыр на староитальянском языке, как видно, название произошло от латинского термина.

Термин «бри» не является защищенным географическим названием, поэтому этот сыр не имеет категории AOP и в больших количествах выпускается промышленным способом, причем и за пределами Франции, и, безусловно, качество этого сыра очень разнится в зависимости от производителя. Но есть два «настоящих» и изысканных сыра бри, которые имеют категорию AOP: Brie de Meaux и Brie de Melun — мягкие сыры из сырого коровьего молока с корочкой с благородной плесенью. Сыр Brie de Meaux производят в области города Мо, расположенного в 40 километрах к северо-востоку от Парижа. Согласно легенде, однако не подтвержденной средневековыми источниками, этот сыр начали производить в основанном около 630 года в бенедиктинском аббатстве Нотр-Дам де Жуар, вокруг которого вырос небольшой город Жуар. В настоящее время это действующее женское аббатство, но монахини не занимаются изготовлением сыра, а пекут различные сладости и лакомства. Brie de Melun производится в области города Мелён, находящегося также недалеко от Парижа, в 45 километрах, но к юго-востоку.

Сыр бри появляется в стихотворении Василия Курочкина «Идеальная ревизия», в котором «идеальный» чиновник берет подношения различных продуктов и вин, закрывая глаза на соответствующие нарушения[173]. По свидетельству Владимира Гиляровского в московском магазине Елисеева:

> А на Тверской в дворце роскошном Елисеева...
> Сыры всех возрастов — и честер, и швейцарский,
> И жидкий бри, и пармезон гранитный...[174]

В дореволюционной России бри можно было купить не только в столичных магазинах, его доставляли даже в отдаленные уголки Сибири. Мы встречаем его в романе Вячеслава Шишкова «Угрюм-река»[175], действие которого происходит именно в Сибири. Название этого сыра соответствовало поэтическим изысканиям, написанным на языке «заумь», одного из самых талантливых поэтов-футуристов — Алексея Кручёных в «Вороной восени»:

> Протабаченый перст Вячеслава Иванова
> Кивал, говоря: — Все это отлично странно!
> Неужели в меня вселилось бритвенное Бри[176].

А что касается «гранитного» пармезана, то о нем пишет и Лев Толстой в романе «Анна Каренина»: «Сыру вашего прикажете? Ну да, пармезан»[177]. Пармезан упоминается и у Николая Некрасова в рассказе «Необыкновенный завтрак»[178]. Хотя, собственно, французский сыр пармезан, которым у нас называют все твердые сыры, имеет не французское, а итальянское происхождение. На самом деле это самый твердый итальянский сыр *Parmiggiano Reggiano*, который начал изготовляться с XII века в бенедиктинском аббатстве Иоанна Богослова в Парме.

Перед тем как перейти к десертам, скажем несколько слов о французских освежающих напитках и минеральной воде. Такой переход к водам — не наше изобретение, в этом мы следуем примеру Франсуа Пьера де Ла Варенна, который в своей книге поместил *Breuvage delicieux* (изысканные напитки) в разделе перед десертами.

Освежающие напитки и минеральная вода

Пожалуй, самый известный французский освежающий напиток — это лимонад. Его придумали во Франции во второй половине XVII века. В Париже в 1676 году была создана «лимонадная компания» Compagnie de Limonadiers, точнее, «Компания лимонадарей», то есть производителей лимонада. Лимонад уже представлен в книге Франсуа Пьера де Ла Варенна:

> Лимонад. Возьмите пинту воды, положите в нее полфунта сахара, налейте сок шести лимонов и двух апельсинов, предварительно очистив наполовину от кожуры лимон и апельсин, которые вы будете выжимать. Хорошо размешайте воду в двух чистых стаканах, переливая из одного в другой много раз, и процедите через белую марлю[179].

Помимо лимонада, Ла Варенн предлагает также рецепт приготовления оранжада — напитка, подобного лимонаду, но не из лимонов, а из апельсинов, а также целый ряд других фруктовых вод и сиропов[180]. Интересно отметить, что оранжад появляется во французских кулинарных книгах значительно раньше лимонада, в конце XIV века в книге «Le Ménagier de Paris»[181]. Лимонад описан также в книге Николя де Боннефона[182]. Но, в отличие от современного лимонада, он не был еще газированным напитком.

В русской литературе лимонад появился в самом конце XVIII века, в 1797 году в стихотворении поэта и драматурга Николая Николева «Сатир-рифмач»:

> Не русский пить уж будет квас, —
> Оршад и лимонад, как барин знатный родом[183].

В этом стихотворении упоминается еще один французский напиток — оршад (orgeat), который ныне практически забыт.

Сейчас его готовят из смеси миндального молока с сахаром и флёрдоранжевой водой. Однако вначале вместо миндаля использовался ячмень, который на французском языке называется *orge*. Французское слово *orge* заимствовано из латинского языка, в котором ячмень называется *hordeum*. Оршад описывается в «Энциклопедии» Дидро и Даламбера[184]. Лимонад и оршад — это прохладительные напитки, поэтому у Некрасова в рассказе «Опытная женщина» мы читаем: «Играющим [в карты] подавали пунш, танцующим лимонад и оршад»[185]. Спустя десятилетия оршад появляется у Бориса Пастернака в поэме «Спекторский»:

> Идут часы. Поставлены шарады.
> Сдвигают стулья. Как прибой, клубит
> Не то оркестра шум, не то оршада,
> Висячей лампой к скатерти прибит[186].

Французские минеральные воды не так разнообразны, как, например, воды Кавказа. Тем не менее французская минеральная вода занимает достойное место среди минеральных вод мира. Знаменитая целебная французская минеральная вода Vichy попала на страницы рассказа Чехова «Лишние люди», один из персонажей которого говорит: «И не имею лишнего рубля, дабы купить себе минеральной воды Виши, прописанной мне против печеночных камней»[187]. Сейчас эта минеральная вода называется Vichy Célestins, так как ее источник находится на территории бывшего аббатства Ордена целестинцев.

Десерт

Десерт — это сладкое блюдо, завершающее обед. Его название, *dessert*, происходит от французского глагола *desservir* — «убирать со стола», то есть завершать трапезу. Названия французских десертов вошли в XIX веке в русский язык, став родными и привычными: бисквит, эклер, суфле, крембрюле, рулет. Три известных французских десерта претерпели на протяжении веков значительную эволюцию, превратившись в десерты из мясных или рыбных блюд. Это бланманже, флан и зефир.

Одно из самых древних французских блюд — бланманже (*blanc-manger*) — изначально не было десертом. Название оно получило из-за белого цвета. По-французски *blanc* — «белый», а *manger* — современный глагол «есть», «кушать», но в старофранцузском языке это было также и существительное со значением «блюдо», в смысле «кушанье». Бланманже на протяжении веков изменило не акциденцию, то есть нечто внешнее, а свою субстанцию, то есть сущность: из мясного блюда превратилось в десерт.

Бланманже из белого мяса птицы присутствует в древнейших французских кулинарных книгах XIV века: «Enseignemenz qui enseingnent a apareillier toutes manieres de viandes», где оно готовится из куриных крылышек и ножек[188], и в книге «Le Viandier» Гийома Тиреля, у которого это *blanc mengier d'ung chappon* (бланманже из каплуна)[189]. Бланманже продолжает готовиться на основе мясного бульона и в XVII веке у Франсуа Пьера де Ла Варенна[190]. И даже в первой половине XVIII века у Массьяло бланманже по-прежнему готовится на основе белого мяса, главным образом куриного[191].

Во французской кулинарии первый рецепт сладкого бланманже встречается лишь в начале XIX века у Мари-Антуана Карема, который предлагает несколько вариантов сладкого бланманже: с лимоном, с ванилью, с кофе, с шоколадом, с фисташками, с клубникой, со сливками[192]. С этого времени бланманже стало десертом. Впрочем, Огюст Эскофье в начале XX века вспомнил о мясном бланманже в рецепте «Consommé au Blanc-Manger», но в скобках отметил: «Ancienne cuisine», то есть «старинная кухня»[193].

ГЛАВА 2. ФРАНЦУЗСКИЙ ОБЕД В РУССКОЙ ЛИТЕРАТУРЕ

В русскую изящную словесность бланманже вводит Пушкин в «Евгении Онегине»:

> Да вот в бутылке засмоленной
> Между жарким и бланманже
> Цимлянское несут уже[194].

А в другом его произведении, «Барышня-крестьянка», пирожное бланманже придает обеду эпитет «славный»: «И обед был славный; пирожное бланманже синее, красное и полосатое»[195]. Более того, бланманже у Пушкина является некоторой психологической характеристикой. Так, он пишет в одном из своих незавершенных отрывков о московской барышне: «А дочь стройная меланхолическая девушка лет 17-ти, воспитанная на романах и на бланманже»[196].

У Федора Достоевского тоже написано про бланманже, но не столь романтично. Герой его рассказа «Скверный анекдот» высокопоставленный чиновник Иван Ильич Пралинский, который совсем некстати зашел на свадьбу к своему подчиненному, и, переусердствовав с шампанским и водкой, «опустился на стул, как без памяти, положил обе руки на стол и склонил на них свою голову, прямо в тарелку с бланманже»[197].

А у Алексея Константиновича Толстого в «Церемониале» помимо бланманже появляется еще один французский десерт — суфле: «после бланманже и суфле-вертю, когда господа офицеры танцевали вприсядку, полковник и отец Герасим обнялись и со слезами на глазах сделали три тура мазурки, а дело предали забвению»[198].

Название французского пирожного *soufflé* на русском языке означает «дуновение». Сливки и взбитые яичные белки придают ему воздушность. Что такое вертю, которое добавил к суфле достопочтенный Алексей Константинович, остается невыясненным. У Франсуа Пьера де Ла Варенна есть рецепт пирожного *Machepain soufle* (марципан суфле), а так как это марципан, то обязательным его ингредиентом должен быть миндаль:

> Измельчите двадцать пять штук хорошо очищенных орехов сладкого миндаля и смочите их водой флёрдоранж. В эти хорошо измельченные орехи положите шесть белков яиц и хорошо их перемешайте. Затем понемногу добавляйте сахарную пудру, чтобы смесь стала пластичной. Через шприц выдавите кольцами ее на бумагу, поставьте запекаться в духовку, при этом нужно больше жара сверху, чем снизу[199].

Пирожное бисквит, которое на французском языке называется *biscuit*, известно с эпохи Средних веков. Его название происходит от латинского выражения *panis biscoctus* (дважды пропеченный хлеб). Этот хлеб брали в путешествие, потому что он мог долго храниться. Хлеб, называемый бисквитом, *pain, qu'on apppelle biscuit*, упомянут в жизнеописании французского короля св. Людовика IX, написанном в начале XIV века историком Жаном де Жуанвилем[200]. Но в написанной на полвека раньше книге Гильома де Рубрука «Itinerarium» («Путешествие»), в которой он описывает путешествие к монгольскому хану, *panis biscoctus* представляет собой, по-видимому, десерт, потому что упоминается вместе с фруктами и мускатным вином, и притом с эпитетом «нежный» (delicatus): «Я взял с собой из Константинополя фрукты, мускатное вино и нежный бисквит (biscoctum delicatum) по совету купцов, чтобы дарить начальникам, чтобы они позволили мне продолжить свой путь, ибо они ничего не решают по справедливости, если приходишь к ним с пустыми руками»[201].

В первой французской кулинарной книге «Enseignemenz qui enseingnent a apareillier toutes manieres de viandes» уже появляется термин *bescuit*, но это еще не пирожное. Он означает то, что следует из этимологии слова — «дважды пропеченный», здесь — это дважды пропеченная подливка к щуке:

> Щука в «бисквите»: сначала обжарьте, затем залейте мустом или сидром и на сковороде доведите до кипения. Возьмите смесь растертых в порошок различных специй и тертого хлеба. Залейте бисквитом, который на сковороде. Затем положите это на тарелки и туда же положите рыбу[202].

Настоящее пирожное бисквит появляется в середине XVII века у Ла Варенна и Николя де Бонефона. Бонефон приводит всего три рецепта: *Biscuit de Roy* (Королевский бисквит), *Biscuit de Piedmont* (Пьемонтский бисквит) и *Biscuit de Savoye* (Савойский бисквит)[203], а Ла Варенн в главе «La maniere de faire du biscuit commun des Pastissiers» — семь рецептов[204].

В русской литературе пирожное бисквит встречается у Достоевского в рассказе «Слабое сердце»: «Старушка наложила бисквитами полный карман Аркадия Ивановича, и приятели, кушая их, развеселились»[205]. В «Войне и мире» Лев Толстой описывает эпизод, когда император Александр I бросает бисквиты в толпу народа на Соборной площади, а Петя Ростов пытается их поймать и чуть не погибает в давке. Этот эпизод вызвал негодование Петра Вяземского, обвинившего Толстого в преднамеренном очернении образа Александра I, так как этого не было, а ссылка на свидетельство очевидца недостоверна: император раздавал фрукты, а не бросал бисквиты с балкона[206].

В рассказе Чехова «Поцелуй» читаем: «Фон Раббек и его семья искусно втягивали офицеров в спор, а сами между тем зорко следили за их стаканами и ртами, все ли они пьют, у всех ли сладко, и отчего такой-то не ест бисквитов или не пьет коньяку»[207]. Также бисквит появляется в пьесе

Александра Блока «Незнакомка»[208], в рассказе Александра Грина «Комендант порта»[209], в забавном стихотворении Владислава Ходасевича «Разговор человека с мышкой, которая ест его книги»:

> Ну, словом, вот тебе бисквит,
> А книг, пожалуйста, не кушай[210].

Футуристы, за исключением Владимира Маяковского, не обращали внимания на изысканные радости гастрономии, но как-то Давид Бурлюк в стихотворении «Я нищий в городе Нью-Йорке» мимоходом вспомнил про «бисквитную фабрику»[211].

Десерт с французским названием *macédoine de fruits*, имеющий и спорное происхождение, и спорную этимологию, также не был забыт русскими писателями. Этот десерт — блюдо из свежих или слегка отваренных фруктов, пропитанных фруктовым сиропом и ликёром, иногда с добавлением мороженого или фруктового желе. Согласно наиболее вероятной гипотезе, название десерта произошло от названия Македонии, в которой, по представлению французов XVII века, были перемешаны народы — греки, болгары, албанцы, сербы, турки, — как и фрукты в этом сладком блюде.

Блюдо под названием *Macedoine cuit* (вареный маседуан) впервые встречается в книге Ла Варенна, но у него это не десерт, а овощной салат[212]. Фруктовый маседуан есть и у французского кондитера XIX века Пьера Лакама в его книге «Le mémorial historique et géographique de la pâtisserie: contenant 2800 recettes de pâtisserie, glaces & liqueurs» («Исторические и географические записки о кондитерских изделиях, содержащие 2800 рецептов кондитерских изделий, мороженого и ликёров»), вышедшей в Париже в 1900 году. Автор приводит два рецепта: *Tuttifrutti ou macédoine napolitaine* («Туттифрутти или неаполитанский маседуан») и *Macédoine glacée* («Маседуан глясе»)[213].

ГЛАВА 2. ФРАНЦУЗСКИЙ ОБЕД В РУССКОЙ ЛИТЕРАТУРЕ

В русской литературе маседуан де фрюи предлагает в романе «Анна Каренина» Степану Аркадьевичу официант-татарин, который, как мы помним, был влюблен во французские названия блюд: «Татарин, вспомнив манеру Степана Аркадьича не называть кушанья по французской карте, не повторял за ним, но доставил себе удовольствие повторить весь заказ по карте: „Суп прентаньер, тюрбо сос Бомарше, пулард а лестрагон, маседуан де фрюи…"»[214].

Французский десерт безе, который готовится из взбитых с сахаром и запеченных яичных белков, с настоящим французским названием *baiser* (поцелуй), во Франции называется по-другому: *meringue* (меренг), термином неясного происхождения, согласно одной из гипотез, образованного от латинского слова *merenda* (легкое послеобеденное блюдо). Впервые название этого пирожного находим у Франсуа Массьяло в рецепте *meringues de pistaches* (фисташковые меренги)[215]. А до этого пирожное называлось *neige sèche* (сухой снег), и первый его рецепт приводит в 1604 году Лансело де Касто[216].

По-видимому, название «безе» этому французскому пирожному дали немцы, позаимствовав слово из французского языка, ведь на немецком десерт называется *Baiser*. Из Германии название пришло в Польшу (на польском — *beza*), а в Россию — или непосредственно из Германии, или из Польши. Однако в XIX веке этот десерт в России имел и другое название — «испанские ветры». Именно с таким названием он появляется в рассказе Ивана Тургенева «Мой сосед Радилов»: «Обед был совсем недурен, и в качестве воскресного не обошелся без трепещущего желе и испанских ветров»[217]. Такое название этот десерт, возможно, получил из-за некоторого «шуршания», когда его едят, — словно ветер шуршит сухой листвой. А может быть, и его спиральная форма подсказала эту ассоциацию: словно вихрь возносится ввысь. Кто окрестил это пирожное «испанскими ветрами», неизвестно, однако в словаре Даля, изданном в 1863 году, это название присутствует. У Вячеслава Шишкова в романе «Угрюм-река» изготовлением безе занимался Ибрагим: «Ибрагим на кухне белки сбивал, к пасхе желает пирожное устроить, совсем по-городскому, называется — безе»[218].

Но, пожалуй, самое известное из французских пирожных у нас — эклер. Его название *éclair* дословно означает «молния», но не только. Это может быть и «вспышка», «проблеск», «озарение». По-видимому, такое название дали ему кондитеры из-за блеска глазури, покрывающей сверху пирожное продолговатой формы. Хотя восьмое издание «Dictionnaire de l'Académie française», вышедшее в 1933 году, утверждает, что название пирожное получило потому, что «оно съедается быстро», почти молниеносно[219]. А предыдущее, седьмое издание этого словаря, вышедшее в 1878 году, не дает значение слова éclair в качестве пирожного, что и неудивительно — ведь пирожное достаточно новое. Первым его упоминает Жюль Гуффэ в 1873 году под названием *Pains à la duchesse et éclairs*[220].

Игорь Северянин посвятил эклеру свою «Секстину», которая вошла в его сборник «Громокипящий кубок». Это стихотворение, в котором слово «эклер», имеющее разные коннотации французского *éclair*, зарифмовано с именем Бодлер, нельзя не привести полностью:

> Я заклеймен, как некогда Бодлэр;
> То — я скорблю, то — мне от смеха душно.
> Читаю отзыв, точно ем «эклер»:
> Так обо мне рецензия… воздушна.
> О, критика — проспавший Шантеклер! —
> «Ку-ка-ре-ку!», ведь солнце не послушно.
>
> Светило дня душе своей послушно.
> Цветами зла увенчанный Бодлэр,

Сам — лилия… И критик-шантеклер
Сконфуженно бормочет: «Что-то душно»…
Пусть дирижабли выглядят воздушно,
А критики забудут — про «эклер».

Прочувствовать талант — не съесть «эклер»;
Внимать душе восторженно, послушно —
Владеть душой; нельзя судить воздушно, —
Поглубже в глубь: бывает в ней Бодлэр.
И курский соловей поет бездушно,
Когда ему мешает шантеклер.

Иному, впрочем, ближе «шантеклер».
Такой «иной» воздушен, как «эклер»,
И от такого вкуса — сердцу душно.
«Читатель средний» робко и послушно
Подумает, что пакостен Бодлэр,
И примется браниться не воздушно…
И в воздухе бывает не воздушно,
Когда летать захочет шантеклер,
Иль авиатор, скушавший «эклер»,
Почувствует (одобришь ли, Бодлэр?),
Почувствует, что сладость непослушна,
Что тяжело под ложечкой и душно…
Близка гроза. Всегда предгрозье душно.
Но хлынет дождь живительный воздушно,
Вздохнет земля свободно и послушно.
Близка гроза! В курятник, Шантеклер!
В моих очах éclair, а не «эклер»!
Я отомщу собою, как — Бодлэр![221]

Переходя от печеных десертов к десерту холодному, мы должны констатировать, что мороженое — не французское изобретение. Оно пришло во Францию из Италии вначале под видом сорбета[222]. Однако уже в XVIII веке мороженое на десерт стало обычным блюдом для французов. Чего, по-видимому, нельзя было сказать о Германии. Иоганн Вольфганг Гёте в воспоминаниях «Из моей жизни» отметил: «Моя мать очень огорчила нас с сестрой, выбросив мороженое, которое нам прислали французы со своего стола, — ей казалось невозможным, чтобы детский желудок мог переварить лед, хотя бы и насквозь просахаренный»[223].

Впрочем, название одного вида мороженого, а именно «пломбир», все-таки французское. Распространенная версия о происхождении этого мороженого от названия французского города Пломбьер-ле-Бен вызывает большие сомнения. Известные французские кондитеры Пьер Лакам и Антуан Шарабо в книге о мороженом «Le Glacier classique et artistique en France et en Italie» («Классический и художественный производитель мороженого во Франции и Италии»), изданной в Париже в 1893 году, отрицают эту версию. Они пишут: «Мороженое пломбир берет свое название от посуды, в которой его замораживают и которая сейчас называется „сорбетьер", а ранее называлась „пломбьер", так как ее прежде изготавливали из свинца [plomb] и олова»[224]. Эту версию поддерживает и Жозеф Фавр во «Всеобщем словаре практической кухни»[225].

Пломбир вспоминает Иван Бунин, мысленно обращаясь к своему детству, в рассказе «Именины»: «Идет обед, долгий, необычный, с пирожками, с янтарным бульоном, с маринадами к жареным индейкам, с густыми наливками, с пломбиром, с шампанским в узких старинных бокалах, по краям золоченых. Я мальчик, ребенок, нарядный и счастливый наследник всего этого мира, и мне тоже празднично, — особенно от этих дедовских бокалов, полных горько-сладкого тонко-колючего вина...»[226]

Дижестив

Дижестив — заключительный элемент французского обеда. Термин *digestif* происходит от латинского *digestio* — «переваривание», «усвоение» [пищи].

ГЛАВА 2. ФРАНЦУЗСКИЙ ОБЕД В РУССКОЙ ЛИТЕРАТУРЕ

В средневековой Франции главным дижестивом был *hypocras* — гипокрас, ныне совершенно забытый напиток из вина с мёдом, сахаром и различными специями. Его название происходит от латинского варианта имени знаменитого древнегреческого врача Гиппократа, который, по мнению средневековых книжников, первым составил рецепт пряного вина. Гиппократ, действительно, использовал в качестве лекарства вино, смешанное с мёдом и корицей. Но уже в Римской империи пряные вина перестали быть лишь лекарственными настойками, а стали тем, что мы сейчас называем дижестивами. Один из древнейших рецептов полынного пряного вина — *absintium romanum* — содержится у Апиция[227]. Гипокрас оставался основным французским дижестивом на протяжении многих веков, перешагнув из Средневековья в эпоху Возрождения и даже в Новое время. Вот такой рецепт его приготовления приводит Франсуа Пьер де Ла Варенн:

> Возьмите хорошего вина, налейте его в тщательно вымытый сосуд, который не придаст неприятного привкуса содержимому. Положите в вино сахар или сахар-сырец, немного корицы, имбирь величиной с лесной орех, два стручка длинного перца, двенадцать штук гвоздики, цветок или же два больших листочка мускатного ореха, очищенное и разрезанное на ломтики яблоко сорта ранет. Замочите все это в вине примерно на полчаса и закройте крышкой, затем разотрите двенадцать миндальных орехов и, когда сахар растворится, положите их на холщовую цедилку. Прежде чем вы будете готовы процедить ваш гипокрас, добавьте в него немного флёрдоранжа и процедите его через миндаль, процедите три или четыре раза. Если вы хотите получить вкус амбры или мускатного ореха, то разотрите амбру и мускатный орех в небольшой ступке с небольшим количеством сахарной пудры, положите эту смесь в хлопковую марлю или марлю из конопли, прикрепите ее к нижней части вашей холщовой цедилки,

процедите через нее гипокрас. Если вы хотите хранить его больше восьми дней, не кладите в него ни яблок, ни лимона. Нужно примерно две пинты вина, полтора ливра сахара, два зерна амбры и один мускатный орех[228].

В современной Франции дижестивами являются арманьяк, коньяк, мар, выдержанный кальвадос, а также ликёры. Во Франции не пьют крепкие напитки во время еды, которую запивают вином. В некотором смысле это античная традиция, хотя Античность и не знала крепких напитков. В классической древности во время обеда пили, как правило, простые разбавленные водой вина, а после окончания трапезы переходили к неразбавленным дорогим винам, таким как фалернское и цекубское — лучшим винам Римской империи, или хиосскому и лесбосскому — лучшим винам Древней Греции.

Арманьяк, менее известный и имеющий значительно меньше почитателей в России, чем коньяк, практически не оставил следа в русской литературе. Наверное, потому, что, как говорят французы, «коньяк мы сделали для всего мира, а арманьяк оставили для себя». Антонин Ладинский в своих «Мемуарах» вспоминает, что почитателем арманьяка среди русских писателей был Иван Бунин: «Бунин любил вкусно поесть, любил и все красивое, очень тонко чувствовал природу, испытывал томление по женской красоте, но больше всего ценил талантливую книгу. Однако понимал толк в хорошем вине, и в старом арманьяке…»[229]

Что же касается коньяка, то в русской литературе он встречается довольно часто — но не ясно, идет ли речь о французском коньяке, а если о французском, то о каком именно. Ведь столь распространенное у нас название крепкого напитка, получаемого путем дистилляции из виноградного вина, — «коньяк», вводит нас в заблуждение в предмете нашего исследования. Дистиллят из виноградного вина может носить имя «коньяк», если он произведен в соответствии с законодательно установленной технологией, на территории только двух департаментов Франции: Шаранты (Charente) и Приморской Шаранты (Charente-Maritime). Крепкие напитки других областей Франции, производимые путем дистилляции виноградного вина, а тем более производимые в других странах, не имеют права именоваться коньяком: для них есть название *brandy* (бренди). Также нужно учитывать, что в России в 90-х годах XIX века появился армянский коньяк, производство которого скупил русский предприниматель Николай Шустов. Об этом шустовском коньяке упоминает Иван Бунин в рассказе «Речной трактир»[230].

В русской литературе, в отличие от названий французских вин, названия коньяков практически отсутствуют. Мы нашли лишь упоминание о коньяке «Мартель» в рассказе Александра Куприна «Молох»: «Друг мой, но вы, вероятно, выпустили из виду, что это Martel под маркой VSOP — настоящий, строгий, старый коньяк»[231]. Также в русской литературе у многих писателей неоднократно присутствует коньяк фин шампань — например, у Льва Толстого в «Воскресении», у Чехова в рассказах «Ярмарочное „итого"» и «Завещание старого 1883-го года»[232], но это не марка коньяка. *Fine Champagne* — это купаж, смесь коньячных спиртов из двух лучших винодельческих районов области Коньяк, в которых производят наиболее дорогие коньяки: Grande Champagne и Petite Champagne. Отметим, что названия этих двух винодельческих районов никак не связаны с названием области Шампань, где производят шампанские вина. Приведем наиболее колоритную цитату об этом замечательном коньяке Алексея Апухтина из «Неоконченной повести»: «Когда подали кофе, граф пожелал выпить рюмку fine champagne. Дюкро сам принес бутылку, всю покрытую песком и пылью, объясняя, что это коньяк такого времени, когда и названия fine champagne не существовало. Выпив две рюмки этого необыкновенного коньяку, граф не то чтобы опьянел, но как-то размяк»[233].

Зато, в отличие от коньяков, два самых знаменитых французских ликёра — бенедиктин и шартрез — представлены в русской литературе весьма достойно. Эти ликёры заслуживают того, чтобы о них рассказать более подробно. Рецепты этих ликёров были созданы в средневековых аббатствах, причем шартрез и поныне принадлежит монахам-картузианцам, которые являются членами самого созерцательного, мистического и закрытого от внешнего мира ордена католической церкви. Название ликёра происходит от названия главного монастыря Картузианского ордена, который на русском языке называется Великая Шартреза, а на французском — Grande Chartreuse (Гранд-Шартрёз). Название же самого Картузианского ордена — Ordo Cartusiens — происходит от латинского названия Шартрезы — «Cartusia». Монастырь Шартреза, расположенный на пустынных склонах Альп около Гренобля, был основан святым Бруно в 1084 году. Картузианский орден вначале получил распространение во Франции, но уже во второй половине XII века монастыри картузианцев появились почти во всех странах Европы. Самым восточным картузианским монастырем был основанный в 1648 году в городе Береза (ныне Беларусь), в то время входившем в состав Польши. Ныне от этого монастыря сохранились лишь романтические руины.

Ликёр монахи производят в монастыре Великая Шартреза, а травы, которые используются для настойки ликёра, произрастают на высоких и чистых альпийских лугах в окрестностях монастыря. На этикетке шартреза помещена эмблема Картузианского ордена с девизом: «Stat crux dum volvitur orbis» («Крест стоит, пока вращается мир»). Ликёр шартрез был создан в 1737 году монахом-картузианцем, аптекарем монастыря Великая Шартреза Жеромом Мобеком. Дата на этикетке ликёра — 1605 год — напоминает о легенде, согласно которой в 1605 году маршал Франции Франсуа Аннибал д'Эстре передал древнюю рукопись с рецептом таинственного «эликсира долголетия» картузианцам монастыря Парижская Шартреза, который прежде располагался в Париже на территории современного Люксембургского сада. Этот эликсир Жером Мобек и превратил в знаменитый ликёр. После того как в 1835 году монахи начали продажу своего «зеленого ликёра», он вскоре получил признание. Когда в 1903 году картузианцы декретом французского правительства были изгнаны из монастыря, рецепт ликёра был увезен монахами в Испанию в картузианское аббатство в Таррагоне. Там ликёр производился вплоть до 1989 года — даже после возвращения Картузианского ордена на историческую территорию в 1941 году. В настоящее время картузианцами в Таррагоне производится ликёр Tarragona, а Chartreuse — в главном монастыре ордена Великая Шартреза, хотя монахи осуществляют теперь только общий контроль процесса дистилляции и смешивания компонентов: ведь рецепт ликёра, который по-прежнему остается великой тайной, известен только трем членам ордена. Все остальные процессы осуществляет светское предприятие Chartreuse Diffusion.

В настоящее время производится несколько видов этого ликёра. Из них два основные: зеленый, крепость которого составляет 55%, и желтый, более сладкий и менее крепкий, его крепость 40%. Желтый шартрез изготавливается из экстракта тех же растений, что и зеленый, но взятых в других пропорциях, при этом в него добавлен шафран, который придает ему желтый цвет.

Ликёр под названием «Шартрез» выпускался в нашей стране при советской власти. В эпоху «сталинского ампира», когда СССР был провозглашен наследником всех высших достижений европейской цивилизации, в отличие от «вырождающегося» в модернизме Запада, в СССР художественным образцом стали античные и ренессансные архитектура и искусство. Тогда же и в области гастрономии решили сделать своими, советскими, все лучшие достижения европейской гастрономии. В СССР появились и коньяк, и сыр рокфор, и колбаса сервелат, и, конечно же, «Советское шампанское». Тогда же был создан и советский зеленый «Шартрез».

Ликёр шартрез появляется в русской литературе в конце XIX века — сначала у Николая Лескова в рассказе «Шерамур»: «Чего хочешь: коньяк или шартрез?»[234], а потом в пьесе Антона Чехова «Леший»[235]. Шартрез присутствует и на страницах романа «Дело Артамоновых» Максима Горького, хотя он был не очень внимательным, если не сказать — совсем невнимательным к кулинарии и напиткам. Его герои пьют или чай, или водку. А вот шартрез Горький почтил: «Ликёру зеленого принеси, Ванька; зеленого, знаешь? Так точно, шартрез»[236].

О шартрезе мы читаем у Ивана Бунина, что совсем неудивительно для такого эстета, каким он был в жизни. Герой его рассказа «Кавказ» пьет кофе с шартрезом: «Он искал ее в Геленджике, в Гаграх, в Сочи. На другой день по приезде в Сочи он купался утром в море, потом брился, надел чистое белье, белоснежный китель, позавтракал в своей гостинице на террасе ресторана, выпил бутылку шампанского, пил кофе с шартрезом, не спеша выкурил сигару»[237]. А будучи уже в эмиграции в Париже, и сам Иван Бунин пьет шартрез, но не зеленый, а желтый. Может быть, потому, что зеленый чересчур дорогой: «За кофе с желтым шартрезом слегка охмелели»[238].

В отличие от шартреза, другой не менее знаменитый французский ликёр с «католическим» названием «бенедиктин» производят не монахи-бенедиктинцы, а светская компания. Создателем ликёра бенедиктин был французский промышленник и виноторговец из города Фекам в Нормандии Александр Легран, который, вероятно, нашел некий старинный сборник рецептов целебных настоек из бенедиктинского аббатства Фекам, расположенного в его родном городе. Это аббатство было основано в 658 году, а во время Французской революции закрыто. Легран с помощью какого-то специалиста, имя которого осталось неизвестным, создал в 1863 году на основе монастырских рецептов один из самых знаменитых французских ликёров. Чтобы подчеркнуть монастырское происхождение ликёра, Легран на этикетке поместил аббревиатуру D. O. M., которая расшифровывается: «Deo Optimo Maximo» («Величайшему и Лучшему Богу»).

Чехов в рассказе «О бренности» пишет о «пузатой» бутылке бенедиктина, такая форма бутылки сохраняется и по сей день: «Надворный советник Семен Петрович Подтыкин сел за стол, покрыл свою грудь салфеткой и, сгорая нетерпением, стал ожидать того момента, когда начнут подавать блины… Перед ним, как перед полководцем, осматривающим поле битвы, расстилалась целая картина… Посреди стола, вытянувшись во фронт, стояли стройные бутылки. Тут были три сорта водок, киевская наливка, шатолароз, рейнвейн и даже пузатый сосуд с произведением отцов бенедиктинцев»[239]. Также бенедиктин присутствует и в его рассказе «Мороз»[240], в рассказе Бунина «Пароход Саратов»[241] и в рассказе Алексея Толстого «Любовь»[242].

Александр Куприн в повести «Яма» приводит интересное наблюдение: бенедиктин очень полюбился веселым и доступным девушкам, они пьют только его[243]. А одна из девушек по прозвищу Маня Маленькая приходила от этого ликёра в неистовое состояние: «Но достаточно ей выпить три-четыре рюмки ликёра-бенедиктина, который она очень любит, как она становится неузнаваемой и выделывает такие скандалы, что всегда требуется вмешательство экономки, швейцара, иногда даже полиции»[244]. А страж порядка, околоточный, «поспешно допивая бенедиктин, жалуется на нынешнее падение нравов»[245].

Алексей Толстой в рассказе «Миссис Бризли» описывает ужин, который характеризует следующей фразой: «ужин не то чтобы роскошный, но не без вкуса, с бутылочкой Дуайен»[246].

«Дуайен» — это, по-видимому, кальвадос, а именно *Doyen d'Age*. Выражение это переводится как «старейший» (дословно: «декан по возрасту»). Этот кальвадос выдерживался в дубовых бочках более 20 лет. Название *calvados* напиток получил от названия одного из департаментов Нормандии. Кальвадос производят путем дистилляции яблочного, а также яблочного и грушевого сидра, которым Нормандия славилась с эпохи Средневековья. Кальвадос насыщен неповторимым запахом яблок, ароматом очарования знойного лета. Романтический образ кальвадоса создал немецкий писатель Эрих Мария Ремарк в романе «Триумфальная арка». Героиня этого романа (ее прообраз — Марлен Дитрих, в которую был безнадежно влюблен сам Ремарк) произносит ставшую знаменитой фразу: «Дай мне еще кальвадоса. Похоже, он и в самом деле какой-то особенный… Напиток грёз…»[247].

Крепкий французский напиток — абсент появлялся в поэтических строках самых отважных и сильных русских поэтов. Например, в «Экваториальном лесу» у Николая Гумилева, читатели которого — «сильные, злые и веселые», «умиравшие от жажды в пустыне, замерзавшие на кромке вечного льда». И появляется абсент у Гумилева в экваториальном лесу, в котором европеец из «экспедиции к Верхнему Конго» «в абсент добавлять отказался воды»[248].

Абсент любил Владимир Маяковский. Поэту был по плечу этот крепкий напиток. Приехав в Париж в 1927 году,

Маяковский встретился с художником и литератором Юрием Анненковым, о котором уже упоминалось в связи с тем, что двумя годами позже они вместе ели буйабес. Когда перешли к заказу напитков, по воспоминаниям Анненкова в «Дневнике моих встреч», Маяковский произнес: «Отвратительно, что больше не делают абсента»[249]. Тогда во Франции он был запрещен, так как крепость его составляет, как правило, 70%, а туйон, содержащийся в полыни, главном компоненте абсента, при такой высокой концентрации спирта приводит к галлюцинациям. Наиболее распространен абсент изумрудно-зеленого цвета, благодаря которому он получил название *La Fée verte* («Зеленая фея»). Во второй половине XIX века абсент стал любимым напитком артистической богемы, оставив неизгладимый след во французском искусстве, в том числе и в поэзии. Вот меланхолические строки Гюстава Кана:

> Абсент, матерь счастья, о
> бесконечный ликёр, ты отсвечиваешь в моем бокале,
> словно зеленые и бледные глаза той,
> которую я некогда любил[250].

«Зеленая фея» появляется у Максима Горького в повести «Жизнь Клима Самгина», когда одна из героинь — декадентка Серафима Нехаева — любуется рюмкой с «ядовито-зеленым» абсентом, а когда выпивает ее, рассказывает «о Верлене, которого погубил абсент, „зелёная фея"»[251].

История абсента была подобна падающей звезде: озарив и восхитив весь мир, он внезапно исчез. Из «сакрального» напитка художественной богемы, запечатленного на полотнах Эдуара Мане, Эдгара Дега, Винсента Ван Гога, Анри де Тулуз-Лотрека, Пабло Пикассо, а также Виктора Оливы, создавшего наиболее впечатляющий образ «Зеленой феи», в настоящее время он стал лишь напитком немногочисленных оригиналов-любителей. Владимир Маяковский в 1925 году в стихотворении «Верлен и Сезан» написал об этих картинах:

> Лет сорок
> > вы тянете
> > > свой абсент
> >
> из тысячи репродукций[252].

А немного раньше, в 1921 году, о согревающем абсенте упоминал Анатолий Мариенгоф в лирическом стихотворении «Разочарование», посвященном Сергею Есенину:

> Зачем же знать кокотке и лакею,
> Что тот худой высокий иностранец
> И днем и ночью в фрачной паре
> (Он говорит на ломаном английском языке
> И вечно греется
> Абсентом и сигарой)
> Зачем же знать лакею, наконец,
> Что этот гость:
> Великий русский стихотворец...[253]

Возвышенная любовь к Франции, вспыхнувшая в сердцах русских людей в середине XVIII века, не угасала на протяжении последующих двух веков. Сформировавшиеся во французской кухне изысканность и подчеркнутый аристократизм завораживали российский высший свет. У французской кухни не было конкурентов: Англия могла предложить лишь «ростбиф окровавленный», итальянская кухня считалась низкой и деревенской, только безумно влюбленный в Италию и Рим Гоголь мог написать возвышенные строки о миланском ризотто. Что могла в то время предложить Германия — картофель и пиво? Пиво, введенное в высшее общество Петром I, быстро сдалось перед шампанским, хотя еще в начале XIX века Державин писал «Не всё пьют пиво богачи». Чем могла удивить Испания — паэльэй или ольей подридой? Не говорим уже о северной окраине Европы — Скандинавии с ее грубой, пропахшей селедкой кухней.

Нужно иметь в виду, что и все европейские королевские дворы культивировали французскую, а не национальную кухню. Русские поэты и писатели, до середины XIX столетия принадлежавшие почти исключительно к дворянскому сословию, поэтому писали о аристократической, следовательно, о французской кухне. Для разбогатевшего купечества и появлявшегося промышленного капитала, для богатого мещанства французская кухня была некой ступенью, возможностью приблизиться к высшему свету.

Когда аристократический мир монархий рухнул после Первой мировой войны, потеряла гегемонию и французская кухня. Она по-прежнему остается «высокой», но она «слишком сложна» для обычного современного человека, погруженного в напряженный ритм рабочего дня. В происходившем в XX веке процессе демократизации общества Италия с ее быстро приготовляемой, вкусной и недорогой пиццей, а также Америка с ее фастфудом постепенно становились гастрономическими гегемонами.

ГЛАВА 3. ФРАНЦУЗСКИЕ ВИНА В ПРОИЗВЕДЕНИЯХ РУССКИХ ПОЭТОВ И ПИСАТЕЛЕЙ

Многие русские поэты и писатели обожали французские вина — а они, как отмечает Чехов в рассказе «Случай из практики», всегда были дороги[1]. Одни поэты видели в вине источник вдохновения, другие, как известный гастроном, приятель Пушкина, поэт Владимир Филимонов, изучали «философию вина»[2].

Вино для Франции — часть национального достояния, национальной культуры. Превосходство французских вин обусловлено, во-первых, идеальным для виноградарства географическим расположением Франции, во-вторых, научным подходом и страстью к виноделию, а в-третьих, контролем качества вина, который уже сто лет как имеет характер закона. С начала истории Франции в администрации королей первой французской династии, Меровингов, существовала должность *bouteillier* — управляющего виноградниками, виноделием и поставками напитков[3].

Франция разделена на десять больших винодельческих зон: это Бургундия, Бордо, Шампань, Долина Роны, Лангедок-Руссильон, Жюра, Эльзас, Долина Луары, Прованс и Корсика. И упоминания о винах почти всех этих регионов, за исключением Жюра и Корсики, встречаются на страницах русской литературы.

Самый древний винодельческий регион Франции — Прованс: главный город Прованса, Марсель, еще до того, как стать римской Массилией, был древнегреческой колонией Массалией, основанной около 600 года до нашей эры. Древнеримский историк Юстин отмечал:

> С этого времени [после основания греческой колонии Массалия] галлы, отложив и смягчив варварские обычаи, научились и вести более культурную жизнь, и возделывать поля, и окружать города стенами. Тогда они научились жить по законам, а не насилием, тогда же начали выращивать [виноградную] лозу и сажать оливы, и такое изящество появилось и в вещах, и в людях, что казалось, что не Греция переселилась в Галлию, а Галлия была перенесена в Грецию»[4].

Однако в настоящее время вина Прованса не столь знамениты, как вина Бургундии и Бордо, не говоря уже о винах Шампани. Поэтому наше повествование начинается с бургундских и бордоских вин, а заканчивается апофеозом французского вина — шампанским.

Бургундия

Бургундия (мы полностью соглашаемся с Николя де Бонефоном) являет миру лучшие вина Франции: «Самые лучшие вина из всех вин — бургундские»[5]. Хотя спор за первенство между Бургундией и Бордо продолжается на протяжении столетий.

Слава бургундских вин началась в Средние века благодаря трудам монахов-цистерцианцев. Родиной Цистерцианского ордена, выделившегося из Бенедиктинского ордена в 1097 году, была Бургундия. На Рождество 1098 года после основания монахами своего первого аббатства в Сито (от латинского названия которого — Cistercium — происходит название этого ордена), они получили от бургундского герцога Эда I первый виноградник в Мерсо, а затем и другие виноградники[6]. Орден стремительно развивался, и в дальнейшем многие цистерцианцы занимали важные посты в иерархии католической церкви: становились римскими папами, кардиналами и епископами, выполняли миссии легатов. Помимо монахов, в цистерцианском ордене были так называемые «мирские братья», или конверсы, которые не давали монашеских обетов, но были подчинены ордену. Конверсы не принадлежали к знати, в отличие от самих монахов, и занимались ручным трудом, в том числе в сельском хозяйстве, благодаря чему у ордена имелась своя многочисленная рабочая сила. Цистерцианские аббатства имели большие земельные владения и, благодаря научному подходу и совершенствованию технологических процессов, внесли большой вклад в развитие сельского хозяйства, виноделия и добывающей промышленности[7].

Бургундия состоит из трех основных, очень разных и совсем не похожих одна на другую винодельческих зон. Север — это белые вина шабли. Центр Бургундии, Кот-д'Ор, знаменит прежде всего красными винами, которые выдерживаются на протяжении многих лет. И юг — с его молодым и жизнерадостным красным вином божоле. Существуют еще две небольшие зоны — Кот-Шалоннез и Маконе, расположенные между Кот-д'Ором и Божоле: здесь производят как белые, так и красные вина.

Александр Грибоедов, первый из русских писателей поклонник бургундских вин, был очарован ими и писал возвышенно в «Письме из Бреста Литовского к издателю „Вестника Европы"»: у него «бургонское зарделось»[8]. Два персонажа его пьесы «Студент» наперебой восхваляют это вино:

Саблин: Что за бургонское! Стакан было проглотил!
Беневольский: Нектар![9]

Грибоедову вторит Иван Панаев в «Опыте о хлыщах»: «Вот как угощу! Таким старым бургонским попотчую, какого ты отродясь не пивал!»[10] Действительно, бургундские вина могут очень долго храниться, при этом они не просто хранятся, а их изысканный вкус улучшается на протяжении десятилетий. И Алексей Толстой, почти сто лет спустя после Панаева, пишет в романе «Эмигранты»: «Мы пили великолепное бургонское»[11]. А Николай Гарин-Михайловский в повести «Инженеры» отмечает еще один аспект бургундского вина — оно обеспечивает успех у прекрасного пола: «Если вы хотите быть веселее, пейте рейнское. Если хотите крепко спать — бордо. Если хотите ухаживать за женщинами — пейте бургонское»[12].

На севере Бургундии расположена область белых сухих вин Шабли. Известняковая почва Шабли, сформировавшаяся в юрский период, содержит раковины доисторических моллюсков. Поэтому, наверное, Chablis, устрицы, другие обитатели морей, океанов и рек неразрывно связаны в меню французского обеда. Пушкин в своем «Itinéraire от Москвы до Новгорода», о котором уже упоминалось, предлагал своему другу Сергею Соболевскому:

> Поднесут тебе форели!
> Тотчас их варить вели,
> Как увидишь: посинели,
> Влей в уху стакан шабли[13].

Шабли подают к устрицам в рассказе Салтыкова-Щедрина «Дневник провинциала в Петербурге», который уже цитировался:

> — Аристид Фемистоклыч! Вы какое вино при устрицах потребляете?
> — Сабли́… а впроцем, я могу всякое!
> — Ну, и нам подавай шабли, а потом и до «всякого» доберемся![14]

Шабли встречается и в заметке Чехова «Злостные банкроты»[15], и в неоконченном романе Алексея Толстого «Егор Абозов»[16]. Чехов в юмористическом рассказе «Женщина с точки зрения пьяницы», где женщины сравниваются с разными винами, утонченное и прозрачное шабли сравнивает с «нежной девушкой от 17 до 20 лет»[17].

Поэт Серебряного века Михаил Кузмин в стихотворении «Где слог найду…» из своего первого поэтического сборника «Сети», вышедшего в 1908 году, не находил слов, чтобы описать шабли:

> Где слог найду, чтоб описать прогулку,
> Шабли во льду, поджаренную булку
> И вишен спелых сладостный агат?[18]

Шабли встречается и у другого поэта Серебряного века — Игоря Северянина в сонете «Гурманка», написанном в 1909 году:

> Зато, когда твой фаворит арапчик
> Подаст с икрою паюсною рябчик,
> Кувшин шабли и стерлядь из Шексны,
> Пикантно сжав утонченные ноздри,
> Ты вздрогнешь так, что улыбнутся сестры,
> Приняв ту дрожь за веянье весны…[19]

Однако, насколько ни знаменито шабли, все же самые драгоценные вина рождаются в Кот-д'Ор — в Золотом склоне Бургундии, расположенном между Дижоном и Шаньи. Оттуда родом непревзойденное и самое дорогое вино в мире — Romanée-Conti. Виноградник был основан в XV веке монахами цистерцианского аббатства Сен-Виван де Вержи (Saint-Vivant de Vergy). Это вино не упоминается в русской литературе, но встречаются упоминания других, чуть менее дорогих бургундских вин, и прежде всего кло-де-вужо — «Clos-de-Vougeot». Оно тоже из Золотого склона и тоже изобретение цистерцианцев. В 1110 году аббатство Сито получило в дар участок земли — Вужо, названный так по имени небольшой речки Вуж. Цистерцианцы превратили его в виноградник, сделав Кло-де-Вужо образцовым винодельческим хозяйством своего ордена. По преданию, монахи говорили: «Виноград с верхних участков идет на вино для папы римского, со средних участков — для кардиналов, а с нижних — для епископов». В 1298 году этот виноградник был обнесен стеной, которую можно увидеть и сегодня. Сохранился погреб, построенный в XII–XIII веках, а также замок в стиле Ренессанса, возведенный аббатом Сито Жаном XI Луазие в 1551 году. В течение столетий вино «Clos-de-Vougeot» считалось одним из лучших среди бургундских вин. В 1371 году аббат Сито Жан де Бюссьер (Joannes Buxierius) направил несколько бочек этого чудесного вина в Авиньон, где в то время находилась папская резиденция, к празднованию избрания папы римского Григория XI. Григорий XI не забыл о достойном подарке и на консистории 20 декабря 1375 года возвел аббата Жана де Бюссьера в достоинство кардинала[20].

В шуточном стихотворении о причастии в православной церкви «В.Л. Давыдову» Пушкин писал о вине кло-де-вужо:

> Еще когда бы кровь Христова
> Была хоть, например, лафит…
> Иль кло-д-вужо, тогда б ни слова,
> А то — подумай, как смешно! —
> С водой молдавское вино[21].

Кло-де-вужо не подается охлажденным, о чем напоминает нам Лев Толстой в рассказе «Записки маркёра»: «Simon! Бутылку Клодвужо; да смотри, согреть хорошенько»[22]. А вот так, по описанию Владимира Гиляровского из статьи «Последняя „Троя": Закрытие „Эрмитажа"», встречали кло-де-вужо в московском ресторане «Эрмитаж» прославленного французского ресторатора Люсьена Оливье, о котором речь еще впереди:

> Бесшумно движется седой слуга в ослепительно-белой рубашке, перехваченной шелковым поясом. Он несет в специальной корзинке лежащую бутылку, обросшую пылью и мохом, и водружает ее на стол, уставленный дорогим севрским фарфором, хрусталем и сверкающим екатерининским серебром. Как из земли вырастает в изящном фраке француз Мариус, ученик самого основателя «Эрмитажа» знаменитого Оливье:
> — Кло де вужо 1855 года!
> Особым штопором, приподняв осторожно горлышко, он вынимает почерневшую пробку и подает ее гостям. Поочередно, издавая одобрительные звуки, ее нюхают знатоки-гурманы, рассматривают налет. Слегка наклонив горлышко, Мариус разливает в хрустальные бокалы полувековое бургонское вино с его вкусно-затхлым ароматом[23].

На страницах русских писателей — как знаменитых (у Льва Толстого в «Анне Карениной», у Чехова в рассказах «После бенефиса» и «Глупый француз»)[24], так и у малоизвестных (у Василия Михеева в повести «На островах»)[25], — неоднократно появлялось вино под названием «нюи». Это вино сейчас называется нюи-сен-жорж — Nuits-Saint-George. А до конца XIX века его и во Франции называли просто Nuits. «Сен-Жорж», то есть «святой Георгий», было добавлено к названию потому, что он является небесным покровителем Бургундии.

У Гоголя в «Мертвых душах» Ноздрев в своем монологе перед Чичиковым упоминает еще одно бургундское вино «Côte de Beaune», называя его «бонбон» — конфета, что и неудивительно, ведь Ноздрев, повторяя вслед за своим приятелем ротмистром Поцелуевым, называет «Бордо — просто „бурдашка"»[26]. В придуманном Ноздревым наименовании есть своя логика — ведь прежде это вино называлось просто «бон», о чем свидетельствует Менон, перечисляя знаменитые бургундские вина: «Les meilleurs de Bourgogne sont ceux de Chambertin, de Nuis, Pomart, Beaune…» («Лучшими винами Бургундии являются Шамбертен, Нюи, Помар, Бон…»)[27]. Под таким же названием оно фигурирует и в романе Виктора Гюго «Собор Парижской Богоматери»: «vin de Beaune»[28].

Другое знаменитое бургундское вино — «Chambertin» — было любимым вином императора Наполеона Бонапарта, о чем свидетельствовал его ближайший сотрудник и личный секретарь барон Клод-Франсуа де Меневаль[29]. О любви императора к шамбертену пишет и Владимир Филимонов в поэме «Обед»:

> Иль шамбертеном, иль буси,
> Или вольнеем, иль помаром
> Друзья! Наполеон недаром
> Пивал бургонское одно
> Глубокомыслия вино![30]

Из числа русских писателей о шамбертене писали особый ценитель французских вин Алексей Толстой (в «Егоре Абозове»)[31] и Борис Зайцев (в рассказе «Густя»)[32]. Среди других бургундских вин, перечисленных Филимоновым, Volnay и Pommard — известные и одинаково дорогие вина из Кот-д'Ор. Что же касается «буси», то, хотя есть в Кот-д'Ор небольшие города и деревни с таким названием (например, Bussy-Saint-Georges), достойных вин они не производят. Есть все же замечательное вино Boussy в Бургундии, но не в Кот-д'Ор, а в области Шабли — Coulaudin-Bussy.

Игристое вино Бургундии — Bourgogne Mousseux, в отличие от других бургундских вин, очень молодое и появилось только в начале XIX века. Но уже в середине этого века оно было хорошо известно в России. Герой рассказа Ивана Панаева «Белая горячка», почитатель французских «креманов», то есть игристых вин, сетуя, что в Москве трудно достать хорошие французские вина, говорит, что «настоящего кремана там и за 20 руб. не найдешь… Я предпочитаю бургонь-муссé — клико, кто что ни говори!»[33]. Он сравнивает его с шампанским «Вдова Клико», о котором речь пойдет чуть позже.

Красное вино Mâcon упоминает друг Пушкина поэт Иван Мятлев, от которого в народной памяти осталась лишь одна строчка: «Как хороши, как свежи были розы…». В своем большом стихотворном юмористическом сочинении «Сенсации и замечания г-жи Курдюковой за границей», описывая ее пребывание в швейцарской Лозанне, он пишет: «И бутылкою Макона / Жир залью пяти котлет»[34].

Бордо

Вина Бургундии занимают достойное место в русской литературе, однако вина Бордо представлены в ней значительно больше. История расположенного на берегах Гаронны на юго-западе Франции города Бордо восходит к III веку до нашей эры. В I веке до нашей эры в результате победоносных походов легионов Юлия Цезаря Галлия была присоединена к Римской республике. Рим в ту эпоху был еще республиканским. А будущий город Бордо был назван римлянами Бурдигала. Галлия очень быстро восприняла римскую культуру, в том числе и культуру виноделия, и даже стала конкурировать в виноделии с Италией. В IV веке приобретает известность бордоское вино. Римский консул и поэт Авсоний, будучи родом из Бурдигалы, писал в цикле стихотворений «О знаменитых городах» о своем родном городе как о «славном вином»[35].

Пушкин в «Евгении Онегине» обращается к бордо как к старому и проверенному другу:

> Но ты, Бордо, подобен другу,
> Который, в горе и в беде,
> Товарищ завсегда, везде,
> Готов нам оказать услугу
> Иль тихий разделить досуг.
> Да здравствует Бордо, наш друг![36]

Некрасов в поэме «Недавнее время» рисует образ светского молодого человека, для которого выпить две бутылки бордо было делом легким и приятным:

> Две бутылки бордо уничтожа,
> Не касаясь общественных дел,
> О борзых, о лоретках Сережа
> Говорить бесподобно умел[37].

Не обходится без бордо и «Война и мир» — ведь это вино всегда сопровождало французскую армию в походах: «Но так как у капитана было вино, добытое при переходе через Москву, то он предоставил квас Морелю и взялся за бутылку бордо. Он завернул бутылку по горлышко в салфетку и налил себе и Пьеру вина»[38].

В романе Достоевского «Бесы» капитан Лебядкин решил произвести хорошее впечатление и угостить Николая Ставрогина: приготовил к его приходу стол с закусками, среди которых были: «ветчина, телятина, сардины, сыр, маленький зеленоватый графинчик и бутылка бордо»[39]. Александр Герцен в автобиографической хронике «Былое и думы» рассказывает комический эпизод, приключившийся с Белинским и вином бордо: «Белинский… стал несколько подвигать стол; стол сначала уступал, потом покачнулся и грохнул наземь, бутылка бордо пресерьезно начала поливать Жуковского»[40].

Винодельческий регион Бордо прославился, прежде всего, своими сухими красными винами. От их насыщенного цвета произошло название, прочно вошедшее в русский язык — «бордовый». Однако в Бордо, хотя и в значительно меньших объемах, производят белые и розовые вина. До этого мы говорили только об общем названии вин «бордо». Однако винодельческий регион Бордо делится на несколько зон, из которых производящими самые дорогие и знаменитые вина являются: Медок, Грав, Сент-Эмильон и Помроль.

Первым из вин Медока в русской литературе в 1815 году появляется лафит, который в настоящее время называется Château Lafite Rothschild (в 1868 году шато Лафит купил барон Джеймс де Ротшильд). О том, что такое лафит и до какой степени его можно было боготворить, сказано в романе Федора Достоевского «Записки из подполья»: «Я знал господина, который всю жизнь гордился тем, что знал толк в лафите. Он считал это за положительное свое достоинство и никогда не сомневался в себе. Он умер не то что с покойной, а с торжествующей совестью, и был совершенно прав»[41].

Совсем еще юный Пушкин в шуточном стихотворении «Вода и вино» придумывает наказание тому, кто смешивает воду и вино. Самым страшным наказанием, которое придумал Пушкин, будет утрата возможности оценить великолепный вкус лафита:

> Да будет проклят дерзновенный,
> Кто первый грешною рукой,
> Нечестьем буйным ослепленный,
> О страх!.. смесил вино с водой!
> Да будет проклят род злодея!
> Пускай не в силах будет пить
> Или, стаканами владея,
> Лафит с цимлянским различить![42]

А вот уже бутылка лафита красуется у Пушкина на столе будущих декабристов в «Евгении Онегине»:

> Сначала эти разговоры
> Между Лафитом и Клико
> Лишь были дружеские споры,
> И не входила глубоко
> В сердца мятежная наука…[43]

Лафит и самого Александра Сергеевича всегда приводил в восторг: «Вечер у Нащокина, да какой вечер! Шампанское, лафит, зажженный пунш с ананасами», — писал он своей жене Наталье в 1833 году[44]. Длинные бутылки лафита, судя по повести «Коляска», приводили в восторг и Николая Васильевича Гоголя[45].

Иван Панаев сообщает стоимость бутылки лафита — 8 рублей[46], что в то время составляло значительную сумму. Поэтому становится понятным, что наказ Обломова в одноименном романе Гончарова: «Надо послать за лафитом», чтобы достойно принять гостя, привел в ужас его возлюбленную, которая также вела его хозяйство и финансы, потому что ей нужно было за этот лафит заплатить[47]. Гончаров уточняет в другом своем романе — «Обыкновенной истории», — что лафит следует подавать при комнатной температуре и ни в коем случае не охлаждать, вкладывая в уста Адуева-старшего фразу: «Экой болван! Подал холодный лафит». Иван Тургенев в романе «Дворянское гнездо» сообщает, что лафит в Москве можно было купить в дорогом французском магазине Депре: «Лаврецкий хотел удалиться, но его удержали; за столом генерал потчевал его хорошим лафитом, за которым генеральский лакей на извозчике скакал к Депре»[48]. Лафит у Тургенева присутствует и на страницах романа «Руднев»[49], есть он и у Салтыкова-Щедрина в «Дневнике провинциала в Петербурге»[50], и у Николая Успенского в рассказе «Издалека и вблизи»[51], и у Петра

Боборыкина в романе о «деловой Москве» конца XIX века «Китай-Город»[52]. Да, когда на столах появлялся лафит, то обед или ужин характеризовались эпитетом «действительно необыкновенный»[53]. Граф Хотынцев, министр у Алексея Апухтина в «Неоконченной повести», заканчивает трапезу «стаканом лафита 1848 года»[54].

Лакей петербургского аристократа Делесова из раннего рассказа Льва Толстого «Альберт» принес своему барину и его гостю бутылку лафита «с видимым удовольствием»[55], судя по всему, отлично осознавая ее ценность. Жить на широкую ногу — это, конечно же, «жить с лафитом». Главный герой романа Вячеслава Шишкова «Угрюм-река» Петр Громов «после смерти родителя зажил широко», и, конечно же, с лафитом, которым он угощал местного священника отца Ипата[56].

А у Бунина бедный учитель Турбин из рассказа «Учитель», попавший на ужин в великосветское общество, начал без разбору пить вино, в том числе и лафит. Результат был печальный[57].

Тонкий наблюдатель жизни, Чехов не мог не заметить лафит. У него в расссказе «Перед свадьбой» и барышни пьют лафит[58]. А в рассказе «Припадок», в котором повествуется о посещении веселых девушек московскими студентами, один из героев рассказа, Васильев, смущенный, в первый раз оказавшись в таком обществе, на вопрос одной из девушек ответил, что ему здесь скучно, а она в ответ: «А вы угостите лафитом. Тогда не будет скучно»[59].

Даже «последний романтик» Серебряного века Александр Грин, который, как правило, не называл вина в своих рассказах, не забыл о лафите в самом романтическом своем произведении «Алые паруса»[60].

Другое известное вино из региона Медок, носящее на окситанском языке имя святого Стефана, — Saint-Estèphe (сент-эстеф). Оно будет вторым в нашем перечне и представлено

ГЛАВА 3. ФРАНЦУЗСКИЕ ВИНА В ПРОИЗВЕДЕНИЯХ РУССКИХ ПОЭТОВ И ПИСАТЕЛЕЙ

в русской литературе гораздо скромнее. Вино встречается на страницах Александра Куприна, например, в сборнике рассказов «Канталупы», характеристика ему дается весьма значительная: «За бутылкой подогретого St. Estèphe, стирается и самый след промелькнувшей неприятности»[61].

Третье вино из Медока — Château Margaux (Шато Марго) особенно любил один из главных героев романа «Война и мир» Пьер Безухов: «Как только он приваливался на свое место на диване после двух бутылок Марго, его окружали, и завязывались толки, споры, шутки»[62].

Четвертое вино Медока Château Larose, которое в настоящее время носит название Château Gruaud Larose, уже встречалось нам вместе с бутылкой бенедиктина на столе высокопоставленного чиновника Семена Петровича Подтыкина в рассказе Чехова «О бренности»: «Посреди стола, вытянувшись во фронт, стояли стройные бутылки. Тут были три сорта водок, киевская наливка, шатолароз, рейнвейн и даже пузатый сосуд с произведением отцов бенедиктинцев»[63]. Еще о вине Медока пишет Борис Зайцев в рассказе «Изгнание», но не уточняет его марку: «В одиннадцать ужинали à la fourchette с двумя бутылками медока»[64].

Есть еще одно вино из Медока, о котором можно рассказать в качестве лирического отступления. Это Château Calon-Ségur. Оно не присутствует на страницах русских классиков, но связано с французской и русской литературой. Это вино носит имя замечательной французской писательницы русского происхождения — Софи Сегюр, в девичестве Софьи Федоровны Ростопчиной[65]. Она была дочерью Федора Ростопчина, который во время Отечественной войны 1812 года занимал пост московского генерал-губернатора, но затем попал в опалу, решил уехать из России и поселился с семьей в Париже. Его жена Екатерина Петровна, а затем и дочь Софья приняли католичество. В 1819 году Софья вышла замуж за графа Эжена де

Сегюра, который принадлежал к древнему французскому аристократическому роду, ведущему родословную с IX века. Один из представителей этого рода маркиз Николя-Александр де Сегюр в начале XVIII века владел многими виноградниками, и его любимым был виноградник в Калон, где производилось вино Château Calon-Ségur. Софи Сегюр писала для детей забавные и поучительные истории. Ее старший сын Гастон в 1847 году стал католическим священником и впоследствии известным церковным деятелем, писателем и теологом.

С Россией были связаны еще два представителя этого рода. Граф Луи-Филипп де Сегюр, историк и дипломат, был послом Франции в России в 1784–1789 годах. Его сын Филипп-Поль де Сегюр побывал в России, но совсем не с мирной миссией посла. Будучи генералом наполеоновской армии, он принимал участие в походе на Москву в 1812 году и описал его в мемуарах, которые впоследствии использовал Лев Толстой для описания Бородинского сражения в «Войне и мире».

Перейдем к следующему винодельческому региону Бордо — Грав. Упоминание о вине из этого региона встречается у Александра Герцена в «Былом и думах»: «С правой стороны вашей стоит vin de Grave»[66].

В регионе Грав производят наряду с красными сухими винами необычайно тонкое сладкое вино сотерн. Это вино производится из винограда, на который осенью ложится благородная плесень, когда холодные воды реки Сирон, впадающей в более теплую Гаронну, образуют туманы, накрывающие виноградники. Эта плесень высушивает ягоды, покрывая их неким подобием пепла, и сгущает в них сладость.

В романе Достоевского «Униженные и оскорбленные» подчеркивается, что сотерн, как и лафит, вино очень дорогое: «На столе перед диваном красовались три бутылки:

сотерн, лафит и коньяк, — бутылки елисеевские и предорогие»[67]. Николай Успенский в рассказе «Деревенская газета» называет ужин с сотерном «отменным»[68]. Для Достоевского, человека небогатого и постоянно нуждавшегося в деньгах, и тем более для совсем бедного, если не сказать нищего Успенского сотерн казался символом роскоши и богатства. Но сотерн был великим вином не только в глазах небогатых людей: похвала этому изысканному вину звучит и в устах весьма обеспеченного Владимира Гиляровского: «Мы пили действительно прекрасный сотерн»[69]. Завершим рассказ о сотерне в целом и перейдем к самому известному вину из всех сотернов — вину Château d'Yquem. Его название произошло от названия замка, знаменитого еще и тем, что в нем родился выдающийся французский философ эпохи Возрождения Мишель Монтень, полное имя которого — Michel Eyquem de Montaigne.

У Достоевского в романе «Бесы» Château d'Yquem фигурирует в трагическом эпизоде, в котором рассказывается о юноше-самоубийце, прокутившем деньги на свадьбу сестры, которые копились десятилетиями: «Проснувшись, он спросил котлетку, бутылку шато-д'икему и винограду, бумагу, чернила и счет»[70]. Не выпив до конца бутылку Château d'Yquem, он застрелился. Так же мрачно выглядит и поэтическая строка с упоминанием Château d'Yquem в поэме Бориса Пастернака «Спекторский». Является ли это аллюзией на Достоевского, сказать затруднительно:

> И, значит, место мне укажет, где бы,
> Как манекен, не трогаясь никем,
> Не стало бы в те дни немое небо
> В потоках крови и Шато д'Икем?[71]

У Чехова, наоборот, это вино не вызывает никаких мрачных ассоциаций. В его юмористическом рассказе «Женщина с точки зрения пьяницы», о котором мы уже упоминали, шато-д'икем, так же, как и шабли, — девушка от 17 до 20 лет[72]. Гиляровский в книге «Москва и москвичи» по своему обыкновению описывает роскошный магазин Елисеева с восхищением: «А посредине между хрустальными графинами, наполненными винами разных цветов, вкуса и возраста, стояли бутылки всевозможных форм — от простых светлых золотистого шато-икема с выпуклыми стеклянными клеймами до шампанок с бургонским»[73].

Теперь перейдем к менее известным и менее дорогим винодельческим зонам.

Рона

Самая полноводная и четвертая по длине река Франции — Рона. Ее исток находится в леднике, в Альпах. Она стремит свои воды с севера на юг, к солнечному побережью Средиземного моря. Вдоль берегов Роны раскинулись многочисленные виноградники. На севере, как и положено, рождаются белые вина, а на юге — вина красные. Самым известным вином Роны является, безусловно, «папское» красное сухое вино из Нового замка — Châteauneuf-du-Pape. Этикетку вина украшают ключи апостола Петра, которыми открывается путь смертным в блаженство Рая. Происхождение этого вина связано с именем «французского» папы Климента V, бывшего до этого архиепископом Бордо по имени Бертран де Го. В бытность архиепископом Бордо, он уже создал великое вино Château Pape Clément. А после избрания в 1303 году папой римским он в 1305 году перенес резиденцию Римской курии из Вечного города в город Авиньон, расположенный на юге современной Франции (в то время это была территория графства Прованс, где правила Анжуйская династия).

Климент V сразу приступил к возделыванию виноградников, но смерть помешала ему завершить работу, и ее продолжил преемник, Иоанн XXII. Коллегия кардиналов, которая за два года никак не могла выбрать нового папу римского, избрала в качестве компромиссной фигуры французского кардинала Жака Дюэза папой римским «временно», ибо ему было тогда уже семьдесят два года, однако он дожил до девяноста с лишним лет, скончавшись после восемнадцати лет своего понтификата. Уроженец винодельческой области Каор, Иоанн XXII способствовал развитию виноделия в долине Роны. Он построил замок Châteauneuf (Новый замок) и дал винам из этой области название Vins du Pape (Вина Папы). Это вино — Châteauneuf-du-Pape — Осип Мандельштам увековечил в строках:

> Я пью, но еще не придумал — из двух выбираю одно:
> Веселое асти-спуманте иль папского замка вино[74].

Однако есть вино из долины Роны, которое появляется на страницах русской литературы еще раньше, за сто лет до «вина папского замка» Мандельштама. Это белое вино из виноградников верхней Роны — Saint-Péray, о котором писал Александр Пушкин в письме своему брату Льву, что его «гостеприимный погреб» рад многим винам, в том числе: «И под пробкой смоляной / Сен Пере бутылке длинной»[75].

Сен-пере в пушкинскую эпоху пользовалось большой славой, Владимир Филимонов писал в поэме «Обед», что это вино — акме обеда:

> Мы приближаемся к поре,
> Когда дадут вина благого:
> Его предвкусье уж готово,
> В бокалах длинных сенпере![76]

Сен-пере имеет древнюю историю, берущую начало на виноградниках бенедиктинского аббатства Сен-Шаффр.

Аббатство посвящено святому Теофреду (на окситанском языке — Шаффру). По свидетельству хартулария аббатства, эти виноградники известны уже с 936 года. На протяжении веков сен-пере считалось лучшим из белых вин долины Роны.

Долина Луары

Долина Луары известна своими белыми винами — как сухими, так и десертными. Также там производят лучшие во Франции (безусловно, после Шампани) игристые вина. Из игристых наиболее известны Crémant de Loire и Saumur Mousseux. Замок Сомюра — один из самых замечательных среди множества замков, украшающих долину Луары. Он был заложен в X веке графом Блуа Тибо I и в дальнейшем неоднократно перестраивался, а нынешний ренессансный вид ему был придан во второй половине XV века, когда замок стал резиденцией герцога Анжуйского, титулярного короля Неаполя и Иерусалима Рене Доброго.

Иван Бунин в приведенном выше эпизоде из «Третьего Толстого» рассказывает, что Алексей Толстой, приглашавший его насладиться буйабесом, также звал попробовать сухое белое вино долины Луары — Pouilly-Fumé: «У нас нынче буйабез от Прюнье и такое пуи (древнее), какого никто и никогда не пивал»[77]. Видимо, Толстой любил Pouilly-Fumé: это вино появляется у него на страницах фантастического романа «Гиперболоид инженера Гарина». Доктор дает категорическую рекомендацию американскому миллионеру и «химическому королю» Роллингу: «Подходя со строгим и вместе с отеческим лицом, он говорил с восхитительной грубоватой лаской: „Ваш темперамент, мосье, сегодня требует рюмки мадеры и очень сухого Пуи. Можете послать меня на гильотину — я не дам ни капли красного"»[78].

Лангедок-Руссильон

Область Лангедок-Руссильон, расположенная на юге Франции, западнее долины Роны, тоже славится игристыми и десертными винами. В поэме «Монго» Михаила Лермонтова вино из этой области, а именно мускат люнель, полюбила молодая танцовщица, которая благодаря своему артистическому таланту выбилась из простого народа, превратившись в «сударыню»:

> Меж тем танцорка молодая
> Сидела дома и одна.
> Ей было скучно и, зевая,
> Так тихо думала она:
> «Чудна судьба! о том ни слова, —
> На матушке моей чепец
> Фасона самого дурного,
> И мой отец — простой кузнец!..
> А я — на шелковом диване
> Ем мармелад, пью шоколад…
> Ем за троих, порой и боле
> И за обедом пью люнель…[79]

О мускате Люнель писал и Николай Лесков в рассказе «Детские годы» в эпизоде, в котором он вспоминает о его приеме настоятелем монастыря Диодором: «Здесь нам открылся довольно хорошо сервированный стол, уставленный разными вкусными блюдами, между которыми я обратил особенное внимание на жареную курицу, начиненную густой манной кашей, яйцами и изюмом. Она мне очень понравилась — и я непритворно оказал ей усердную честь, запивая по настоянию хозяина каждый кусок то сладким люнелем, то санторинским»[80].

В постоянно нами цитируемом рассказе Чехова «Женщина с точки зрения пьяницы» мускат люнель ассоциируется со «вдовушкой от 23 до 28 лет»[81]. Мускат люнель — это сладкое натуральное вино.

А игристым вином из Руссильона — Rivesaltes mousseux — увлекался юный Александр Герцен, о чем мы можем прочитать в его книге «Былое и думы»: «Наш неопытный вкус еще далее шампанского не шел и был до того молод, что мы как-то изменили и шампанскому в пользу Rivesaltes mousseux»[82]. Видимо, Герцену и его друзьям нужно было обязательно пить вино «с пузырьками», поэтому они выбрали французское, но более дешевое, белое игристое сладкое вино из Русильона.

Шампанское

Вот мы и подошли не только к триумфу французского вина, но и к его апофеозу! Нет в мире другого вина, которое так поразило бы русских поэтов и писателей: шампанское — это постоянный спутник русских романов, повестей, поэм и стихотворений. И нет возможности, не впадая в жанр статистического справочника, перечислить все упоминания об этом «искрометном» вине. В Главе 2 уже цитировалась фраза Чехова из рассказа «Что чаще всего встречается в романах, повестях и т. п.?», в которой он не без основания утверждает, что это «ананасы, шампанское, трюфели и устрицы», — но отметим, что шампанское встречается гораздо чаще, чем ананасы, трюфели и даже устрицы. В связи с этим стоит обратить внимание на замечательный труд Татьяны Забозлаевой «Шампанское в русской культуре XVIII–XX веков», изданный в 2007 году, в котором подробно прослеживается история шампанских вин в России с момента их появления в XVIII веке[83].

Искрометные «брызги шампанского» появились отнюдь не сразу, и шампанское было вначале спокойным, как и все другие вина. Однако уже в Средние века подмечали необычное свойство шампанского вина: образование пузырьков весной, на следующий год после сбора урожая. Французский средневековый поэт Ватрике де Кувен в 1321 году в поэме «Des trois Dames de Paris» («Три парижские дамы») характеризует вина из Шампани, которые в то время назывались *vins de rivière* («вина реки», то есть Марны), как «светлые кипящие» (clairs fremians) вина[84]. Но пузырьки повторной весенней ферментации оставались просто пузырьками, и только во второй половине XVII века шампанское преобразилось в совершенно новое, прежде неизвестное игристое вино.

Шампанское получило свое название от французской исторической провинции Шампань, в которой оно производится. Имя этой провинции дали римляне, назвав ее Кампанией: название происходит от латинского слова «campus», что означает «равнина». «Отец французской истории» Григорий Турский в VI веке, описывая местность в окрестностях Реймса, называл ее «Campania remensis» (Реймсская равнина)[85]. В Меровингскую эпоху Шампань была герцогством, исчезнувшим в хаосе междоусобных войн, а в XI веке образовалось графство Шампань, первым графом которого был Гуго I Шампанский. В 1314 году граф Шампанский Людовик, сын короля Филиппа IV Красивого и графини Шампани Жанны I Наваррской, стал королем Франции Людовиком X, а графство Шампань вошло в состав Французского королевства.

Самое раннее упоминание о виноградниках Шампани содержится в «Житии св. Ремигия», епископа Реймсского[86], крестившего на Рождество предположительно 496 года в Реймсе короля франков Хлодвига I, основателя династии Меровингов — первой французской королевской династии. С тех пор Реймс, столица Шампани, стал городом, в кафедральном соборе которого короновались французские короли.

В 1088 году уроженец шампанского города Шатильон-сюр-Марн Эд, или на латинском — Одон, становится римским папой Урбаном II, провозгласившим в 1095 году Первый Крестовый поход. Однако папа Урбан II много сделал и для прославления вина своей родины. В Римской курии знали о том, что он предпочитает всем другим винам вино из Шампани, поэтому приходившие к нему на аудиенцию старались преподнести ему в подарок именно это вино[87]. В 1261 году еще один уроженец Шампани — Жак Панталеон — стал папой римским, приняв имя в честь своего предшественника-земляка — Урбан IV.

Однако всемирная слава шампанских вин началась не благодаря римским папам, уроженцам Шампани, а благодаря искусству простого бенедиктинского монаха, которого звали Пьер Периньон — или дом Периньон. Он был экономом аббатства святого Петра — Сен-Пьер-д'Овиллер, основанного в 650 году в Шампани, недалеко от Реймса. Аббатству святого Петра окрестные деревни, в том числе знаменитая деревня Аи, платили десятину виноградом. В этой деревне выращивали столь замечательный виноград, что ее название превратилось, как это особенно видно в русской поэзии начала XX века, в собирательное название шампанских вин[88]. Это, по-видимому, произошло не без влияния Вольтера, который шампанское часто называет именно «аи», в том числе в стихотворении «Le Mondain» («Светский человек»), о котором речь пойдет далее.

Вино аи восхвалял уже в XVI веке французский врач и писатель Жюльен Ле Полмье де Грантмеснил. На латинском языке, на котором он написал свою книгу «De vino et pomaceo» («О вине и сидре»), его имя звучало как Юлиан Пальмарий — Iulianus Palmarius. Он писал об аи, называя его на латинский манер ajnum: «Ajnum subrubrum, giluum, aut fulvu est, tenue et palato gratissimum, nec tamen cerebro valde noxium, atque idcirco Principibus expetitum» («Аи красноватого, светло-желтого или темно-желтого цвета, нежное и необычайно вкусное, оно не затуманивает рассудок, и потому его стремятся заполучить государи»)[89].

Дом Периньон еще при жизни снискал славу великого винодела, а после смерти его образ, обрастая легендами, стал напоминать персонажа из средневекового жития. Например, утверждали, что он был слепым, но мог безошибочно определить по одной виноградине, с какого она виноградника[90]. Легенда также приписала ему изобретение игристого шампанского. В действительности он даже не стремился создать игристое вино, которое совсем не подходит для мессы: он желал довести до непревзойденного совершенства вино Шампани. Но его имя все же носит одна из лучших марок игристого — Dom Pérignon.

Одним из первых, кто начал производить игристое шампанское, которое прозвали «vin saut-bouchon» («вино с выпрыгивающей пробкой»), был Николя Рюинар, племянник дома Тьерри Рюинара, собрата дома Периньона по Бенедиктинскому ордену. Он основал в 1729 году старейший из существующих ныне домов шампанских вин — Ruinart. Новое игристое вино быстро вошло в моду высшего света. Дени Дидро посвятил Шампани отдельную статью в своей знаменитой «Энциклопедии». В этой статье дается высокая оценка шампанских вин: «…склоны покрыты виноградниками, вино с которых нет необходимости восхвалять»[91].

Шампанское может быть белым или розовым. Красное шампанское в настоящее время не производится, хотя еще производилось в XIX веке. Шампанское из белого винограда называется Blanc de blancs, красное шампанское из красного винограда Blanc de noirs, а розовое шампанское называется Rosé, оно самое дорогое. В русской литературе впервые о розовом шампанском писал Николай Карамзин в «Письмах русского путешественника»: «…и розовое шампанское лилось из урны своей не в рюмки, а в стаканы. Оно так хорошо алело в стекле, так хорошо пенилось, что и умеренный друг ваш, не спрашивая о цене, велел подать себе бутылку — du meilleur! Du meilleur! Прекрасное вино! Немец с длинным носом, сидевший подле меня, доказывал убедительным образом, что оно и цветом, и вкусом похоже на божественный нектар, который излился из рогов святой козы Амальтеи»[92].

Хотя шампанское было «постоянным спутником русского романа», не всегда можно определить, идет речь о «настоящем» французском шампанском или же о его русских «двойниках». В 1878 году князь Лев Сергеевич Голицын в Крыму в своем поместье «Новый Свет» около Судака построил завод шампанских вин. Это крымское шампанское Чехов не очень лестно охарактеризовал в рассказе «Скучная история»: «Горничная убирает самовар и ставит на стол большой кусок сыру, фрукты и бутылку крымского шампанского, довольно плохого вина, которое Катя полюбила, когда жила в Крыму»[93]. А еще было «ланинское шампанское», которое производил московский купец Николай Петрович Ланин, построивший в 1852 году в Москве завод искусственных и минеральных вод. Об этом «ланинском шампанском» Чехов иронично писал в рассказах «Московские лицемеры» и «Перед свадьбой».

Однако, во всяком случае, до середины XIX века все шампанское в России было «настоящее», французское. Поэтому начиная с середины XIX века мы будем говорить только о том шампанском, которое поставляли в Россию знаменитые дома шампанских вин: «Moët», «Veuve Clicquot», «Mumm» и «Roederer».

Шампанское пришло в Россию вместе с преобразованиями Петра I, который полюбил его во время своей поездки во Францию, о чем сообщает французский писатель-мемуарист Жан Бюва, описавший пребывание во Франции

ГЛАВА 3. ФРАНЦУЗСКИЕ ВИНА В ПРОИЗВЕДЕНИЯХ РУССКИХ ПОЭТОВ И ПИСАТЕЛЕЙ

Петра I в своем сочинении «Journal de la Régence» («Дневник эпохи регентства»)[94]. Другой мемуарист, немец Фридрих Вильгельм фон Берхгольц, живший в начале XVIII века в России, отметил, что тогда при дворе подавалось шампанское[95]. Но не совсем ясно, было ли оно игристым — ведь тогда еще редкие шампанские вина были игристыми. Однако, несмотря на то что шампанское подавалось во дворце, до середины XVIII века главными на торжественных приемах были венгерские токайские вина[96].

Гавриил Державин в «Записках из известных всем происшествий и подлинных дел, заключающих в себе жизнь Гаврилы Романовича Державина», так описывает события 1762 года, то есть года восшествия на престол Екатерины II: «Кабаки, погреба и трактиры для солдат были растворены: пошел пир на весь мир; солдаты и солдатки в неистовом восторге и радости носили ушатами вино, водку, мёд, шампанское и всякие другие дорогие вина»[97]. В стихах о шампанском Гавриил Романович впервые пишет в 1780 году в стихотворении «К первому соседу»:

> Младые девы угощают,
> Подносят вина чередой,
> И алиатико с шампанским,
> И пиво русское с британским,
> И мозель с зельтерской водой[98].

В 1782 году Державин вновь обращается к шампанскому в оде «Фелица», посвященной Екатерине II. В этой оде, прославлявшей мудрость российской императрицы, Державин намекает на роскошные пиры ее фаворита Григория Потемкина: «Шампанским вафли запиваю»[99].

После Державина о шампанском пишет поэт Василий Капнист в стихотворении «Беззаботность» — правда, это стихотворение было написано уже в начале XIX века, в 1806 году:

ШАМПАНСКОЕ

> Скорей шампанское несите,
> Покуда пробок вверх не бьет,
> И в ручейке прохолодите,
> Что с шумом возле нас течет[100].

Переходя в век XIX, отметим вместе с Авдотьей Панаевой в ее «Воспоминаниях»: «Тогда русские не могли обойтись без шампанского и выискивали всякий предлог выпить его»[101]. Евгений Якушкин в письме своей жене приводит воспоминание Ивана Пущина о его поездке в 1825 году к ссыльному Пушкину: «Как я заехал в Опочку поздно вечером — целый час стучался в каком-то погребке, чтобы купить несколько бутылок шампанского, нельзя же к Пушкину ехать без вина»[102]. Гусаров так же, как и поэтов, нельзя было представить без шампанского. Гусар-поэт Денис Давыдов в своей «Гусарской исповеди» писал:

> Люблю разгульный шум умов, речей пожар
> И громогласные шампанского оттычки[103].

Шампанское пили не только в столице, но и в отдаленных пределах великой Российской империи, «от Петербурга до самых окраин». Так, Пушкин, отправленный в вынужденное путешествие на юг России (как он сам с горькой иронией заметил, «север вреден для меня»), в письме из Каменки, адресованном поэту, переводчику «Илиады» Николаю Гнедичу, 4 декабря 1820 года писал: «Вот уже как восемь месяцев, как я веду странническую жизнь, почтенный Николай Иванович. Был я на Кавказе, в Крыму, в Молдавии и теперь нахожусь в Киевской губернии. Женщин мало, много шампанского, много острых слов, много книг, немного стихов»[104]. По воспоминанию Александра Распопова, племянника директора Царскосельского лицея, в Могилеве поклонники поэтического дара Пушкина устроили в честь его приезда пир с шампанским и даже хотели искупать его в ванне с этим искрометным вином. Пушкин поблагодарил своих почитатетелей, но, сославшись на то, что ему нужно срочно продолжить путь, отказался от благоухающей ванны[105].

Чехов по дороге на Сахалин, проезжая по Сибири, где, словно в Клондайке, все добывали золото и непомерно обогащались, отметил в письме к родственникам: «В Покровской всякий мужик и даже поп добывают золото. Этим же занимаются и поселенцы, которые богатеют здесь так же быстро, как и беднеют. Есть чуйки, которые не пьют ничего, кроме шампанского»[106].

Шампанское ценили и церковные иерархи, о чем рассказывает Лесков в «картинках с натуры», как он назвал свое сочинение «Мелочи архиерейской жизни»[107], и даже непримиримые критики Западной Европы — славянофилы. Писатель и драматург Петр Гнедич, внучатый племянник переводчика «Илиады» Николая Ивановича Гнедича, в своих мемуарах «Книга жизни» приводит слова драматурга Александра Островского: «Московские славянофилы признают все только российского производства, кроме шампанского. Они пьют Клико, Аи и Редереру»[108]. Один из основателей и столпов славянофильства Алексей Хомяков в 1828 году сочинил цикл из трех стихотворений «При прощаниях», второе из которых начинается словами:

> Кипит шампанское в стакане,
> Кипит и блещет жемчугом;
> Мечты виются над моим челом,
> Как чайки белые в тумане.
> Налейте мне еще стакан!
> Тогда рассеется туман,
> И яркими чертами света
> Увидит светлый взор поэта
> Другого мира чудеса;
> Увидит новые творенья,
> Другие земли, небеса,
> Мечты восторженной виденья![109]

Герцен в «Былом и думах» вспоминает о другом идеологе славянофильства, поэте и публицисте Константине Сергеевиче Аксакове, который «с мурмолкою в руке свирепствовал за Москву, на которую никто не нападал, и никогда не брал в руки бокала шампанского, чтобы не сотворить тайно моление»[110]. О том, как славянофилы пили шампанское, пишет Некрасов в поэме «Недавнее время»:

> Наезжали к нам славянофилы,
> Светский тип их тогда был таков;
> В Петербурге шампанское с квасом
> Попивали из древних ковшей,
> А в Москве восхваляли с экстазом
> Допетровский порядок вещей[111].

В начале XX века совсем фантастическое зрелище, как описывает его Владимир Гиляровский в «Москва и москвичи», являл собой московский трактир на Варварке, в котором собирались почитатели допетровской старины. В этом трактире было «меню тоже допетровских времен. Хотя вина шли и французские, но перелитые в старинную посуду с надписью — фряжское, фалернское, мальвазия, греческое и т.п., а для шампанского подавался огромный серебряный жбан, в ведро величиной, и черпали вино серебряным ковшом, а пили кубками»[112].

Русские поэты и писатели присваивали шампанскому столько возвышенных эпитетов, что некоторые из них стоит перечислить. Бесспорно, самые проникновенные строки о шампанском принадлежат Пушкину. Шампанское — это «чистое пенистое вино» в стихотворении, обращенном к Пущину:

> Помнишь ли, мой брат по чаше,
> Как в отрадной тишине
> Мы топили горе наше
> В чистом, пенистом вине?[113]

ГЛАВА 3. ФРАНЦУЗСКИЕ ВИНА В ПРОИЗВЕДЕНИЯХ РУССКИХ ПОЭТОВ И ПИСАТЕЛЕЙ

В стихотворном послании к своему учителю латинской и российской словесности в Царскосельском лицее Александру Ивановичу Галичу Пушкин пишет:

> И пенистый бокал
> Нам Бахус подавал[114].

«Шипенье пенистых бокалов» встречается и в поэме «Медный всадник»[115]. И не только «пенистый бокал», у Пушкина это еще и «бокал опенненный», как в стихотворном послании другу по литературному обществу «Зеленая лампа» Александру Всеволожскому:

> Кипит в бокале опененном
> Аи холодная струя[116].

В стихотворении «Пирующие студенты» Александр Сергеевич использует метафору «вино златое»:

> Скорее скатерть и бокал!
> Сюда, вино златое!
> Шипи, шампанское, в стекле...[117]

А в «Отрывках из путешествия Онегина» — уже не просто «вино златое», а «брызги золотые»:

> Все в неге, пламени любви,
> Как зашипевшего Аи
> Струя и брызги золотые[118].

Удивительные и парадоксальные образы находил Александр Сергеевич для шампанского в стихотворении «27 мая 1819 года»:

> Шампанского в стеклянной чаше
> Кипела хладная струя[119].

Друг Пушкина поэт Евгений Баратынский в поэме «Пиры» находит для шампанского еще более возвышенный эпитет — «звездящаяся влага»[120]. Еще один современник Пушкина — драматург Александр Грибоедов — в «Письме из Бреста Литовского к издателю „Вестника Европы"» обращается к шампанскому в стиле высокой патетики: «Заискрилось шампанское в стаканах»[121]. И Михаил Лермонтов в «Начале поэмы», как истинный поэт, не мог не писать о шампанском:

> В стекле граненом, дар земли чужой,
> Клокочет и шипит аи румяный[122].

Замечательная поэтесса княгиня Евдокия Ростопчина, знавшая Пушкина и дружившая с Лермонтовым, писала в стихотворении «Опустелое жилище» о шампанском в том же стиле:

> Ждет у двери гость бывалый…
> Не отворится она!
> Не запенятся бокалы
> Искрометного вина![123]

У Николая Некрасова шампанское в поэме «Современники» — «влага искрометная»[124], а у Николая Лескова в рассказе «Жемчужное ожерелье» — оно «веселый нектар Шампани»[125]. Мигающие иглы тонкого льда увидел в шампанском Петр Боборыкин, герой его романа «Китай-город»: «Палтусов глядел в стакан с шампанским, точно любовался, как иглы тонкого льда мигали в вине и гнали наверх пузырьки газа»[126]. У Алексея Апухтина в стихотворении «M-me Вольнис» — это «Франции кипучее вино»[127]. У Николая Языкова в стихотворении «Ау!» шампанское — «искрокипучее вино»[128]; тот же поэт в стихотворении «Кубок» пишет, что это вино оживляет человека:

> Восхитительно играет
> Драгоценное вино!
> Снежной пеною вскипает
> Златом искрится оно.

> Услаждающая влага
> Оживит тебя всего[129].

У Александра Блока шампанское приобретает мистические коннотации — например, в стихотворении «К музе» веселье и радость исчезают, и шампанское появляется в демоническом контексте:

> И коварнее северной ночи,
> И хмельней золотого аи,
> И любови цыганской короче
> Были страшные ласки твои…[130]

А в стихотворении «В ресторане» шампанское сравнивается с небом и становится золотым. Так, золотым некогда иконописцы символически изображали небо на своих иконах:

> Я сидел у окна в переполненном зале,
> Где-то пели смычки о любви.
> Я послал тебе черную розу в бокале
> Золотого, как небо, аи[131].

У Сергея Есенина, который, как вспоминает Елизавета Устинова, в последний год пил только шампанское[132], оно тоже вызывало небесные коннотации. Ему казалось, что шампанское напоминает зарево заката: «В багровом зареве закат шипуч и пенен» («22 июля 1916 года»)[133].

В стихотворении Андрея Белого «Пир» шампанское наделено неизъяснимой внутренней энергией:

> И гуще пенилось вино,
> И щелкало взлетевшей пробкой[134].

А в его стихотворении «В летнем саду»

> …Осанистый лакей
> С шампанским пробежал пьянящим
> И пенистый бокал поднес…[135]

Шампанское не только наделялось столь многими одухотворенными поэтическими эпитетами, но и стало метафорой состояния человеческой души, образа жизни, философии.

Шампанское — это радость жизни человека. Евгений Баратынский в «Пирах» восклицает: «И брызжет радостная пена, / Подобье жизни молодой»[136]. Петр Вяземский пишет о «благословенном Аи» в стихотворении «К партизану-поэту»: «Так жизнь кипит в младые дни»[137]. И, конечно же, Пушкин, чьи строки нам известны со школьной скамьи:

> В лета красные мои,
> В лета юности безумной
> Поэтический Аи
> Нравился мне пеной шумной…[138]

Александр Сергеевич, простившись с «юностью безумной», воскликнул: «Да здравствует Бордо, наш друг!», а его современник Языков, оставив в прошлом «дни юности счастливой», также расстался с шипучим вином, которое «сверкало золотом, кипело пеной белой», полюбив «вино густое, как елей, и черное, как смоль» — о чем сообщает в стихотворении «Малага». Но это вино — испанская малага — к нашей теме уже не относится[139].

По словам персонажей «Горя от ума», Чацкий тоже очень любил шампанское:

Хлёстова: Шампанское стаканами тянул.
Наталья Дмитриевна: Бутылками-с, и пребольшими.
Загорецкий (с жаром): Нет-с, бочками сороковыми[140].

Шампанское было особым знаком уважения и почтения к гостю. Так, в рассказе Александра Куприна «Хорошее общество» неподнесенный бокал шампанского предстает как совершенно очевидная обида для одного из героев:

«Однажды, на именинном обеде, лакей за шампанским подал Дружинину обыкновенного белого вина. Этот случай заставил Дружинина не бывать у Башкирцевых несколько недель»[141].

Там, где речь шла о многомиллионных состояниях, появлялось и шампанское — как, например, у Алексея Толстого, описывающего 20-е годы XX века в трилогии «Хождение по мукам»: «В последнее десятилетие с невероятной быстротой создавались грандиозные предприятия. Возникали, как из воздуха, миллионные состояния. Из хрусталя и цемента строились банки, мюзик-холлы, скетинги, великолепные кабаки, где люди оглушались музыкой, отражением зеркал, полуобнаженными женщинами, светом, шампанским»[142]. Реки денег и реки шампанского сливались накануне Первой мировой войны в лукулловых пирах, запечатленных Владимиром Гиляровским в «Нижегородском обалдении»: «Под весь этот несмолкаемый шум хлопали в ресторане [«Эрмитаж»] поминутно пробки шампанского, которое здесь лилось рекой»[143]. А в «Москве и москвичах» у Гиляровского — уже не река, а море шампанского: «Купеческий клуб. Лукулловы обеды по вторникам. Кроме вин, которых истреблялось море, особенно шампанского, Купеческий клуб славился один на всю Москву квасами и фруктовыми водами…»[144]. И в мемуарах графа Михаила Бутурлина, долгое время жившего во Флоренции и весело растратившего свое огромное состояние, читаем: «Бывали у меня на квартире довольно частые обеды и ужины. Гостями моими были некоторые из наших офицеров и штатские петербургские мои знакомые, преимущественно из иностранцев; тут шло, разумеется, разливное море шампанского…»[145].

Иногда богатство приводило не к метафорическому «морю шампанского», а к реальной ванне с шампанским, о которой писал Гоголь в «Мертвых душах»: «Вон, какой был умный мужик: из ничего нажил сто тысяч, а как нажил сто тысяч, пришла в голову дурь сделать ванну из шампанского, и выкупался в шампанском»[146]. Ванна из шампанского присутствует и в рассказе Льва Толстого «Два гусара»: «Ванну сделаю из шампанского и буду купаться!»[147] Уже не ванна, а бассейн с шампанским появляется в «Мастере и Маргарите» Михаила Булгакова на бале у сатаны, купание в котором символизирует возвращение к жизни, обретение красоты и молодости. «Одуряющий запах шампанского подымался из бассейна. Здесь господствовало непринужденное веселье. Дамы, смеясь, сбрасывали туфли, отдавали сумочки своим кавалерам или неграм, бегающим с простынями в руках, и с криком ласточкой бросались в бассейн. Пенные столбы взбрасывало вверх. Хрустальное дно бассейна горело нижним светом, пробивавшим толщу вина, и в нем видны были серебристые плавающие тела»[148].

Шампанским чествовали победителей на скачках. Борис Зайцев писал в «Голубой звезде», что с ипподрома «победители летели по ресторанам… ловить легкое мгновение текущей жизни. Для них широко был открыт „Яр", играл оркестр, и знаменитый румын выбивал трели, горело золотом шампанское в вечернем свете»[149].

Шампанское сопровождало все праздники, а в Татьянин день, по свидетельству Чехова, шампанское «пили с усердием дятла, долбящего кору»[150]. Не обходились без шампанского и крестины. В романе Достоевского «Бесы» акушерка Арина Прохоровна Виргинская «по совершении обряда шампанское непременно выносила сама»[151].

Иван Панаев в повести «Белая горячка» отмечает особое действие шампанского — оно быстро сближает людей: «За бокалами шампанского сближаются скоро; эта влага производит действие чудное. Она располагает сердца к искренности, она усмиряет барскую спесь, заставляя забывать и великолепных предков, и полосатые гербы с коронами…»[152]

Исследовательница Татьяна Забозлаева тонко подмечает, что шампанское вызывает у русских поэтов прилив вдохновения. Михаил Лермонтов, вернувшись из летних военных лагерей, где он проходил «курс молодого бойца», в ожидании того, что уже через год он будет офицером, 4 августа 1833 года в письме к Марии Лопухиной писал: «Bon Dieu! si vous saviez la vie que je me propose de mener!.. oh, cela sera charmant: d'abord, des bizarreries, des folies de toute espèce, et de la poésie noyée dans du champagne» («Боже мой! Если бы вы знали, какую жизнь я намерен вести! О, это будет восхитительно! Во-первых, чудачества, шалости всякого рода и поэзия, залитая шампанским»)[153]. О вдохновении, даруемом шампанским, писал и Панаев в уже упомянутой повести «Белая горячка»: «С страшным залпом вылетела пробка, и шипучая, звездистая влага вырвалась на свободу. Стаканы были наполнены. Шампанское потоком лилось в уста оратора, вдохновение потоком изливалось из уст его. Опорожненные бутылки начинали вытягиваться строем; лица собеседников ярко горели; в краткие минуты отдыхов оратора уже литераторы второго разряда смелее начинали подавать свой голос»[154]. И для Константина Случевского шампанское ассоциируется с поэтическим вдохновением, о чем свидетельствуют строки из стихотворения «В душе шел светлый пир…»:

> В душе шел светлый пир. В одеждах золотых
> Виднелись на пиру: желанья, грезы, ласки;
> Струился разговор, слагался звучный стих,
> И пенился бокал, и сочинялись сказки[155].

С эпохи Античности поэты считали вино лекарством от печалей. Вспомним хотя бы строки Еврипида из трагедии «Вакханки» о Дионисе:

> Придумал он питье из винограда
> И смертным дал — усладу всех скорбей.
> Когда несчастный соком Диониса
> Пресытится, забвение и сон
> Забот дневных с души снимают тяжесть,
> И от страдания верней лекарства нет[156].

Так у Пушкина в трагедии «Моцарт и Сальери» Сальери, обращаясь к Моцарту, цитирует Бомарше: «Как мысли черные к тебе придут, / Откупори шампанского бутылку»[157]. «Сердце греет» шампанское и Дмитрию Веневитинову[158].

Однако, наверное, в очень грустных ситуациях и шампанское не может развеселить — как в рассказе Иннокентия Федорова-Омулевского «Острожный художник»: «Опять стало всем невесело. Обед прошел вяло, не помогла даже бутылка шампанского»[159].

Ну, а для мистически настроенного поэта, каким был Александр Блок, шампанское — это запредельность грез, о чем он пишет в стихотворении «Искусство — ноша на плечах…»:

> И грезить, будто жизнь сама
> Встает во всем шампанском блеске[160].

Уже в первой половине XIX века с шампанским встречают Новый год. Александр Герцен, переведенный из ссылки в Вятке во Владимир, встречает Новый, 1838 год, как он пишет в «Былое и думы», «самый лучший и самый светлый год моей жизни», на отдаленной от Москвы станции вместе со своим верным слугой: «Новый год своего рода станция. Матвей принес ветчину и шампанское. Шампанское оказалось замерзнувшим вгустую; ветчину можно было рубить топором, она вся блистала от льдинок: но à la guerre comme à la guerre. „С Новым годом! С новым счастьем!"— в самом деле, с новым счастьем. Разве я не был на возвратном пути? всякий час приближал меня к Москве, сердце было полно надежд»[161]. А Василий Курочкин в стихотворении «За которую из двух?», написанном в 1860 году, сообщает о шампанском на Новый год уже как о патриархальном завете:

> Но русский же завет патриархальный
> Велит встречать шампанским Новый год[162].

В канун Нового года, 30 декабря 1888-го, Антон Чехов пишет Алексею Суворину: «Поздравляю Вас с Новым годом! Ура-а-а-а! Счастливцы, Вы будете пить или уже пили настоящее шампанское, а я бурду!»[163]. Но почему Антон Павлович сам будет пить бурду, он не сообщил. А вот воспоминания Бориса Зайцева «Мы военные» о праздновании Нового года в 1917 году, который стал последним для старой России: «Хрусталь сервировки, цветы, индейка, мороженое, шампанское, поляк лакей в белых перчатках, дамы в бальном, мужчины в смокингах. Прежний русский мир точно давал свое последнее представление перед закрытием: спектакль перед закрытием сезона»[164].

Но и новая наступающая эпоха тоже была связана с шампанским. Игорь Северянин, уже предчувствуя «ревущие 20-е» XX века с их «стрекотом аэропланов и бегом автомобилей», создал свое самое известное стихотворение «Увертюра», начинающееся хрестоматийными строками:

> Ананасы в шампанском! Ананасы в шампанском!
> Удивительно вкусно, искристо и остро!

Завершить этот перечень ассоциаций, возникавших в поэтическом воображении русских поэтов, можно строками из стихотворения «В день моего рождения» Антона Дельвига, у которого шампанское, приобретая черты трансцендентальности, переходит в мир иной, куда-то на берега Леты в Элизиум теней:

> Завернувшись, мы уйдем
> И за мрачными брегами
> Встретясь с милыми тенями,
> Тень Аи себе нальем[165].

Теперь время рассказать о домах шампанских вин, из которых в русской литературе достойно представлены всего лишь три из более пятидесяти ныне существующих, но зато самые известные, а именно «Моэт», «Вдова Клико» и «Рёдерер». Значительно реже упоминается дом шампанских вин «Мумм». Первым русскими поэтами был воспет «Моэт».

«Моэт»

Moët & Chandon — крупнейший дом шампанских вин, основанный Клодом Моэтом в 1743 году и названный им тогда Maison Moet. Внук Клода Моэта Жан-Реми Моэт в 1832 году разделил доли собственности в компании по 50% между сыном Виктором Моэтом и зятем Пьером Габриэлем Шандоном. Так в названии шампанского появилась еще одна фамилия. В 1971 году Moët & Chandon объединился с коньячным домом Hennessy, а в 1987 году с компанией Louis Vuitton, в результате чего образовался крупнейший в мире концерн по производству предметов роскоши Louis Vuitton Moët Hennessy — LVMH.

Петр Вяземский, первым из русских поэтов посетивший Эперне, где находится резиденция этого дома шампанских вин, и побывавший «в подвалах у Моэта», в стихотворении «Эперне» писал:

> Моэт — вот сочинитель славный!
> Он пишет прямо набело,
> И стих его, живой и плавный,
> Ложится на душу светло.
> Живет он славой всенародной;
> Поэт доступный, всем с руки,
> Он переводится свободно
> На все живые языки.
> Недаром он стяжал известность
> И в школу все к нему спешат:

Его текущую словесность
Все поглощают нарасхват.
Поэм в стеклянном переплете
В его архивах миллион...[166]

Также в русской литературе середины XIX века у Николая Некрасова читаем в стихотворении «Послание к другу (из-за границы)»: «Моэта легкий хмель»[167], а у Аполлона Майкова в стихотворении «Что за милый этот мальчик (из Гейне)»:

Что за милый этот мальчик!
Как он рад всегда поэту
Предложить отведать устриц.
Сделать честь его Моэту![168]

Но ко времени написания этих стихотворений лидирующее положение «Моэта» давно теснила госпожа Клико.

«Вдова Клико»

Животворящее Клико.
О нектар жизни, вдохновенье,
Клико, веселие сердец!

Так восхвалял это шампанское в поэме «Обед» Владимир Филимонов[169].

Филипп Клико-Мюирон, будущий тесть Барб-Николь Клико-Понсарден, основал в 1772 году дом шампанских вин. В 1805 году, после смерти мужа, Барб-Николь Понсарден, вошедшая в историю как вдова Клико, становится во главе ранее принадлежавшего ему дома шампанских вин, которому дает новое название — Veuve Clicquot Ponsardin. В настоящее время дом шампанского Veuve Clicquot Ponsardin так же, как и Moët & Chandon, принадлежит концерну Louis Vuitton Moët Hennessy.

С находки бутылки шампанского «Veuve Clicquot» («Вдова Клико») начинаются захватывающие приключения в романе Жюля Верна «Дети капитана Гранта»: «Прежде чем вскрыть бутылку, Гленарван осмотрел ее снаружи. У нее было удлиненное крепкое горлышко, на котором еще уцелел обрывок проржавленной проволоки. Стенки ее были так плотны, что могли выдержать давление в несколько атмосфер. Это говорило о том, что бутылка из Шампани. Такими именно бутылками виноградари Эпернэ и Аи перешибают спинки стульев, причем на стекле не остается даже самой маленькой трещины. Неудивительно, что и эта бутылка смогла вынести испытания дальних странствований. „Бутылка фирмы Клико", — объявил майор»[170].

В 1814 году, когда уже отошли в прошлое Наполеоновские войны, госпожа Клико-Понсарден отправила в Россию свое шампанское урожая 1811 года — того самого года, в августе которого на небе появилась комета. В тот год после необычайно жаркого лета наступила очень теплая осень, которая принесла удивительный урожай винограда. Это отметила и русская пресса: «Нынешнее вино превзойдет добротою вина всех прежних лет, не исключая даже и 1748 года»[171]. Вино этого года оказалось превосходным, и его образно назвали *vin de la comète* («вино кометы»)[172]. Пушкин дважды использовал эпитет этого вина. В стихотворном послании к Якову Толстому «Горишь ли ты, лампада наша…» он пишет: «Налейте мне вина кометы»[173]. А в романе «Евгений Онегин»:

> Вошел: и пробка в потолок,
> Вина кометы брызнул ток[174].

Эта «пробка в потолок» была реминисценцией поэтических строк Вольтера из его сатирической поэмы «Le Mondain» («Светский человек»)[175], в которой был запечатлен образ утонченной французской городской жизни:

> D'un vin d'Ay dont la mousse pressée,
> De la bouteille avec force élancée,
> Comme un éclair fait voler son bouchon.
> Il part, on rit; il frappe le plafond…[176]
>
> Вино Аи, пена которого
> Со стремительной силой, как молния,
> Заставляет пробку лететь прочь из бутылки…[177]

Это перевод Владимира Набокова, хотя он почему-то не стал переводить самое главное, следующую строчку из поэмы Вольтера, где сказано, что пробка «frappe le plafond» — «бьет в потолок». А далее в том же «Евгении Онегине»:

> Вдовы Клико или Моэта
> Благословенное вино
> В бутылке мерзлой для поэта
> На стол тотчас принесено.
> Оно сверкает Ипокреной;
> Оно своей игрой и пеной
> (Подобием того сего)
> Меня пленяло: за него
> Последний бедный лепт, бывало,
> Давал я. Помните ль, друзья?[178]

Ипокрена древнегреческих мифов — это «конский источник», священный источник на вершине горы Геликон, забивший от удара копытом крылатого коня Пегаса. Для муз он был источником вдохновения.

В неоконченной десятой главе «Евгения Онегина» Пушкин описывает беседы «между Лафитом и Клико», которые подпитывают вольнолюбивые замыслы лучшей части русского дворянства накануне восстания декабристов:

> Сначала эти заговоры
> Между Лафитом и Клико
> Лишь были дружеские споры,
> И не входила глубоко
> В сердца мятежная наука.

ШАМПАНСКОЕ

В письме Петру Вяземскому Пушкин упомянул «Вдову Клико» в контексте политических споров: «Здесь некто бился об заклад, бутылку V. C. P. противу тысячи рублей, что Варшаву возьмут без выстрела»[179]. Бутылка V. C. P. — это аббревиатура названия шампанского Veuve Clicquot Ponsardin, а взятие Варшавы, которое произошло 5 октября 1831 года, — это заключительный акт подавления польского освободительного восстания.

В гоголевских «Мертвых душах» у Ноздрева, буйство которого бьет через край, шампанское «Вдова Клико» превращается в какого-то монстра: «Шампанское у нас было такое — что пред ним губернаторское? просто квас. Вообрази, не клико, а какое-то клико-матрадура, это значит двойное клико»[180].

А у Достоевского уже упоминавшийся нами обед в повести «Двойник», который «походил более на какой-то пир вальтасаровский», конечно же, был с «Вдовой Клико». С тем «искрометным вином, — вином, нарочно привозимым из одного отдаленного королевства, чтоб запивать им подобные мгновения, — вином, более похожим на божественный нектар, чем на вино»[181].

И у Чехова «Veuve Clicquot» в рассказе «Шампанское» — это «сокровище»: «Мы готовились встретить Новый год с необычайной торжественностью и ждали полночи с некоторым нетерпением. Дело в том, что у нас были припасены две бутылки шампанского, самого настоящего, с ярлыком вдовы Клико; это сокровище я выиграл на пари еще осенью у начальника дистанции, гуляя у него на крестинах»[182].

Александр Блок поэтически-возвышенно пишет и о «Клико». В поэме «Возмездие», музыкальным лейтмотивом которой должна стать, по замыслу Блока, мелодия мазурки, этот танец «гремит на балу, смешиваясь со звоном офицерских шпор, подобный пене шампанского „fin de siècle", знаменитой veuve Clicquot»[183]. Шампанское «Veuve Clicquot» присутствует и у Александра Куприна в романе «Юнкера», и у Алексея Толстого в повести «Мишука Налымов»[184].

Об этом торжестве «Veuve Clicquot» в России пишут и два французских писателя. Проспер Мериме, отметивший в письме от 26 июля 1853 года: «Mme Clicquot abreuve la Russie; on appelle son vin „klikofskoé" et on n'en boit pas d'autre» (Мадам Клико опьянила Россию, ее вино называют здесь «кликовское» и не пьют никакого другого)[185]. А побывавший в России поэт и писатель, предтеча символизма Теофиль Готье писал, что «Вдову Клико» можно пить только в России, имея в виду высокую стоимость этого шампанского, а также богатство гостеприимных русских аристократов[186].

«Мумм»

Дом шампанских вин «Mumm», безусловно, уступает в известности «Veuve Clicquot». Он был основан тремя братьями Мумм — Жакобом, Готлибом и Филиппом — немецкими виноделами из долины Рейна, а также купцом Фридрихом Гислером в 1827 году. В настоящее время этот дом шампанских вин принадлежит концерну Pernod Ricard.

О шампанском «Мумм» сохранилось восторженное упоминание князя Владимира Трубецкого в его «Записках кирасира», причем восторгается он только сухим (sec) шампанским. Поручик князь Урусов обращается к корнету князю Трубецкому:

«Что-о? Болен, ты говоришь?! Какая чепуха! Твое самочувствие никого не тронет и никому не интересно. „Кирасиры Ея Величества не страшатся вин количества!" Неужели ты это еще не усвоил? А потом, душа моя, ты говоришь вздор, голова у тебя не может болеть: в собрании пьют только Mumm Sec Cordon Vert! Прекрасная марка!.. Пей в своей жизни только Mumm, только Sec, и только Cordon

Vert — всегда будешь в порядке. Об одном умоляю: никогда не пей никаких Demi-sec! Верь мне, князь: всякий Demi-sec, во-первых, блевантин, а во-вторых, такое же хамство, как и пристежные манжеты или путешествие во втором классе»[187].

Герой романа «Колесо времени» Александра Куприна даже немного испугался, когда подсевшая к его столику в ресторане незнакомая женщина заказала бутылку «Mumm Cordon Rouge», ведь стоимость этого золотистого вина с красной лентой на этикетке была, как и в наши дни, немалой. Упоминается шампанское «Мумм» и у Ильи Ильфа и Евгения Петрова в «Двенадцати стульях» — в главе «Прошлое регистратора загса», которая не вошла в окончательный текст романа. Действие в этом эпизоде разворачивается еще в старой России, в 1913 году. А в пьесе Валентина Катаева «Миллион терзаний», где действие происходит в 1920-е в Советской России (пьеса опубликована в 1931 году), у одного из героев на столике оказывается «шампанское Абрау-Дюрсо и Мумм-Экстра-Дрей» — но это не французское вино дома шампанских вин «Mumm», а немецкое, значительно более дешевое игристое вино из винограда рислинг. Оно не называется шампанским, его название — «Mumm & Co Jahrgangs Extra Dry».

Однако все же из всех шампанских вин русская литература предпочла возвести на Олимп «Рёдерер».

«Рёдерер»

Дом шампанских вин Louis Roederer был основан в 1776 году в Реймсе отцом и сыном Дюбуа и сначала назывался «Dubois Père & Fils». Затем Дюбуа продали его Николя-Анри Шрейдеру. В 1827 году Луи Рёдерер, племянник Шрейдера, начал работу в фирме своего дяди. В 1833 году, после смерти

Николя-Анри Шрейдера в 1832 году, Луи Рёдерер наследовал дом шампанского своего дяди и дал ему свое имя.

Если расцвет славы «Моэта» в России пришелся на время правления императора Александра I, то звезда «Рёдерера» на русском гастрономическом небосклоне взошла во время правления Александра II, который из всех шампанских вин предпочитал именно «Рёдерер». В 1876 году, в честь двадцатилетия вступления Александра II на трон, «Луи Рёдерер» преподнес императору шампанское «Louis Roederer Cristal» в особых граненых бутылках из хрусталя.

Первое упоминание о «Рёдерере» в русской литературе содержится в сатирическом стихотворении «Франт», которое было подписано именем «Новый поэт» и опубликовано в 1849 году в журнале Некрасова и Панаева «Современник»: «Франт требовал „Рёдерер похолодней!"»[188]. Как считает большинство исследователей, «Новый поэт» — коллективный псевдоним Панаева и Некрасова, хотя Некрасов и отрицал, что стихотворения «Нового поэта» принадлежат ему[189].

«Рёдерер» как-то внезапно вошел в жизнь русской литературной среды. Афанасий Фет в «Моих воспоминаниях» рассказывал об одном из обедов у Тургенева: «Зная нашу слабость, и разделяя ее сам, Иван Сергеевич все время не забывал подливать нам в стаканы Рёдеру»[190]. Друг Герцена и Огарева Николай Кетчер, выполнивший прозаический, самый близкий к тексту оригинала перевод произведений Шекспира, также любил «Рёдерер». «Кетчер был без рёдерера немыслим», — пишет о нем Некрасов в неизданной при его жизни повести о Белинском, Достоевском и Тургеневе[191].

Тургенев в романе «Новь», как бы в шутку, приводит высказывание одного «дореформенного», то есть до реформы по отмене крепостного права, помещика: «Пью за единственные принципы, которые признаю, — за кнут и за Рёдерер!»[192] Процитированное выше сатирическое стихотворение «Идеальная ревизия» Василия Курочкина, в котором он описывает, как изменяется настроение ревизора по мере поднесения ему подарков, заканчивается следующими строками:

> — Пожалуйста… Эй! Рёдереру! —
> Поставить две дюжины в лед![193]

Герой романа Петра Боборыкина «Китай-город» Палтусов, любивший старую Москву и ненавидевший Петербург, в котором везде «линия, тягучая и тоскливая», вольяжно расположившись в московском трактире, заказывал завтрак. Ему прислуживал половой Алексей:

> — Карту вин принеси с закуской, и шампанское заморозить.
> — Редер? — больше утвердительно, чем звуком вопроса выговорил Алексей.
> — Н-да; редер всё лучше остальных[194].

А Гиляровский пишет в «Москве и москвичах», что на московских свадьбах почетным гостям подавали «Рёдерер» и «Клико», а ланинское было «для гостей попроще»[195].

Строки Игоря Северянина из его «Громокипящего кубка» — достойное завершение рассказа о «Рёдерере»:

> И сердце вновь олетено,
> Кипит, как Рёдерер…[196]

После Октябрьской революции 1917 года шампанское Louis Roederer, как и другое французское шампанское, перестало поступать в советскую Россию, где мечтали старый мир разрушить до основания и построить что-то новое. Но в эпоху «сталинского ампира», когда СССР был провозглашен наследником всех высших достижений европейской цивилизации, в отличие от «вырождающегося» в модернизме Запада, в СССР художественным образцом стало античное и ренессансное искусство, что особенно ярко запечателено в архитектуре конца 1930-х — середины 1950-х годов. Тогда же решили сделать своими «советскими» названия всех лучших гастрономических продуктов и вин. В 1937 году появилось «Советское Шампанское», стали выпускать советские ликёры «Шартрез» и «Бенедиктин». На полках магазинов лежал советский сыр рокфор, советские колбасы сервелат и карбонад, а также разнообразие пирожных с французскими названиями. В позднесоветских литературе и кинематографе шампанское — уже не признак роскоши, а просто примета праздника, к которой порой относятся с иронией: «Шампанское по утрам пьют или аристократы, или дегенераты», — говорит бандит из «Бриллиантовой руки» своему подельнику.

ГЛАВА 4. ФРАНЦУЗСКИЕ РЕСТОРАНЫ ПЕТЕРБУРГА И МОСКВЫ В РУССКОЙ ЛИТЕРАТУРЕ

Незадолго до Французской революции в Париже открылся первый в мире настоящий ресторан (от французского глагола «restaurer» — «восстанавливать»). В связи с полемикой, а точнее, легендами об «изобретении» столь привычного сегодня заведения общественного питания, которое, несомненно, все же придумали французы, отметим интересный факт. Во французских кулинарных книгах еще задолго до первого ресторана появилось блюдо с названием «ресторан». Впервые оно зафиксировано еще в 1420 году в книге мэтра Шикара — «le restaurand». Это очень сложный, объемный и даже фантастический по своим ингредиентам рецепт некоего укрепляющего и восстанавливающего бульона для больных. Как видно из нижеприведенного рецепта этого ресторана, его приготовление в большей степени напоминает священнодействие в лаборатории алхимика, чем в кухне шеф-повара. Причем в конце рецепта отмечено: «принимать и вкушать его в соответствии с предписанием врача»:

> Это совет тем, кто будет готовить ресторан. Необходимо иметь хорошую и большую бутыль как можно из более толстого и прочного стекла, какую только можно найти. Потом эту бутыль следует хорошо промыть и тщательно прополоскать. После того

как она будет хорошо промыта, ее нужно поставить на деревянную доску для резания мяса или другую деревянную подставку и прикрепить к ней бутыль с помощью веревки. Затем нужно взять большого толстого откормленного на зерне каплуна, или же двух каплунов, в зависимости от того, сколько ресторана вы хотите приготовить. Их нужно ощипать, очистить и хорошо промыть. Потом их нужно насухо вытереть. После того как они будут насухо вытерты, их следует порезать на мелкие кусочки, причем все вместе, как мясо, так и кости. Затем налейте в вашу бутыль половину или около того высокого качества свежей розовой воды, добавьте маленькую щепотку соли. Потом положите в чистый и крепкий мешочек, сшитый из красивого полотна шелковой или льняной ткани, унцию или чуть больше самых изысканных жемчужин, какие вы у себя найдете. Затем возьмите драгоценные камни, такие как бриллианты, жемчуг, рубины, сапфиры, кораллы, амбру, яшму, гиацинты, халцедоны, смарагды, сардониксы, хризолиты, бериллы, топазы, хризопразы, аметисты и другие драгоценные камни, такие, какие вам предпишет врач. Они также должны быть все вместе положены в мешочек, сшитый из чисто льняного белого полотна, достаточно прочного, чтобы мешочек не порвался и ваши камни не перемешались с мясом каплуна. И еще 60 или 80 дукатов из чистого золота и других драгоценностей, которые следует хорошо вымыть в трех или четырех водах и насухо вытереть красивым полотенцем из чистого белого льна. Потом эти золотые вещи должны быть сложены таким образом, чтобы они легко могли пройти в горлышко вашей бутыли. Положите их аккуратно и деликатно, чтобы они не упали на мясо вашего каплуна и не разбили вашей бутыли. Затем плотно закупорьте бутыль, чтобы не проникал воздух. Сделав это, возьмите чистый красивый и достаточно большой котел, чтобы в него легко можно было поместить бутыль. Закрепите горлышко бутыли двумя деревянными брусками. Эти бруски должны быть так закреплены в котле, что, когда в вашем котле закипит вода, бурление кипящей воды не двигало, не колебало и не опрокинуло бы бутыль в вашем котле. Потом наполните ваш котел хорошей чистой водой. Затем поставьте котел на достаточно сильный огонь в очаге на углях. Пусть вода постоянно кипит. Также залейте полностью хорошей чистой водой другой котел, чтобы, когда в вашем котле, стоящем на огне, вода будет выкипать, вы могли бы подливать воду из другого котла. В противном случае вода может выкипеть и бутыль треснуть, тогда все потраченное вами время будет напрасно. Когда ваш ресторан сварится, нужно подготовить хорошую дощечку, которую нужно положить около огня. Когда она станет сухой и теплой, нужно еще прогреть небольшое полотенце. Сложите полотенце в несколько слоев и положите на дощечку. Затем аккуратно достаньте вашу бутыль из котла, в котором она находится. Поставьте ее на это теплое полотенце и теплую дощечку. Пусть она остынет до такой степени, что ее можно будет, не обжигаясь, взять рукой. Когда она достаточно охладится, нужно взять новую хорошую красивую марлю, через которую еще ничего не процеживали. Положите ее на красивое золотое блюдо. Вылейте на нее ресторан из бутыли. Пусть из бутыли все вытечет. Когда все вытечет, нужно взять мешочки с жемчугом, драгоценными камнями и золотыми монетами. Пусть это все хорошо просушится, оставаясь на марле. Когда ресторан будет процежен в блюдо, нужно перелить его в золотую тарелку. Потом подавать больному. Пусть он принимает и вкушает его в соответствии с предписанием врача[1].

Через два столетия после создания мэтром Шикаром этого замечательного рецепта в XVII веке рецепты ресторана вновь появляются во французских кулинарных книгах Франсуа Пьера де Ла Варенна и Пьера де Луна. Эти рецепты восстанавливающего силы бульона не менее сложные, но в них исчезает средневековая «алхимическая» составляющая: вместо золота и бриллиантов появляются пряные травы и ароматные специи. Хотя ресторан по-прежнему кипятится в бутыли или в плотно закрытом горшке, который ставится в котел с водой.

Однако вернемся, собственно, к истории ресторана — не бульона, а заведения.

Предшественницей ресторана была таверна. В Европе таверны известны еще со времен Античности. О таверне, которая на латинском языке называлась *taberna*, упоминает древнеримский историк Тит Ливий в «Истории Рима от основания Города», в главе, описывающей время Марка Фурия Камилла, то есть IV век до нашей эры[2]. Но таверны были рассчитаны в большей степени на путешественников, и местные жители редко питались в них. Только, по-видимому, в императорском Риме, где был сосредоточен огромный аппарат чиновников, «госслужащие» обедали в «заведениях общественного питания».

В средневековой Европе тоже существовали заведения общественного питания — трактиры, как например, трактир St. Peter Stiftskulinarium при бенедиктинском аббатстве св. Петра в Зальцбурге, который часто называют древнейшим рестораном Европы. Однако приводимая в качестве доказательства его древности именно как ресторана ссылка на стихотворение выдающегося ученого и поэта Каролингского возрождения Алкуина вряд ли подтверждает этот аргумент:

> Hic tu per stratam pergens subsiste, viator,
> Versiculos paucos studiosa perlege mente.
> Invia, quam cernis, duplice ditatur honore
> Haec ad cauponem ducit potare volentem
> Elige quod placeat tibi nunc iter, ecce viator,
> Aut potare merum, sacros aut discere libros.
> Si potare velis, nummos praestare debebis
> Discere, si cupias, gratis, quod quaeris habebis

> Остановись здесь, о, путник, идущий по мощеной дороге,
> И прочти внимательно эти небольшие стихотворные строки.

> Непроходимое место, которое ты видишь, раскрывает перед тобой две награды,
> Оно в каупону ведет тебя желанием выпить вина.
> Выбери, что любо ныне тебе, о, путник.
> Выпить ли вина неразбавленного, или же изучать священные книги.
> Если захочешь выпить вина, то заплатить должен будешь ты деньги,
> А если у тебя учиться желание — то это бесплатно; получишь ты то, к чему ты стремишься[3].

В этом стихотворении, датированном 803 годом, речь идет о выборе одного из двух путей: к школе и к каупоне (De via duplici: ad scholam et ad cauponam). «Каупона» — так в Римской империи называлась гостиница, а также питейное заведение, где продавали и пили вино. Так как это стихотворение Алкуина помещено в разделе «Inscriptiones» («Надписи») и имеет подзаголовок «In monasteriis Sancti Petri Salisburgensi» («В монастыре святого Петра в Зальцбурге»), то не вызывает сомнений, что в этом бенедиктинском аббатстве, помимо знаменитой школы, был и трактир, где продавалось вино. Но из текста стихотворения никак не следует, что это был ресторан в собственном смысле этого слова. А аббатство св. Петра в Зальцбурге, основанное еще в 698 году св. Рупертом, действительно в Средние века славилось своей школой, и при содействии этого аббатства в 1622 году был открыт Бенедиктинский университет Зальцбурга, а библиотека этого аббатства является старейшей в Австрии. В настоящее время аббатство св. Петра в Зальцбурге по-прежнему принадлежит Бенедиктинскому ордену, но ресторан «St. Peter Stiftskulinaruim» — это уже светское предприятие, расположенное у стен древнего аббатства.

Отдавая дань уважения монахам-бенедиктинцам, оставившим значительный след в истории гастрономии и виноделия и продолжающим готовить гастрономические шедевры в настоящее время[4], все же осмелимся утверждать, что рестораны в собственном смысле этого слова, где готовились и подавались блюда на заказ, появились во Франции лишь в конце XVIII века и название «ресторан» происходит от названия французского мясного бульона, о котором рассказывалось выше.

Французский историк XVIII века Пьер Жан-Батист Легран д'Осси утверждает, что название «ресторан» произошло от рестораторов, готовивших тот самый бульон. Первым ресторатором, по его словам, был Буланже (имя его Легран д'Осси не привел), который около 1765 года открыл в Париже, на рю де Пули[5], первый ресторан. Над входом в заведение он повесил вывеску с надписью на латинском языке, перефразирующей цитату из Евангелия от Матфея: «Venite ad me omnes qui stomacho laboratis, et ego restaurabo vos» («Придите ко мне все страдающие желудком, и я восстановлю вас»[6]. (В Евангелии — «Придите ко Мне все труждающиеся и обремененные, и Я успокою вас».) Ресторан Буланже был открыт постоянно, посетители сидели за отдельными мраморными столиками, а кроме восстанавливающего бульона Буланже подавал еще блюда из птицы и блюда из яиц. Леграну д'Осси вполне можно доверять, так как он был современником этих событий. Историк, родившийся в 1737 году, был автором исследования «История частной жизни французов от истоков происхождения нации до наших дней». Его версию происхождения ресторана повторил в своем этимологическом словаре французский филолог и историк Жан-Батист-Бонавантюр де Рокфор[7].

Первым французским рестораном, получившим мировую известность, был ресторан Grand Taverne de Londres, открытый в 1782 году в Париже около дворца Пале-Рояль французским ресторатором Антуаном Бовилье. Он был не только ресторатором, но и писателем: в 1814 году вышла его книга «Искусство повара», о которой шла речь в Главе 1.

ГЛАВА 4. ФРАНЦУЗСКИЕ РЕСТОРАНЫ ПЕТЕРБУРГА И МОСКВЫ В РУССКОЙ ЛИТЕРАТУРЕ

Однако в книге Бовилье мы уже не найдем экзотического бульона под названием «ресторан»[8].

Русский поэт и писатель, участник декабристских обществ Федор Глинка, будучи офицером во время Отечественной войны 1812 года, оказался вместе с русской армией в 1813 году в Париже и был ошеломлен рестораном Бовилье, о чем написал в «Письмах русского офицера»: «Я сейчас был в парижской ресторации и признаюсь, что в первую минуту был изумлен, удивлен и очарован. На воротах большими золотыми буквами написано: „Бовилье“. Вход по лестнице ничего не обещал. Я думал, что найду, как в Германии, трактир пространный, светлый, чистый — и более ничего. Вхожу и останавливаюсь, думаю, что не туда зашел; не смею идти далее. Пол лаковый, стены в зеркалах, потолок в люстрах! Везде живопись, резьба, позолота. Я думал, что вошел в какой-нибудь храм вкуса и художеств! Все, что роскошь и мода имеют блестящего, было тут: все, что нега имеет заманчивого, было тут»[9].

В этой главе необходимо отметить книгу Юлии Демиденко «Рестораны, трактиры, чайные. Из истории общественного питания в Петербурге XVIII — начала XX века»[10], в которой рассказывается в том числе и о французских ресторанах. Нужно упомянуть также глубокое, опирающееся на огромное число архивных документов исследование Альбина Конечного «Былой Петербург», в котором приведены многочисленные свидетельства современников в том числе и о французских ресторанах в Петербурге[11].

Скорее всего, первым французским рестораном, открытым в России, был ресторан Пьера Талона в Петербурге. Он находился на Невском проспекте, дом 15. Талон возглавлял его примерно с 1814 по 1825 год, а затем продал другому французскому ресторатору — Фельету[12]. У Талона, как утверждал Пушкин в «Евгении Онегине», был «французской кухни лучший цвет»[13].

ГЛАВА 4. ФРАНЦУЗСКИЕ РЕСТОРАНЫ ПЕТЕРБУРГА И МОСКВЫ В РУССКОЙ ЛИТЕРАТУРЕ

В начале XIX века на Дворцовой площади открылась гостиница «Европа» с рестораном, которым руководил французский ресторатор Тардиф (имя неизвестно), его также не забыл упомянуть Александр Сергеевич. Так, в 1823 году в пригласительной записке «Сегодня я поутру дома» к своему другу, имя которого осталось неизвестным, он писал:

> Сегодня я поутру дома
> И жду тебя, любезный мой,
> Приди ко мне на рюмку рома,
> Приди — тряхнем мы стариной.
> Наш друг Тардиф, любимец Кома,
> Поварни полный генерал,
> Достойный дружбы и похвал
> Ханжи, поэта, балагура, —
> Тардиф, который Коленкура
> И откормил, и обокрал, —
> Тардиф, полицией гонимый
> За неуплатные долги, —
> Тардиф, умом неистощимый
> На entre-mets, на пироги…[14]

О французском ресторане Тардифе известно лишь, что он разорился и уехал в Одессу[15], и именно там с ним познакомился Пушкин, пребывавший в городе в южной ссылке.

Гоголь в «Мертвых душах» упоминает французский ресторан в Петербурге, в котором повар «француз с открытой физиогномией, белье на нем голландское, фартук, белизною равный снегам», и подают в этом ресторане «котлетки с трюфелями»[16]. Однако Николай Васильевич не приводит его названия. В повести «Портрет» Гоголь, повествуя о бедном художнике Черткове, который «мистическим» образом разбогател, подчеркивает, что французские рестораны были доступны только для очень состоятельных господ. Он пишет, что этот художник «зашел к ресторану французу, о котором слышал такие же неясные слухи, как о китайском государстве»[17].

ГЛАВА 4. ФРАНЦУЗСКИЕ РЕСТОРАНЫ ПЕТЕРБУРГА И МОСКВЫ В РУССКОЙ ЛИТЕРАТУРЕ

Современник Гоголя и Лермонтова, поэт Александр Полежаев в поэме «Сашка» пишет о Café de France в Петербурге[18]. Так как эта поэма была написана в 1825–1826 годах, то, возможно, речь идет о ресторане Пьера Талона на Невском проспекте или же о ресторане, основанном в начале 1820-х годов на Малой Морской улице, дом 15, бывшим интендантом наполеоновской армии французом Андрие, владельцем которого в 1829 году стал французский ресторатор Дюме[19]. Ресторан Андрие Пушкин упоминает в черновых набросках к первой редакции повести «Пиковая дама»: «Года четыре тому назад собралось нас в Петербурге несколько молодых людей, связанных между собою обстоятельствами. Мы вели жизнь довольно беспорядочную. Обедали у Андрие без аппетита, пили без веселости»[20]. Альбин Конечный приводит заметку Фаддея Булгарина в «Северной пчеле» в 1833 году, который очень хвалил ресторан Андрие, сообщая, что там, в том числе, «обедали высшие чиновники, русские и иностранные министры».

О ресторане Дюме в стихах пишет и Владимир Филимонов, перечисляя в поэме «Обед» и других французских рестораторов:

> Кулон, Фельет брегов Невы,
> В углу Морской кормилец старый,
> Вот петербургский Бовилье
> Шестирублевый друг Дюме[21].

Ресторан Дюме упоминает Пушкин в двух письмах 1834 года к жене Наталье. Как следует из строк Александра Сергеевича, это был ресторан с репутацией для холостяков: «…явился я к Дюме, где появление мое произвело общее веселие: холостой, холостой Пушкин!»[22] Поэтому в следующем письме он уже пишет: «Обедаю у Дюме часа в 2, чтоб не встретиться с холостою шайкою»[23].

Имена Андрие и Дюме остались неизвестны. Ресторан с названием Café de France существовал в Петербурге в начале XX века, в 1907 году его расписывал Евгений Лансере. Эти росписи, к сожалению, не сохранились, но это был, конечно же, не тот ресторан, который упомянут Полежаевым. Современным Полежаеву был ресторан, о котором писал учившийся вместе с Лермонтовым Александр Тиран: «Обычными местами сходок юнкеров по воскресеньям были Фельет на Большой Морской, Гане на Невском… и кондитерская Беранже»[24].

Конечный приводит яркое описание ресторана Фельета Фаддеем Булгариным: «У Фельета вы можете обедать по карте или велеть подать себе обед, которого цена возвышается от 3 до 25 рублей с персоны. За 3 рубля вы имеете прекрасных *пять* блюд. Почти непостижимо, как можно угощать так хорошо и дешево! <…> Ресторация г. Фельета, достойная мраморных стен и позлащенных мебелей, помещается в двух небольших низких комнатах, всегда набитых битком посетителями»[25].

Ресторан Фельета, о владельце которого не сохранилось никаких биографических сведений, в дальнейшем перешел к Леграну (его имя тоже неизвестно). О ресторане Леграна пишет Иван Панаев в цикле очерков «Опыт о хлыщах»: «Барон не держал у себя стола и почти постоянно обедал у Леграна, который тогда только что появился»[26]. По-видимому, речь идет о самом начале 40-х годов, так как ресторан Леграна открылся в так называемом «Доме Жако», Большая Морская, дом 11, построенном в стиле классицизма французским архитектором Полем Жако в 1837–1838 годах, а «Опыт о хлыщах» был издан в 1856 году. Это, конечно же, был дорогой ресторан, что подтверждает Некрасов в пьесе «Петербургский ростовщик»: «Помилуйте, да у Леграна на полтину только зубы разлакомить»[27]. А далее ресторан Леграна Некрасов ставит выше и дороже других петербургских ресторанов, что следует из диалога персонажей его рассказа «Необыкновенный завтрак»: «„Я бы мог пригласить вас к Кулону, к Лерхе, к Леграну". „Всего лучше к Леграну", — гастрономически заметил Кудинов»[28].

О том, что ресторан Леграна лучше ресторана Кулона, свидетельствует и Владимир Соллогуб в повести «Большой свет»: «Как по-вашему, кто лучше, Legrand или Coulon? Хорош Legrand! Дорог, нечего сказать, а мастер своего дела»[29]. Ресторан и гостиница Кулона находились на углу Михайловской улицы.

В 1850-х годах Леграна сменил еще один французский ресторатор — Дюссо, превзошедший по популярности своих предшественников, однако и о нем биографических сведений не сохранилось. Ресторан Дюссо остался по тому же адресу, что и ресторан Леграна: Большая Морская улица, дом 11. Панаев в «Опыте о хлыщах» приводит интересное сравнение этих первых французских рестораторов: «Я ведь его не знаю: при мне еще был Фёльет и Легран... Слышу от всех приезжих: Дюссо да Дюссо! Ну, думаю себе, попробую я этого хваленого Дюссо. Приезжаю. Заказал ужин. Говорю: „Дайте мне всего, что есть у вас лучшего". Кажется, ясно?.. Подают мне первым блюдом филе из ершей... Ну, что ж это, братец, за блюдо? просто какой-то воздух с травой и прованским маслом, и масло-то еще не свежее... Ни Фёльет, ни Легран мне такого масла не смели подавать; а вы думаете, что вот приехал человек, вам не известный, в первый раз, провинциал какой-нибудь, так, дескать, и подсуну ему что ни попало. Ошибаетесь, я говорю, г. Дюссо, ошибаетесь, не на такого напали: я-таки в гастрономии кое-что смыслю... Сам переконфузился, кланяется, извиняется, затормошил всех лакеев, сам побежал на кухню, и действительно уж накормил меня превосходно. Выходя, я потрепал его по плечу и говорю: „Ну, Дюссо, теперь я не сомневаюсь, что ты — артист в своем деле"»[30].

Авдотья Панаева, описывая упоминавшийся в Главе 2 эпизод, когда Павел Васильевич Анненков приобрел права на издание сочинений Пушкина и его коллеги по журналу «Современник» потребовали отметить это событие именно в ресторане Дюссо, отмечает: «Панаев не вытерпел и сказал ему: „А ты должен сегодня угостить нас всех шампанским". „Нет, ужином у Дюссо!" — крикнуло несколько голосов»[31].

Соратник Панаева по «Современнику» Николай Некрасов дважды запечатлел ресторан Дюссо в стихах: первый раз в стихотворении «Прекрасная партия»[32], а второй — в поэме «Современники»:

У Дюссо готовят славно
Юбилейные столы…
Там обедают издавна
Триумфаторы орлы.
Посмотрите, что за рыба!
Еле внес ее лакей[33].

Алексей Апухтин в шуточной стихотворной пьесе «Красному яблочку червоточинка не в укор» в уста князя вкладывает слова, обращенные к графине, в которую он влюблен:

Для вас я пренебрег родными, мненьем света,
Свободой, деньгами, кредитом у Дюссо…
Для вас, для вас одной я, словом, бросил все…[34]

Достоевский тоже не забыл про Дюссо: в фельетоне «Петербургские сновидения в стихах и прозе» он привел сатирический «перепев» поэта-сатирика Дмитрия Минаева, «поэта-прогрессиста», как назвал его сам Достоевский, стихотворения Пушкина «Простите, мирные дубравы…»:

Но, чтя Вольтера и Руссо,
Мы кушать устрицы порою
Не забываем у Дюссо.

В ресторане Дюссо завязывались различные деловые связи. Салтыков-Щедрин вкладывает в уста героев «Дневника провинциала в Петербурге» фразы: «Спите, батюшка, спите!.. а я, покуда вы тут спите, у Дюссо с таким человечком знакомство свел!»[35] или «Но мысль, что я почти месяц живу в Петербурге и ничего не видал, кроме Елисеева, Дюссо, Бореля и Шнейдер, угрызает меня»[36]. Ресторан Дюссо встречается и на страницах других сочинений Михаила Евграфовича, например, на страницах произведения «Мелочи жизни»: «В два часа садился в собственную эгоистку и ехал завтракать к Дюсо»[37]. В ресторане Дюссо разворачиваются многие действия в «Неоконченной повести» Алексея Апухтина, хотя автор, по-видимому, специально немного изменяет фамилию французского ресторатора: «В начале января, в пятом часу морозного ясного дня, к подъезду известного ресторана Дюкро на Большой Морской то и дело подъезжали простые извозчики, а то и „собственные сани"»[38].

Наряду с рестораном Дюссо в Петербурге появился еще один французский ресторан, оставивший след в русской литературе, — ресторан Бореля, располагавшийся тоже на Большой Морской улице, но в доме № 16. Как пишет писатель и историк быта Петербурга Владимир Михневич в книге «Петербург весь на ладони», «фешенебельные петербургские рестораны Бореля и Дюссо славились своей французской кухней и считались „любимыми ресторанами великосветских денди"»[39]. В другой своей книге, «Наши знакомые», Михневич дает представление о ценах этого ресторана: «Борель — фирма известного ресторана на Большой Морской, в стенах которого нередко пропиваются и проедаются в один присест такие деньги, которых бы хватило на продовольствие целой голодной деревни в течение года»[40]. Как отмечает современный русский филолог Евгений Пономарев в статье «Столичный ресторан как феномен русской жизни fin du siècle (от Тургенева, Достоевского и Толстого к Куприну и Бунину)», из театра богатые люди сразу отправлялись в ресторан[41]. Этот лозунг провозглашает и персонаж «Дневника провинциала в Петербурге» Салтыкова-Щедрина: «Из театра — к Борелю!»[42]

Николай Успенский в повести «Издалека и вблизи» пишет о столичном поваре, работавшем у Дюссо и Бореля: «Описывая дворовым людям, управляющему и конторщику петербургскую жизнь, повар счел нужным познакомить их с князьями, графами, у которых он служил, а также с Дюссо и Борелем; при этом в виде назидания сообщил им, что такое консоме-рояль и де-ва-ляйль, шо-фруа, де-жибье и т. п.»[43]. Стоит остановиться на этих четырех французских блюдах и кратко описать, что они из себя представляют. Консоме-рояль, более правильно «Consommé à la Royale», — это консоме по-королевски. Как правило, в осветленный куриный бульон — консоме — добавляют белое куриное мясо и яйца, правда, некоторые современные рецепты этого блюда предполагают добавление молока, муки и сливочного масла.

«Де воляй» — дословно «из птицы». По-видимому, здесь подразумевается один из видов антре, тогда его правильное название — *entrée de volaille* (антре из птицы). Или же это кнели из птицы — *quenelles de volaille* — распространенное французское блюдо из птицы, которое во французских кулинарных книгах впервые встречается в 1806 году у Андре Виара[44]. Котлеты де воляй — это не французское, а русское изобретение.

Шо-фруа (chaud-froid) — название этого блюда происходит от двух французских слов: *chaud* (тепло, жар) и *froid* (холод), то есть жаркое из птицы или дичи под соусом, которое подается холодным. Есть и французский соус с таким же названием, но у Успенского речь идет о блюде, а не о соусе.

ГЛАВА 4. ФРАНЦУЗСКИЕ РЕСТОРАНЫ ПЕТЕРБУРГА И МОСКВЫ В РУССКОЙ ЛИТЕРАТУРЕ

Несколько необычный рецепт шо-фруа приводит Александр Дюма в своей энциклопедии «Le Grand Dictionnaire de Cuisine». Судя по тому, что в конце текста стоит имя J. Rouyer, этот рецепт принадлежит ныне совершенно забытому поэту-кулинару Жану Руйе, который был шеф-поваром французского философа маркиза Виктора Рикети де Мирабо, отца известного революционера. Дюма в своей энциклопедии приводит некоторые стихотворения этого поэта-кулинара, в том числе посвященные восхвалению различных сортов вишни. А вот, собственно, рецепт шо-фруа из «Большого кулинарного словаря» Дюма:

> Шо-фруа из цыплят, молодых куропаток или бекасов, в черном пайковом хлебе для солдат [немецкий коммиссброт]. Возьмите нежных цыплят, разрезанных на куски, обжарьте в сливочном масле, посыпьте мукой, залейте горячей водой. Добавьте соль, перец, шампиньоны, мелкие белые луковички, пучок петрушки. Быстро сварите, покачивая кастрюлю. Затем добавьте два или три яичных желтка и сок одного лимона. Выньте пучок петрушки и через очень маленькое отверстие положите получившееся фрикассе внутрь черного пайкового хлеба, из которого предварительно удалите мякиш. Закройте отверстие в хлебе и дайте как следует остыть, прежде чем упаковывать, чтобы хлеб остался хрустящим. В момент использования разделите это подобие пирога на части (Ж. Руйе)[45].

«Де-жибье» — дословно «из дичи». Само слово *gibier* достаточно новое, оно впервые встречается в кулинарной книге Ла Варенна, то есть во второй половине XVII века[46]. До этого для обозначения дичи использовался термин *venoison*, который присутствует во всех французских средневековых книгах, начиная с древнейшего «Наставления, которое обучает готовить мясо всевозможными способами».

Но вернемся в Петербург конца XIX века. В 1887 году ресторан Бореля покупает Кюба. В отличие от биографий его предшественников — французских рестораторов Петербурга, биография Жан-Пьера Кюба достаточно хорошо изучена. Жан-Пьер Кюба, более известный как Пьер Кюба, начал свою кулинарную карьеру в 1867 году в Café Anglais в Париже у ученика Мари-Антуана Карема — Адольфа Дюглерэ. Вместе с Дюглерэ он готовил «обед трех императоров» для трех европейских правителей: российского императора Александра II, германского императора Вильгельма I и канцлера Германской империи Отто фон Бисмарка. Затем Кюба поступил на службу к императору Александру II, а далее — к Александру III. В 1883 году он уехал во Францию, однако в 1887 году снова вернулся в Петербург, купил у Бореля ресторан, который назвал сначала Restaurant de Paris, а затем переименовал в Café de Paris. В 1893 году Кюба перенес свой ресторан на Каменный остров, набережная Большой Невки, 24, и дал ему новое название — «Belle vue». В 1894 году Пьер Кюба вернулся в Париж, где открыл ресторан «P. Cubat». Во время своего официального визита во Францию 5–9 октября 1896 года Николай II предложил Пьеру Кюба продолжить работу при царском дворе, и это предложение было принято французским ресторатором — он опять оказался в Петербурге. В 1905 году Пьер Кюба окончательно вернулся во Францию и поселился в родном городе Але-ле-Бен.

О ресторане Кюба в Петербурге не могла не сохраниться память на страницах русской литературы. Чехов упоминает его в рассказе «Супруга»: «Придя в кабинет и начавши соображать, он тотчас же вспомнил, как года полтора назад он был с женой в Петербурге и завтракал у Кюба с одним своим школьным товарищем»[47].

У Константина Станюковича в «Истории одной жизни» есть эпизод, в котором из ресторана «Кюба» выходит инженер в «путейской форме», человек богатый и довольный жизнью[48].

Алексей Толстой в трилогии «Хождение по мукам» подчеркивал, что крупные писатели хорошо зарабатывали: «Маститые писатели пошли завтракать к Кюба»[49]. А Валерий Брюсов в письме к своему однокурснику по университету литератору Владимиру Саводнику рекомендовал ему ресторан Кюба: «Кормиться можно… у Кюба на Большой Морской»[50].

В 1903 году в Ялте открылся магазин Кюба. Антон Чехов писал своей жене Ольге Книппер-Чеховой 4 марта 1903 года: «Милый мой дусик, у нас в Ялте торжество: открылся магазин Кюба, настоящего петербургского Кюба. <…> Итак, завтра пойду к Кюба, понюхаю европейской цивилизации»[51]. С ностальгией вспоминает о ресторане Кюба герой рассказа Аркадия Аверченко «Осколки разбитого вдребезги»: «Мне больше всего нравилось, что любой капитал давал тебе возможность войти в соответствующее место: есть у тебя 50 рублей — пойди к Кюба, выпей рюмочку Мартеля, поглоти десяток устриц, запей бутылочкой Шабли, заешь котлеткой даньон, запей бутылочкой Поммери, заешь гурьевской кашей, запей кофе с Джинжером…»[52].

В стихотворении «Четыре» поэта Николая Агнивцева встречаются названия еще двух французских ресторанов Петербурга — «Контан» и «Донон»:

> «Кюба»! «Контан»! «Медведь»! «Донон»!
> Чьи имена в шампанской пене
> Взлетели в Невский небосклон
> В своем сверкающем сплетеньи!..[53]

Ресторан «Контан» располагался на набережной Мойки за домом № 58, в саду бывшей усадьбы генерал-прокурора Сената Никиты Трубецкого, который жил здесь до 1762 года. «Контан» был открыт в 1885 году и получил название по имени владельца французского ресторатора Огюста (по-русски — Августа Станиславовича) Контана. В конце

1890-х ресторан перешел к другим французским рестораторам и Альмиру Жуэну[54].

Ресторан «Донон», тоже получивший название по имени владельца французского ресторатора Жан-Батиста Донона, также находился на Мойке, во дворе дома № 24. Ресторан был открыт в 1849 году. В 1910 году новый владелец «Донона» Митрофан Сементовский-Курилло перевел ресторан на Английскую набережную, дом 36, назвав его в 1911 году «Старый Донон». В 1914 году этот ресторан был закрыт. А прежний «Донон» на Мойке стал называться «Донон, Бетан и Татары». Такое название произошло от того, что татары, служившие официантами у Донона (татары, одетые во фраки, — это была изюминка ресторана), отказались переезжать на новое место и остались в старом здании, а владельцем ресторана стал итальянец Бетан[55].

И еще один французский ресторан Петербурга, о котором вспомнил поэт Михаил Кузмин в стихотворении «„А это — хулиганская", — сказала…» — ресторан «Альбер»:

> Стал вспоминать я, например,
> Что были вёсны, был Альбер,
> Что жизнь была на жизнь похожа,
> Что были Вы и я моложе…[56]

Ресторан с названием «Французский», но больше известный (по имени его владельца) как «Альбер», находился на Невском проспекте в доме № 18[57].

Петербург был блестящей столицей — тем не менее, и Москва прославилась своим французским ресторатором, причем его слава превзошла славу всех его петербургских собратьев-кулинаров. Ни один французский кулинар не вошел столь триумфально в русскую историю, как тот, чье имя превратилось в название самого праздничного салата, — Люсьен Оливье. Этот француз стал настолько русским национальным героем, что его салат во Франции называют *salade russe*.

ГЛАВА 4. ФРАНЦУЗСКИЕ РЕСТОРАНЫ ПЕТЕРБУРГА И МОСКВЫ В РУССКОЙ ЛИТЕРАТУРЕ

В 1864 году Люсьен Оливье вместе с купцом Яковом Пеговым открыл ресторан «Эрмитаж» на Трубной площади, который сразу стал пользоваться большим успехом[58]. Бытописатель Москвы и ее ресторанов Владимир Гиляровский так описывает Москву начала 60-х годов позапрошлого века: «Первая половина шестидесятых годов была началом буйного расцвета Москвы, в которую устремились из глухих углов помещики проживать выкупные платежи после „освободительной" реформы. Владельцы магазинов „роскоши и моды" и лучшие трактиры обогащались; но последние все-таки не удовлетворяли изысканных вкусов господ, побывавших уже за границей, живых стерлядей и парной икры им было мало. Знатные вельможи задавали пиры в своих особняках, выписывая для обедов страсбургские паштеты, устриц, лангустов, омаров и вина из-за границы за бешеные деньги. На эти обеды также выписывались деликатесы из-за границы и лучшие вина с удостоверением, что этот коньяк из подвалов дворца Людовика XVI и надписью „Трианон". Считалось особым шиком, когда обеды готовил повар-француз Оливье, еще тогда прославившийся изобретенным им „салатом Оливье", без которого обед не в обед, и тайну которого не открывал. Как ни старались гурманы, не выходило: то, да не то»[59].

Люсьен Оливье с его русским салатом оливье так и остался русским, прожив до конца своих дней в Москве, и был похоронен на Немецком (Введенском) кладбище. Его могила сохранилась до нашего времени. Удивительные же приключения салата оливье в XX веке — тема для отдельного рассказа.

ГЛАВА 5. ФРАНЦУЗСКИЙ ГАСТРОНОМИЧЕСКИЙ СЛОВАРЬ В РУССКОМ ЯЗЫКЕ

Язык русской гастрономии не менее чем наполовину является французским: Франция оказала самое сильное влияние на русскую кулинарию. В настоящее время в русский язык стремительно входят итальянские названия блюд и напитков, таких как пицца, паста, ризотто, капучино, латте и многие другие, однако в XIX веке влияние Франции было настолько велико, что терминология французского кулинарного искусства утвердилась в русском языке очень прочно.

Уже в первой французской кулинарной книге «Enseignemenz qui enseingnent a apareillier toutes manieres de viandes» («Наставление, которое обучает готовить мясо всевозможными способами») появляются термины, позднее ставшие не только основными во французской кулинарии, но привычными и даже родными и в русском языке. Это бульон — *bouillon*, соус — *sauce* (на старофранцузском языке *savor*, у Гийома Тиреля в более привычном написании — *saulce*) и многие другие.

В этой главе приведены французские кулинарные термины, вошедшие в русский язык. Первоначально мы предполагали расположить термины в порядке следования блюд во французском обеде, но поскольку некоторые блюда полностью изменили свою сущность, сохранив прежнее название (например, мясное блюдо стало десертом), мы отказались от этой идеи. В итоге мы приняли решение расположить кулинарные термины в алфавитном порядке — как в энциклопедическом словаре.

АНТРЕКОТ (entrecôte) — вырезка говядины в области ребер. Название происходит от французского выражения «entre côte» (между ребром). Термин «антрекот» ввел Менон в кулинарной книге «La Cuisinière bourgeoise», первое издание которой вышло в 1746 году[1].

БАГЕТ (baguette) — длинный и тонкий хлеб, мягкий внутри, сверху — с твердой хрустящей корочкой. Несмотря на то что багет стал неким символом Франции и даже в 2018 году был включен в список нематериального культурного наследия этой страны, история его происхождения остается областью легенд и досужих вымыслов. По-видимому, багет появился не ранее начала XIX века, а некоторые исследователи полагают, что в эпоху правления Наполеона I. Другие относят его возникновение к более позднему времени, к 1830-м годам. Этимология слова *baguette* тоже неясна. Предполагается, что слово происходит от латинского *baculum* — «палка». Во французский язык оно пришло из итальянского — *bacchetta*. Это слово впервые встречается у Боккаччо в «Декамероне», то есть около 1353–1354 годов, в переводе Николая Любимова — «посох»[2]. Термин *baguette* во Франции вначале был связан с герметической традицией. В 1693 году в Париже вышла книга доктора теологии Пьера Ле Лоррена де Валлемона, более известного под именем аббат де Валлемон «La physique occulte ou traité de la baguette divinatoire» («Тайная физика, или Трактат о жезле прорицателя»)[3]. Затем *baguette* — «волшебная палочка» — появился в сказках Шарля Перро. В мистике *baguette* — символ и инструмент сверхприродной силы. В современном французском языке *baguette* — ещё и «дирижерская палочка», ведь дирижер, словно волшебник, невидимо управляет звуками оркестра.

БАТОН (bâton) — хотя название и пришло из французского языка (*bâton* — «палка») и в русском языке означает хлеб длинной формы, во французской кулинарии оно не используется. Для такого типа хлеба у французов есть термин *baguette*.

БЕЗЕ — сведения об этом десерте с французским названием *baiser* («поцелуй»), во Франции известным под другим названием — *meringue*, подробно изложены в Главе 2, раздел «Десерты».

БИСКВИТ (biscuit) — см. раздел «Десерты» в Главе 2.

БЛАНМАНЖЕ (blanc-manger) — см. раздел «Десерты» в Главе 2.

БУЛЬОН (bouillon) — один из древнейших французских кулинарных терминов. Термин «бульон», на старофранцузском языке *bouillon*, присутствует уже в первой французской кулинарной книге «Enseignemenz qui enseingnent a apareillier toutes manieres de viandes», хотя тогда он представлял собой не отдельное блюдо, а просто мясной отвар, использовавшийся для приготовления других блюд. Впервые бульон становится самостоятельным блюдом в кулинарной книге Франсуа Пьера де Ла Варенна, в которой приведен рецепт «Boüillon Clair» (светлого бульона)[4].

ГАЛАНТИН (galantine) — рулет, как правило, из кусочков белого мяса в мясном фарше, реже из рыбы, с добавлением яиц, специй и желе. На старофранцузском языке это блюдо называется *galentine*, и его рецепт присутствует в самой древней французской кулинарной книге «Наставление». Впрочем, первые галантины, представленные в этой книге, были не мясные, а рыбные, а именно — галантин из щуки и галантин из миноги. Рецепт галантина из щуки очень краток, поэтому приведем более пространный рецепт галантина из миноги. Впрочем, и в этом пространном рецепте, как и в большинстве средневековых рецептов, далеко не все остается ясным, и желающим приготовить по нему галантин придется додумывать недосказанное и импровизировать:

> Если вы желаете приготовить галантин из миноги, то возьмите квасной хлеб, натрите его и поставьте его вариться вместе с миногами в крови миног и хорошем белом вине таким образом, чтобы все было погружено в это вино. Положите достаточное количество перца и соли хорошего качества. Возьмите [кастрюлю] с миногами и поставьте на полотенце, чтобы охладить. Возьмите хлеб и натрите его. Полейте винным уксусом. Когда вы все это сделаете, пусть стечет через сито. Затем положите это на чистую сковородку, доведите до кипения. Помешивайте, чтобы не подгорело. Поставьте остыть. Хорошо перемешайте. Возьмите измельченные в порошок имбирь, корицу и гвоздику. Посыпьте этим ваши миноги. Положите на тарелки и подавайте[5].

ГАРНИР — такого существительного во французском языке нет, поскольку это русское изобретение — существительное, калькирующее французский глагол *garnir* (украшать). Кулинарный термин *garniture* присутствует во французских кулинарных книгах с 1825 года: сначала у Альбера, а далее и у Жюля Гуффе[6]. Этими «гарнитурами» у Гуффе являются шампиньоны, репа, белый и красный репчатый лук, картофель, брюссельская капуста, шпинат, цикорий, щавель.

ГРИЛЬЯЖ (grillage) — десерт, представляющий собой застывший сахарный сироп с измельченными жареными орехами, а также шоколадные конфеты с измельченными жареными орехами. Название происходит от французского слова *grillage* — «жарение». Грильяж как десерт появился в середине XVIII века и зафиксирован в книге Менона «Les soupers de la cour» («Придворные трапезы»). В четвертом томе он приводит рецепты грильяжа из померанцев (*grillage de bigarades*), лимонов (*grillage de citrons*), миндаля (*grillage d'amandes*), фисташек (*grillage pistaches*) и лесных орехов (*grillage d'avelines*):

> Грильяж из померанцев. Он делается из цедры апельсинов, из которых выжали сок. Цедру следует нарезать на маленькие полоски и поставить вариться в трех или четырех водах. Затем дать им стечь и положить в вареный сахар, перемешивать до получения красивого поджаренного цвета. Затем выложить их в форме макарон на медные листы, немного смазанные растительным маслом, посыпать сверху мелким сахаром и поставить сушиться в сушильную печь. Нужно положить больше сахара, чем цедры померанцев[7].

Грильяж, появившись в работе Менона, затем бесследно исчезает из французских кулинарных книг. В «Гастрономическом словаре» Александра Дюма приведен очень лаконичный рецепт *grillage de tailladins de citrons* (грильяжа из лимонных долек) — сокращенный вариант рецепта Менона[8]. Даже Пьер Лакам в труде «Le mémorial historique et géographique de la patisserie» («Исторические и географические записки о кондитерских изделиях»), посвященном истории кондитерских изделий, ничего не пишет о грильяже, лишь в одном месте упоминает *grillage d'abricot* (абрикосовый грильяж)[9].

ДЕСЕРТ (dessert) — этот французский кулинарный термин обозначает блюдо, завершающее обед, как правило, сладкое. Его название происходит от французского глагола *desservir* — «убирать со стола». Впервые термин desserte появляется в книге «Ménagier de Paris», то есть в самом конце XIV века: «Pour desserte: composte, et dragée blanche et vermeille mise par-dessus: rissoles, flaonnés, figues, dates, roisins, avelaines» («На десерт: компот, драже белое и сверху алое, слоеные пирожки, фланы, фиги, финики, виноград, орехи»)[10]. Однако в дальнейшем термин «десерт» вытесняется из французских кулинарных книг термином *entremets*, что в дословном переводе означает «между блюд». Антреме постепенно из легкого мясного блюда превратилось в блюдо сладкое. «Словарь Французской Академии» издания 1740 года дает следующее определение антреме: «ce qui se sert sur table après le rôti et avant le fruit» («то, что подается на стол после жаркого и до фруктов»)[11]. В настоящее время атреме иногда выступает синонимом десерта.

ДРАЖЕ (dragée) — мелкие конфеты округлой формы, покрытые глянцевой оболочкой. Этимология названия этих французских конфет, по-видимому, происходит от позднелатинского слова *dragantum*, происходящего, в свою очередь, от греческого *tragacantha* — трагакант, то есть камедь — наполовину высохший сок, или смола, вытекающая из некоторых деревьев. Действительно, круглые глянцевые конфеты очень напоминают эти яркие капельки смолы. Слово «драже» впервые встречается во французской кулинарной книге конца XIV века «Le Ménagier de Paris», в которой драже предлагается в качестве десерта: «dragée blanche et vermielle mise par-dessus» («белое драже, а сверху алое»)[12]. Рецепт приготовления драже появляется во французских книгах значительно позже. Первым его приводит Ла Варенн[13].

ЖЕЛЕ (gelée) — это французское блюдо сохранило первоначальное значение, оставшись заливным из мяса или рыбы, хотя в настоящее время так называют и фруктовый десерт. Подрбнее см.: Глава 2, раздел «Основное блюдо».

ЗЕФИР (zéphyr) — десерт. Он готовится путем взбивания фруктово-ягодного пюре с сахаром и яичным белком, с добавлением пектина или желатина. Во французскую кулинарию этот термин пришел из древнегреческой мифологии: произошло романтическое переосмысление имени бога Зефира, олицетворявшего западный ветер. Это был самый мягкий из ветров, посланник весны. Вначале термин *zéphyr* во французской кулинарии обозначал пирог с мясом. Рецепт такого блюда *tourtes aux zéphires de fraise de veau* (пирог с зефиром из телячьей брыжейки) приводит Менон:

> Пирог с зефиром из телячьей брыжейки. Сделайте пирог из слоеного теста, положив один раскатанный слой теста на другой. Сделайте высокий край из того же теста, сверху намажьте желтком и поставьте запекаться в печь. Когда верхний слой теста поднимется, словно пирог будет полный, он испечется, положите в него телячью брыжейку, приготовленную следующим образом: нарежьте шампиньоны и обсыпьте их сухарями, положите их на брыжейку, добавьте небольшое количество сливочного масла, петрушку, лук, зубок чеснока, залейте в качестве подливки стаканом шампанского вина, поставьте на огонь и оставьте готовиться. При необходимости уменьшите огонь. Удалите жир и нарежьте на маленькие кусочки приготовленную брыжейку, которую посыпьте солью, перцем и сбрызните лимонным соком[14].

Термин «зефир» не получил большого распространения во французской кулинарии, в отличие от термина, обозначающего родственный десерт — суфле.

КАРАМЕЛЬ (caramel) — название французской сладости, а также конфет. Происходит, по-видимому, от португальского или испанского слова *caramelo*, которое, в свою очередь, восходит к латинскому названию сахара, и, если точнее, сахарного тростника — *calamellus*, уменьшительное от слова *calamus* (тростник). На средневековой латыни название сахарного тростника — *cannamellis*[15]. Карамель получают путем уваривания сахарного сиропа. Первый французский рецепт карамели присутствует в книге Ла Варенна:

> Карамель. Варите сахар, доведя до кипения, затем снимите с огня. В мраморную или глиняную тарелку положите немного амбры

и натрите сладкого миндаля, положите в эту тарелку сверху вашу карамель, маленькими кусочками, словно засахаренные фрукты, и берите ложкой.

КАРБОНАД (carbonade) — название французского мясного блюда происходит от латинского слова *carbo* — «уголь», то есть это мясо (как правило, свинина), зажаренное на углях. Подобный кулинарный термин есть и в итальянском языке (*carbonada*), однако в русский язык термин пришел все же из французского. Во французских кулинарных книгах впервые карбонад появляется в ренессансной книге Лансело де Касто в 1552 году. Однако карбонад у него — не самостоятельное блюдо: это просто запеченное на углях мясо, причем не свинина, а баранина. Этот карбонад из баранины Лансело де Касто предлагает класть в суп из цветной капусты:

> Суп из цветной капусты. Положите в суп из цветной капусты сосиски, несколько цыплят или голубей или карбонад из баранины и немного нарезанной мяты[16].

В качестве самостоятельного блюда карбонад присутствует в кулинарной книге Ла Варенна: блюдо готовится также не из свинины, а из мяса диких голубей или другой мелкой птицы:

> Карбонад или гриллад. Возьмите дикого голубя или другую птицу, разрубите вдоль желудка, оставив его открытым, положите внутрь хлебный мякиш, в который предварительно добавьте соль и перец, а затем перемешайте. Потом поставьте это жариться на гриле, полейте соусом из винного уксуса, можно добавить лук. Можно жарить таким же образом тонкие куски сырого мяса, которые предварительно отбиты, чтобы их размягчить. Когда они достаточно поджарятся с одной стороны, нужно перевернуть

их на другую сторону. Их следует снять с огня прежде, чем они станут сухими. Можно их нашпиговать несколькими гвоздиками и немного лавровым листом прежде, чем изжарить. Это рагу можно подавать со сладким соусом»[17].

КАРТОФЕЛЬ — хотя это слово, безусловно, из немецкого языка (*Kartoffel*), в него оно пришло из французского в то время, когда, как говорилось в Главе 1, картофель во Франции назывался «трюфелем» — *tartoufle*. Выражение *pomme de terre* («земляное яблоко») для картофеля стало использоваться во Франции в XVIII веке и окончательно было закреплено в Словаре Французской академии наук, изданном в 1835 году. Николай Карамзин, путешествовавший по Европе в 1789–1790 годах и описавший свою поездку в «Письмах русского путешественника», называет картошку по-французски: «Ужин наш состоял из говядины, земляных яблок, пудинга и сыра»[18]. Но термин «земляное яблоко» не прижился в русском языке: признаем, что картофель в русской литературе был все же связан с Германией, а не с Францией. Михаил Лермонтов в стихотворении «Пир Асмодея» выразил это общее мнение:

> И вот лакей картофель подает,
> Затем что самодержец Мефистофель
> Был родом немец и любил картофель[19].

КНЕЛИ (quenelle) — французское блюдо овальной формы из рубленого мяса или рыбы, с добавлением сливок и яиц. Хотя это название пришло в русскую кулинарию из французского языка, сами французы заимствовали его из Германии, превратив *Knödel* в *quenelle*. Во французских кулинарных книгах рецепты кнели присутствуют с середины XVIII века, начиная с книги Менона, в которой представлены рецепты *quenelles de veau* (говяжьих кнелей) и *quenelles de Poularde* (куриных кнелей)[20]. А уже в веке XIX кнели становятся весьма распространенным блюдом. Приведем рецепт из кулинарной книги Альбера начала XIX века:

> Кнели. Возьмите белое мясо птицы или постное мясо говядины. Очистите от жил и кожи, нарежьте и растолките мясо. Заранее подсушите на огне хлебный мякиш, замоченный в молоке. Он должен быть достаточно сухим, чтобы не прилипать к пальцам. Добавьте этот подсушенный и уже охлажденный хлеб к растолченному мясу вместе со сливочным маслом или говяжьим выменем, которое у вас осталось от мяса говядины. Посыпьте солью и смесью растолченных специй. Растолките все это вместе, при этом добавляя сырые яйца таким образом, чтобы это ваше тесто приобрело хорошую консистенцию. Придайте ему с помощью ложки форму кнели и положите в кипящую соленую воду. После выньте кнели из воды и дайте воде стечь. Вы можете подавать кнели, чтобы гарнировать рагу, пироги или горячие паштеты[21].

Альбер также предлагает готовить суп с кнелями — *Potage aux Quenelles de Pommes-de-terre*[22].

КОМПОТ (compote) — название компота, этого десертного напитка из сваренных фруктов или ягод, пришло, несомненно, из Франции. Однако французы под компотом понимают не напиток. Для них это разновидность конфитюра: вареные или даже свежие фрукты с небольшим количеством сахарного сиропа. Что же касается истории компота, то с ним произошла трансформация, чем-то напоминающая историю с бланманже. Слово *compote* во французский язык вошло из языка латинского, в котором прилагательное *compositus* имеет значение «сложный», «составной». По-видимому, этот термин был взят из-за того, что для приготовления компота используется несколько компонентов. Впервые этот термин мы встречаем во французской кулинарной книге конца XIV века «Le Ménagier de Paris» — еще в архаичном написании *composte*. Здесь он предлагается в качестве десерта наряду с драже, слоеными пирожками, фланами, фигами, финиками и виноградом[23]. Но затем мы видим «компот» как суп — настоящий суп из нескольких компонентов: мяса, сала и специй. Так, например, у Франсуа Пьера де Ла Варенна термин *compote* — синоним *hoche-pot* («ошпо» — мясо с овощами в бульоне): «compote, ou hoche-pot»[24]. Хотя у Ла Варенна уже появляется блюдо «compote douce» — «сладкий компот», это еще не современный компот, а блюдо из голубиного мяса, запеченного с фруктами — виноградом, сливами, корицей, гвоздикой и сахаром[25]. Однако далее у Ла Варенна следует большой перечень фруктовых компотов — яблочный компот, каштановый, лимонный, апельсиновый и другие[26]. Конец XVII века — время перехода от «мясных компотов» к фруктовым. Если Массьяло в 1691 году предлагает еще *compote de pigeons* (компот из голубей), то у Жана Рибу в 1680 году уже нет «мясных компотов», а только привычные рецепты компотов из яблок, лимонов, апельсинов[27]. Знаменитый французский проповедник и писатель конца XVII — начала XVIII века епископ Франсуа Фенелон дал следующее определение термину «компот»: «Mets de dessert consistant en fruits cuits à l'eau et au sucre» («десертное блюдо, состоящее из фруктов, сваренных в воде с сахаром»). Но все же «компот из голубей» не исчез из французских кулинарных книг, и рецепты этого «компота» присутствуют в них вплоть до середины XIX века[28].

КОНСОМЕ (consommé) — крепкий осветленный бульон, который готовится на основе куриного или говяжьего бульона и, как правило, подается с пирожком или гренками. Термин *consommé* — это причастие от французского глагола *consommer*, происходящего от латинского глагола *consummare* (совершать, завершать). Так что *consommé* — это «совершенный» или «завершенный» бульон. Во французскую кулинарию термин вошел в середине XVII века: его часто использует Ла Варенн, но у него это не особый вид бульона, а *bouillon bien consommé*, то есть «хорошо сваренный бульон»[29]. Первый же рецепт консоме как особого вида бульона приводит Пьер де Лун:

> Консоме. Положите кусок баранины в глиняный горшок, вместе с каплуном и рулькой говядины. Залейте тремя пинтами воды и поставьте варить на малом огне до тех пор, пока он не уменьшится наполовину. Процедите через марлю[30].

КОНФИТЮР (confiture) — французское желеобразное фруктовое или ягодное «варенье», получаемое путем уваривания в сахарном сиропе.

КОТЛЕТА (côtelette) — французское мясное блюдо, название которого происходит от старофранцузского слова *costelette* (маленькое ребрышко), диминутива от *coste* (ребро), слова, заимствованного из латинского языка (*costa*). Название *la char des costelettes* (мясо на ребрах) во французскую кулинарию входит в конце XIV века, начиная с книги «Ménagier de Paris»[31]. У Ла Варенна *costelette* тоже еще не самостоятельное блюдо[32]. Эпоха котлет началась в середине XVIII века, и начал ее Менон, который привел множество рецептов котлет из говядины, баранины и свинины[33]. В начале XIX века уже очень обстоятельные рецепты котлет приводит Альбер[34]. В русской кулинарии в дальнейшем, как известно, значение этого термина расширилось, и появились не только рыбные, но и картофельные, свекольные и капустные котлеты. А ребро, то есть кость, в котлете исчезло. Хотя в стихотворении Анатолия Мариенгофа «Шуточные» котлета представлена еще в первоначальном, «французском» стиле, с косточкой: «Обглоданная кость котлеты / С надменностью летела в потолок…»[35]

Именно котлета с косточкой запечатлена и во французской литературе: например, в романе Виктора Гюго

«Отверженные» один из героев, Мариус, «котлеткой, которую он сам жарил, питался три дня. В первый день он съедал мясо, на другой — жир, на третий обгладывал косточку»[36].

КРЕМ (crème) — это слово имеет во французском языке два значения: «сливки» и «крем». Оба значения широко присутствуют во французских кулинарных книгах, начиная с «Le Ménagier de Paris», например *darioles de cresme* (сливочные дариоли)[37]. Дариоль — это начиненное кремом пирожное в форме усеченного конуса. У Ла Варенна термин тоже присутствует еще в архаичном написании *cresme* и используется в значении «сливки» — как ингредиент для приготовления различных блюд и соусов. Например, сливки для приготовления мяса, шампиньонов, бобов и других блюд[38]. У Венсана Ла Шапеля много десертов уже в значении «крем», но и они готовятся на основе сливок: *crème de chocolat* (шоколадный крем), *crème de thé* (чайный крем), *crème de caffé* (кофейный крем), в том числе и крем-брюле[39].

КРЕМ-БРЮЛЕ (crème brûlée) — французский десерт, название которого дословно переводится как «обожженные сливки», впервые упоминается в самом конце XVII века в кулинарной книге Массьяло[40]. У Массьяло ингредиентами десерта являлись яичные желтки, молоко и мука. Затем, сорок лет спустя, рецепты крем-брюле приводит Ла Шапель:

> «Крем-брюле. Нужно взять четыре или пять яичных желтков в зависимости от размера вашего [серебряного] блюда или тарелки. Хорошо перемешайте их в кастрюле, добавив большую щепотку муки. Понемногу добавляйте в кастрюлю молоко, примерно полштофа. Нужно положить туда палочку корицы и засахаренную цедру лимона. Для придания нежности можно смешать растолченные фисташки или горький миндаль с капелькой флёрдоранжевой воды. Нужно поставить кастрюлю на зажженную плиту и все время помешивать, постоянно следя за тем, чтобы ваш крем

не прилипал ко дну кастрюли. Когда он достаточно сварится, поставьте [серебряное] блюдо с сахарной пудрой и небольшим количеством воды, чтобы ее развести, на зажженную плиту. Когда сахар изменит цвет, вылейте ваш крем и подавайте. Если у вас нет серебряного блюда, то используйте кастрюлю[41].

КРОКЕТ (croquette) — блюдо плоской округлой формы из мясного фарша или овощей, обваленных в сухарях и обжаренных во фритюре. Его название происходит от французского глагола *croquer* — «грызть», «хрустеть». Этот термин во французскую кулинарную литературу первым ввел автор изданной в 1740 году книги «Le cuisinier gascon»[42], затем крокеты появляются у Менона, в том числе «Pieds de mouton en croquette» (крокет из бараньих ног)[43]. В начале XIX века большое разнообразие крокетов встречается у Андре Виара, в том числе из говядины и ягненка[44]. И очень широко крокеты представлены в завершающей XIX столетие книге Огюста Эскофье. У него крокеты не только из дичи и птицы, но также из риса, омаров, картофеля и другие[45].

КРУАССАН (croissant) — небольшая булочка в форме рожка, название которой происходит от французского слова «полумесяц», или, более точно, — «растущий месяц». История круассана, по-видимому, древнее, чем история багета, но столь же недостоверна. Ничего определенного не мог сказать и Жозеф Фавр в своем гастрономическом словаре «Dictionnaire universel de cuisine pratique»[46]. Единственное, в чем можно быть уверенным, — происхождение круассана каким-то образом связано с Османской империей и символом мусульманского мира — полумесяцем. Впервые термин «круассан» зафиксирован в Словаре французского языка Эмиля Литтре, изданном в 1863 году. Перечисляя двенадцать значений французского слова *croissant* (первое из которых — растущая луна или новый месяц), Литтре под номером двенадцать указал: «Petit pain ou petit gâteau qui a la forme d'un croissant» («маленький хлебец или маленькое пирожное в форме растущего месяца»)[47]. Историк кондитерских изделий и кулинар Пьер Лакам приводит очень краткий рецепт круассана, а также других кондитерских изделий, имеющих форму «растущего месяца». Он предлагает делать его из дрожжевого теста, названного в честь гастрономического философа Брийя-Саварена, которое было очень популярно на рубеже XIX–XX веков:

Круассан. Положите в форму, представляющую собой половину размера саварена, тесто саварена с изогнутыми краями, образующими полумесяц, дайте подняться тесту и запеките его, затем полейте или пропитайте ромовым сиропом[48].

ЛИМОНАД (limonade) — лимонный напиток, созданный во Франции во второй половине XVII века. Рецепт его приготовления первым привел Ла Варенн. О лимонаде подробно рассказано в Главе 2, в разделе «Освежающие напитки и минеральная вода».

МАЙОНЕЗ (mayonnaise) — название этого самого известного в России французского соуса, согласно широко распространенной версии, происходит от названия порта Маон, столицы Майорки, который был взят герцогом Луи Франсуа Ришелье в 1756 году. Тогда якобы и был впервые изготовлен этот соус. Во французском гастрономическом словаре «Larousse Gastronomique», наряду с этой гипотезой, приводится другое мнение: название *mayonnaise* произошло от старофранцузского слова *moyeu*, которое означает желток[49]. Майонез впервые во французской кулинарной литературе появляется в 1806 году в книге Андре Виара «Le Cuisinier imperial» в рецептах «Poulets en Mayonnaise» (цыплята под майонезом), «Saumon à la Mayonnaise» (лосось под майонезом)[50]. Однако самый ранний рецепт приготовления майонеза содержится в изданной в 1825 году книге Альбера «Le Cuisinier Parisien». Он приведен в Главе 2, в разделе «Соусы».

МАРИНАД (marinade) — во французском языке этот термин означает и процесс, то есть маринование, и саму субстанцию, то есть рассол, в котором оно производится. Маринование, в свою очередь, может означать консервирование и приготовление мяса или рыбы в маринаде. Термин «маринад» происходит от французского глагола *mariner*, который образован от латинского прилагательного *marinus* — «морской» (в смысле «соленый»). Главные компоненты маринада — уксус и соль, далее следуют специи, сахар, овощи, грибы и т. д. Впервые маринад встречается у Ла Варенна: «la sausse à la marinade» в рецепте *poisson à la marinade* (рыбы в маринаде)[51], но рецепт маринада Ла Варенн не приводит. Первым это делает Пьер де Лун[52]. У Менона есть *côtelettes de veau marinées* (котлеты из маринованной говядины) и *poulets marinés* (маринованные цыплята)[53]. Рецепты маринада в начале XIX века присутствуют в книгах у Андре Виара в 1806 году[54] и у Альбера в 1825 году:

> Маринад. Смешайте пополам винный уксус и белое вино, добавьте бульон, соль, крупный перец и специи. Увеличивайте или уменьшайте пропорцию винного уксуса в зависимости от вида мяса, которое вы хотите мариновать. Вы можете добавить лимонный сок или заменить его винным уксусом. Можно также заменить его вержусом. Чтобы сделать вареный маринад, положите пассероваться в кастрюлю с растопленным сливочным маслом морковь, две нарезанные луковицы и букэ гарни (набор пряных трав). Когда это запассеруется, добавьте щепотку муки, а затем полстакана винного уксуса и стакан бульона, соль, крупный перец и специи. Варите на малом огне в течение получаса. Процедите через сито[55].

МАРМЕЛАД (marmelade) — хотя французами этот термин был заимствован из португальского языка — «marmelada» (варенье из айвы), — в русский язык мармелад все же пришел из французского. Лансело де Касто, который первым из французских кулинаров использует этот термин, дает его написание как malmelad, так и marmalade[56]. Затем рецепты мармелада приводит в своей кулинарной книге и Ла Варенн[57].

МУСС (mousse) — французское существительное *mousse* (пена) образовано от глагола *mousser* — «пениться». Поэтому во французском языке слово *mousse* имеет несколько значений: пена шампанского и пена пива, разновидность пате, например, *mousse de foie de canard* (мусс из утиной печени), а также мусс в смысле десерта. Термин «мусс» появляется у Ла Варенна, но еще не представляет собой отдельного блюда — например, deux blancs d'œufs reduits en mousse (два яичных белка, превращенных в мусс)[58]. В 1755 году Менон посвящает муссам, уже как настоящим десертам, целый раздел. У него приведены рецепты муссов: *mousse de chocolat* (шоколадный мусс), *mousse à la crème* (сливочный мусс), *mousse de caffé* (кофейный мусс), *mousse de safran* (шафранный мусс)[59].

НАПОЛЕОН — торта с названием в честь великого императора французов во французской кулинарии нет. Слоеный торт, на каждый тонкий лист теста которого нанесен слой крема, называется во Франции *mille-feuille*, что в переводе означает «тысяча листьев». В настоящее время «мильфёй» — это торт, сделанный из трех слоев слоеного теста, между которыми расположены два слоя сладкого крема, проготовленного из муки, яиц, сахара и молока. Верхний слой пирожного может быть покрыт сахарной пудрой. Впервые рецепты слоеного теста (paste feüilletée) и торта, приготовленного из этого теста (gasteau fueilleté), присутствуют в книге Ла Варенна:

Раскатайте слоеное тесто на нежирной бумаге. Придайте этому тесту толщину, примерно равную толщине пальца, или обрежьте это тесто вокруг ножом, чтобы придать ровную форму торта. Смажьте тесто сверху желтком и поставьте в печь. Когда торт запечется, то, погасив огонь, оставьте его еще в печи доходить примерно на час[60].

Однако торт с названием *gateau mille feuilles à Napolitaine* (торт мильфёй по-неаполитански) появляется только спустя два века, у Мари-Антуана Карема[61]. По-видимому, написание с заглавной буквы, как принято во французском языке, «по-неаполитански», стало причиной дальнейшего смешения этого названия с именем великого императора французов — Наполеоном.

ОМЛЕТ (omelette) — это французское блюдо готовится исключительно из яиц, которые перемешиваются и зажариваются на сковороде. В России же, как правило, в омлет добавляют молоко. Слово «омлет» (*homelaicte*) встречается в романе Франсуа Рабле «Гаргантюа и Пантагрюэль»[62]. Там «омлет» предстает как некий шуточный символ единения мужчины и женщины: «L'un appelloit une sienna mon homelaicte, elle le nommoit mon oeuf. Et estoient alliez comme une homelaicte d'oeufz» («Он называл свою подружку „мой омлет", она называла его — „мое яйцо"; и будут они оба едины, как омлет из яиц»)[63]. В начале XX века Огюст Эскофье дает весьма ригористическое определение омлета: «En somme, qu'est-ce qu'une omelette? Des oeufs brouillés d'un genre spéciale enfermés dans une enveloppe d'oeufs coagulés, et rien autre chose» («В итоге, что такое омлет? Яйца, приготовленные особым способом, покрытые свернувшимся белком, и более ничего»)[64]. Этимология слова «омлет» недостаточно ясная, даже спорная. Согласно одной гипотезе, оно происходит от латинского слова «ovum» (яйцо) и производного от него слова во французском языке — «oeuf».

Согласно другой гипотезе, омлет происходит от французского слова «âme» (душа) — то есть то, что находится внутри яйца. Наиболее распространенной версией является мнение, что омлет происходит от слова «lamelle» (тонкая пластинка) — потому что он плоский. Впервые анализ гипотез происхождения этого кулинарного термина приведен в изданном в Париже в 1694 году этимологическом словаре «Dictionaire étymologique ou Origines de la langue Françoise», в котором указано, что слова *amelette* и *omelette* являются синонимами[65]. Первый рецепт омлета, в написании «alumelle», приведен в конце XIV века в книге «Ménagier de Paris»:

> Омлет, поджаренный с сахаром. Удалите белки яиц и перемешайте желтки, затем добавьте сахар, вылейте на сковороду, после того, как они поджарятся, выложите на тарелку, посыпьте сахаром[66].

В кулинарной книге Ла Варенна омлетам уже посвящена целая глава, в которой приведены рецепты различных омлетов: с салом, с яблоком, со сливками, с петрушкой, с сыром и даже с рыбой[67]. А в начале XIX века Альбер предлагает сладкие омлеты: с конфитюрами и сахарной пудрой[68]. Владимир Филимонов в поэме «Обед» упоминает «omelette de Chantilly»[69].

ОРАНЖАД — французский прохладительный напиток из апельсина, подобный лимонаду. Но, в отличие от лимонада, он появился значительно раньше, в конце XIV века, рецепт его приготовления приводит автор книги «Le Ménagier de Paris», о чем более подробно рассказано в Главе 2, в разделе «Освежающие напитки и минеральная вода».

ПАШТЕТ (paté) — пате, см.: Глава 2, раздел «Антре».

ПЛОМБИР (plombières) — французские кондитеры Пьер Лакам и Антуан Шарабо в книге, изданной в конце XIX века, пишут, что название этого мороженого произошло от формы, в которой оно изготавливалось и которая называлась *plombière*, а затем стала называться *sorbetière*. Это название форма получила от металла, из которого была сделана, — олова и свинца (*plomb*)[70]. Такую этимологию подтверждает и Фавр в своем «Dictionnaire universel de cuisine pratique» («Всеобщем словаре практической кулинарии»)[71]. Оноре де Бальзак в романе «Splendeurs et misères des courtisanes» («Блеск и нищета куртизанок»), изданном в 1844 году, видимо, первым во французской литературе написал о пломбире:

> В конце ужина подали мороженое, так называемый *пломбир*. Все знают, что этот сорт мороженого содержит мелкие, засахаренные плоды, чрезвычайно нежные, расположенные на поверхности мороженого, которое подается в бокале и не притязает на пирамидальную форму. Это мороженое было заказано… у Тортони, знаменитое заведение которого находится на углу улицы Тетбу и бульвара[72].

ПРОФИТРОЛИ (profiterole) — небольшие кулинарные изделия из теста с различными начинками, которые могут быть как сладкими, так и несладкими: заварной крем, грибы, мясо и так далее. Профитроли были созданы в XVII веке, и первый их рецепт зафиксирован в книге «Le Cuisinier» Пьера де Луна, который предложил рецепт *potage ou profitrolles* (суп с профитролями)[73]. Сладкие профитроли появляются в XIX веке, Жюль Гуффе предлагает шоколадные, кофейные и клубничные профитроли[74].

ПУЛЯРКА, пулярда (poularde) — откормленная зерном и молочными продуктами жирная курица, которая не откладывала яйца. Французское слово происходит от латинского *pullus* — «цыпленок», женский род — *pulla*. Пулярда вызывает восхищение Владимира Филимонова, о чем свидетельствуют строки из его поэмы «Обед»: сначала она у него с «*соусом швейцарским*»[75], а затем не просто пулярда, а «пулярда бресская»:

> Вот гостья милая, честь пира,
> Вся округлевшая от жира
> Пулярда брестская[76].

Речь идет не о городе Брест, расположенном на самом западе Франции, а об исторической Брeсской области в Бургундии (в настоящее время это департаменты Эн, Саон-э-Луар и Жюра). Эта пулярда — «пулард а лестрагон» — присутствует и в главном гастрономическом диалоге романа «Анна Каренина»[77].

ПЮРЕ (purée) — в настоящее время это, как правило, не самостоятельное блюдо, а гарнир из протертых или размятых овощей или десерт из протертых фруктов. Французское название *purée* происходит от латинского глагола *purare*, во французском языке *purifier* означает «очищать». От этого глагола происходит и французское прилагательное *pur* («чистый»). Смысл таков: нужно размять овощи, чтобы получить чистую мякоть. Термин «пюре» во французских кулинарных книгах встречается в XV веке в книге «Du fait de cuysine» мэтра Шикара. Кулинар предлагает рецепт *une puree verde pour maladies* (зеленого пюре для больных), которое готовится из протертых шпината и петрушки[78]. У Ла Варенна есть рецепт супа-пюре — *potage aux pois, ou purée* (гороховый суп или пюре)[79]. А в начале XIX века в книге Альбера пюре уже отведен целый раздел[80].

РАГУ (ragoût) — французское блюдо из кусочков тушеного мяса, рыбы, птицы, овощей или грибов, как правило, в густом соусе. Ла Варенн первый во французской кулинарии ввел гастрономический термин — *ragoût*, который происходит от старофранцузского глагола *ragoûter* — «усиливать вкус». В 1668 году Ла Варенн даже издал книгу «Школа рагу, или Шедевр повара, кондитера и конфитюрье» («L'École des ragoûts ou le Chef-d'oeuvre du cuisinier, du patissier et du confiturier»), которая, в целом, повторяет рецепты его предыдущих книг. Но, как ни странно, в этой книге нет ни одного рецепта с названием «рагу». Термин «рагу» (в старофранцузском написании — *ragoust*) у Ла Варенна встречается один раз в его главном сочинении «Le Cuisinier François» в рецепте блюда под названием *carbonade ou grillade* (карбонад или гриллад). Это зажаренные с луком кусочки мелкой птицы. В заключение этого рецепта автор пишет: «on peut servir ce ragoust avec une sausse douce» — «можно сервировать это рагу со сладким соусом»[81]. Тем не менее термин «рагу» стремительно вошел во французскую кулинарию и встречается уже в книге современника Ла Варенна — Пьера де Луна, который его широко использует, начиная от *cerf en ragoust* (рагу из оленя) до *ragoust d'huistres* (рагу из устриц). Рецепты рагу у де Луна встречаются на протяжении всей книги[82]. Рагу занимает видное место во французской кулинарии и далее, вплоть до начала XX века присутствуя во всех кулинарных книгах, включая работу Огюста Эскофье.

РУЛЕТ (roulette) — кулинарное изделие в виде скрученного пласта теста, мяса или другого продукта, с начинкой и без, происходит от французского глагола *rouler* — «свертывать». Но во Франции это изделие называется *roulade*[83], а *roulette* — это «колесико». Впрочем, термин *roulette* один раз использовал Ла Варенн[84] в рецепте омлета и дважды Эскофье («à la roulette»)[85].

САЛАТ (salade) — если в русской традиции салат представляет собой закуску, то согласно ритуалу французского обеда салат, состоящий из свежих трав, как правило, с винным соусом подают после главного блюда для «оптимизации пищеварения». Французский термин *salade* происходит от латинского причастия прошедшего времени от глагола *salare* (солить): блюдо *herba salata* (соленые травы) было распространено в Римской империи. Из латинского происходит и схожее по звучанию итальянское название блюда — *insalata*, однако все же в русский язык вошло именно французское название. Особое распространение салаты во французской кулинарии получают в XVII веке, как это видно в книге Ла Варенна, в которой салатам посвящена целая глава[86]. При этом салаты во Франции стали популярны значительно раньше. Так, например, французский писатель позднего Средневековья Антуан де Ла Саль между 1450 и 1456 годами написал педагогический трактат, в котором, в том числе, описал требования, предъявляемые к рыцарю. Он назвал свой трактат «La Salade» («Салат»), объяснив такое неординарное название тем, что «в салат кладут много хороших трав», а у него в книге, по-видимому, много хороших рассказов[87].

СИРОП (sirop) — концентрированный сахарный раствор во фруктовом или ягодном соке. Французы позаимствовали его название из арабского языка, в котором он называется «шараб». Сироп, так же, как и сахар, завоевали для Европы крестоносцы. У Ла Варенна много рецептов «освежающих сиропов»[88], далее рецепты сиропов встречаются в начале XVIII века в книге Франсуа Массьяло, посвященной конфитюрам, ликёрам и фруктам[89].

СОСИСКИ (saucisses) — это французское название происходит от латинского прилагательного «salsus» — «соленый» и на старофранцузском языке писалось в более близком к исходному латинскому слову виде — «saulsisse». Во французской кулинарии сосиски появляются уже в эпоху Средневековья в книге «Le Ménagier de Paris», в которой приведен рецепт первой французской сосиски 1393 года:

> Чтобы сделать сосиски. Когда вы забили вашего поросенка, возьмите мясо с ребер, сначала с места, которое называется «филе», а после с другого места ребер, и самое лучшее сало, примерно

в равных частях, в количестве в зависимости от того, сколько вы хотите сделать сосисок. Затем все это тщательно мелко нарежьте и разделите с помощью кондитерской формы. Затем растолките укроп с небольшим количеством мелкой соли, после чего соберите ваш растолченный укроп и очень хорошо перемешайте с четвертью порошка изысканных специй. Затем хорошо перемешайте ваше мясо, ваши специи и ваш укроп, после чего наполните нарезанные кишки, и помните, чтобы они были небольшие. И знайте, что кишки старой свиньи лучше, чем молодой, так как они более толстые. После этого поставьте на четыре дня их коптиться, или даже больше. Когда вы захотите их кушать, положите их в горячую воду и вскипятите в одной воде, затем положите их на гриль[90].

В самом начале XVII века Лансело де Касто, помимо самостоятельного блюда, предлагает также использовать сосиски в качестве ингредиента супов, например, в «Potages de choux floris» (суп из цветной капусты):

> Положите в суп из цветной капусты сосиски, несколько цыплят или голубей, или карбонад из баранины и немного нарезанной мяты[91].

СОУС (sauce) — французское *sauce* восходит к латинскому прилагательному *salsus* — «соленый». Соусы сопровождают французскую кулинарию с самых истоков и встречаются уже в первой французской кулинарной книге «Enseignemenz qui enseingnent a apareillier toutes manieres de viandes», на старофранцузском языке — «savor» или «sause». О расцвете французских соусов, который начался в XVIII веке, и их разнообразии рассказывается в Главе 2 в разделе «Соусы».

СУП (soupe) — это самое знакомое русскому человеку блюдо с французским названием впервые появляется в кулинарной книге Гийома Тиреля, где предлагается рецепт супа с горчицей. Вот так выглядит рецепт «первого супа»:

> Суп с горчицей. Возьмите очищенные от скорлупы сваренные в растительном масле вкрутую яйца, затем возьмите то же растительное масло, вино, воду и поджаренный на растительном масле лук. Доведите все это до кипения. Возьмите куски поджаренного на гриле хлеба. Потом нарежьте хлеб на маленькие квадратные кусочки и положите их тоже вариться. Потом снимите с огня и процедите ваш суп. Затем вылейте суп в блюдо. Положите горчицы в ваш бульон и варите. Пусть закипит. Затем разложите ваш суп по тарелкам и полейте бульоном[92].

В дальнейшем рецепты супов встречаются во всех французских кулинарных книгах. Наиболее известные французские супы описаны в Главе 2 в разделе «Супы».

СУФЛЕ (soufflé) — изысканный французский десерт, название которого на русский язык переводится как «дуновение». Главные компоненты суфле — яичные желтки с различными ингредиентами, к которым добавляют взбитые яичные белки, придающие десерту «воздушность». Запеченное суфле имеет тонкую корочку и сливочную начинку. Впервые термин *soufflé* засвидетельствован в кулинарной книге «Cuisinier moderne» Венсана Ла Шапеля (1735). У него суфле — это один из видов омлета, *omelette souflée*[93]. В начале XIX века суфле еще не пирожное, а блюдо из птицы и дичи, как видно из книги Антуана Бовилье[94], но уже благодаря его ученику Мари-Антуану Карему, а также Андре Виару суфле становится популярным десертом[95].

ФИЛЕ (filet) — на французском языке означает «ниточка». С XIV века эта «ниточка» получила во французском языке значение «кусочек мяса», то есть «вырезка». Таким образом «ниточка» превратилась в тонкий кусочек мяса. Термин «филе» появляется в средневековой французской книге «Le Ménagier de Paris», он присутствует и в приведенном выше рецепте приготовления сосисок. В середине XVII века *filet de boeuf* (филе говядины) присутствует в книге Пьера де Луна[96], а затем Менон предлагает огромный перечень филе: *filet de boeuf aux anchois* (филе говядины с анчоусами), *filet de boeuf à l'Italienne* (филе говядины по-итальянски), *filet de boeuf à la Gendarme* (филе говядины а-ля жандарм) и многие другие[97].

ФЛАН (flan) — десерт, открытый пирог из песочного или бисквитного теста с мягкой кремовой начинкой, на старофранцузском языке — *flaon*. Название десерта происходит, вероятно, от старофранцузского *flado* — «плоский пирог». С этим десертом тоже произошло превращение: до того, как в XVIII веке флан превратился в пирожное, в Средние века он был блюдом из рыбы[98]. В XVII веке у Ла Варенна флан — это сырный пирог (*tarte au fromage, au Flan*)[99]. А уже в XIX веке Жюль Гуффе приводит множество рецептов фланов-десертов: *flan de pommes* (яблочный флан), *flan d'abricots* (абрикосовый флан), *flan de prunes* (сливовый флан), *flan de poires* (грушевый флан), *flan à la religieuse au chocolat* (флан а-ля монахиня с шоколадом), *flan russe* (русский флан)[100]. Вот рецепт этого последнего:

> Сделайте из неаполитанского теста корж шириной 20 сантиметров и толщиной 8 миллиметров; выложите на него слой абрикосового мармелада толщиной один сантиметр, отступая два сантиметра от края коржа. Запеките. Дайте остыть и покройте слоем теста для меринги толщиной 3 сантиметра. Посыпьте сахаром и поставьте в духовку, чтобы подрумянился.

ФЛЁРДОРАНЖ (fleur d'oranger), флёрдоранжевая вода, см.: Глава 2, раздел «Приправы».

ФРИКАСЕ (fricassée) — см.: Глава 2, раздел «Основное блюдо».

ФРИТЮР (friture) — во французском языке существительное *friture* имеет значение «поджаривание» и «топленый жир», и происходит оно от глагола *frire* (жарить). Фритюр присутствует уже в первой французской кулинарной книге «Наставление» в написании «frissure»[101], но уже у Тиреля приобретает современное написание[102]. Хотя 12 декабря 1557 года Лансло де Касто для торжественного банкета по случаю интронизации князя-архиепископа Льежского Роберта Бергского приготовил с таким названием два десерта — *Friture bugnole* и *Friture de seringe*[103], он, к сожалению, не привел их рецепты, а больше таких десертов в истории не было, поэтому затруднительно определить, что они из себя представляли. По-видимому, *bugnole* происходит от итальянского слова *bugnola* — «корзиночка»; как мы уже отмечали, в эпоху Возрождения во французскую кулинарию входит много итальянских терминов. Что же касается термина *seringe*, то это старофранцузский термин — «трубочка», от латинского слова *syrinx*, «тростник».

ШАРЛОТКА (charlotte) — французское яблочное пирожное или пирог. В гастрономической литературе часто встречается мнение, что рецепт шарлотки придумал Мари-Антуан Карем и назвал его в честь единственной дочери английского короля Георга IV — принцессы Шарлотты (по другой версии — королевы Шарлотты, жены английского короля Георга III). Однако книга Карема, «Le maitre d'hotel français: ou parallèle de la cuisine ancienne et moderne» («Французский метрдотель, или Сопоставление древней и современной кухни»), в которой содержится рецепт шарлотки, вышла в свет в 1822 году[104], а еще задолго до него Андре Виар в своей кулинарной книге «Le Cuisinier imperial», изданной в 1806 году, привел рецепт шарлотки, который, по-видимому, и представляет собой первый рецепт этого пирожного:

Яблочная шарлотка. Очистите кожуру и удалите сердцевину большого количества яблок, а затем нарежьте их на мелкие кусочки. Насыпьте достаточно сахара и немного порошка корицы. Когда они превратятся в мармелад, поставьте на огонь и уварите так, чтобы не оставалось жидкости, оставьте остынуть. Нарежьте хлебный мякиш на очень тонкие и одинаковые по толщине кусочки, погрузите их в растопленное сливочное масло и симметрично разложите их в форме для выпекания пирожных, затем добавьте яблочного мармелада. Сделайте отверстие в середине пирожного, чтобы туда положить абрикосовый мармелад, накройте шарлотку хлебным мякишем, размоченным в растопленном сливочном масле. Поставьте в горячую печь или раскаленную докрасна золу. Закройте кастрюлю крышкой, поставьте на огонь. Иначе: нарежьте яблоки тонкими кусочками, положите их в кастрюлю с сахарной пудрой, порошком корицы и поставьте на четверть часа на огонь. Когда они расплавятся, положите их на сито, а когда они немного остынут, положите слой яблок, слой абрикосового мармелада, чтобы форма для выпечки была наполнена, поставьте запекаться шарлотку и переверните ее на тарелку перед тем, как подавать[105].

ЭКЛЕР (éclair) — см.: Глава 2, раздел «Десерты».

ЭСКАЛОП (escalope) — французское блюдо, представляющее собой тонкий кусок мяса, который предварительно отбивается, а затем обжаривается. Этимология этого термина точно не установлена. Высказывалась гипотеза, что он происходит от старофранцузского слова «escalope» — «раковина улитки», зафиксированного в стихотворном житии «La vie sainte Elysabel» («Житие святой Елизаветы») средневекового французского поэта Рютбёфа:

> La limace gete son cors
> De l'escalope toute fors
> Par le biau tens, més par la pluie
> Rentre enz quant ele li anuie.

Улитка сбрасывает свой панцирь
Раковины изо всех сил
В хорошую погоду, но в дождь,
Когда она раздета, она возвращается в него[106].

Термин «эскалоп» (*veau à l'escalope*) появляется в 1691 году в книге Франсуа Массьяло. Автор пишет: «Plusieurs appellent cette sorte de Fricandeaux, du Veau à l'escalope» («Многие называют этот вид фрикандо „телятина а л'эскалоп"»)[107]. Телячий фрикандо, название которого, вероятно, происходит от латинского глагола *frigere* (жарить), готовят из задней части теленка. Спустя пятьдесят лет Менон приводит рецепты эскалопов не только из телятины, но и из баранины и молодой крольчатины[108].

ЗАКЛЮЧЕНИЕ

Французская гастрономическая культура формировалась на протяжении двух тысячелетий. Вначале робкая и подражательная, она, тем не менее, имела прочный фундамент в гастрономической культуре Римской империи, в состав которой некогда входила Галлия — будущая Франция. После Великого переселения народов и наступления Средневековья Франция стала одной из первых европейских стран, в которых были созданы кулинарные книги. Книги — запечатленное и фиксированное знание — являются также и непременным условием трансляции этого знания последующим поколениям. Поэтому непрерывная традиция французской кулинарной литературы во многом определила лидерство Франции в этой области. Средневековые кулинарные книги с очень краткими и незатейливыми рецептами уже в XVII веке превращаются в целые кулинарные трактаты. В следующем, XVIII веке блюда французской кухни господствуют на столах всех европейских монархов. В XIX веке французская кулинария не только получает свое классическое оформление, Гримо де Ла Реньер и Брийя-Саварен начинают философски осмысливать гастрономическую культуру и закладывают основы истории гастрономии.

Французская культура приходит в Россию в начале XVIII века и безраздельно царит в русской культуре на протяжении всего столетия. Однако в XIX веке ее начинают понемногу оттеснять другие европейские культуры. Английские денди отодвигают французских кавалеров, а благодаря немецкой философии, а затем и естественным наукам Германия занимает все большее место в жизни русской интеллигенции — хотя владение французским языком остается, безусловно, по-прежнему непременным условием принадлежности к образованному обществу. Что же касается гастрономии, то Франция в этой области удерживала лидирующее положение и на протяжении всего XIX века. Поэтому неудивительно, что русский кулинарно-гастрономический словарь стал очень французским. Русские даже превзошли самих французов, дав французские названия блюдам, которые на французском языке называются совершенно иначе.

Французская гастрономическая культура стала не только достоянием меню русских ресторанов, но и прочно вошла в русскую литературу. Из русских писателей наиболее чуткими к гастрономической культуре были два столпа нашей литературы — Александр Пушкин и Лев Толстой.

Пушкин возражал критикам, упрекавшим его в «занижении» стиля:

> И, кстати, я замечу в скобках,
> Что речь веду в моих строфах
> Я столь же часто о пирах,
> Как ты, божественный Омир,
> Ты тридцати веков кумир!

«Божественный» Гомер действительно с наслаждением истинного гурмана описывает в «Илиаде» многочисленные пиршества своих героев, которые всегда благоговейно и благочестиво начинают свою трапезу с обращения молитв к бессмертным олимпийским богам.

ЗАКЛЮЧЕНИЕ

Даже в подчеркнуто романтизированных произведениях, например в «Алых парусах» Александра Грина, перед нами предстает сакрализация «таинства кулинарии»: «В суровом молчании, как жрецы, двигались повара, их белые колпаки на фоне почерневших стен придавали работе характер торжественного служения…». Но, конечно, кулинарная тематика нашла отражение прежде всего на страницах писателей и поэтов-реалистов, причем демократического направления — таких как Некрасов. С другой стороны, этой тематике не был чужд и «мистически настроенный» Достоевский. Как ни странно, Тургенев, аристократ и гурман, не уделял в своей прозе большого внимания гастрономии. Зато Антон Чехов предоставил много материала для этой книги.

БИБЛИОГРАФИЯ

Источники
Французские кулинарные книги VI–XIX веков
Средние века

Anthimus. De observatione ciborum

Анфим. Послание о вкусной и здоровой пище / пер. Н. С. Горелова // Горелов Н. С. Закуска для короля, румяна для королевы. СПб., 2008.

Epistula Anthimi viri illustris comitis et legatarii ad gloriossimum Theodericum regem Francorum (de observatione ciborum) / ed. V. Rose // Anecdota Graeca. Vol. 2. Berlin, 1870,

Anthimi de observatione ciborum Epistula ad Theodericum regem Francorum / ed. V. Rose. Leipzig, 1877.

Anthimus. Anthimi De observatione ciborum ad Theodoricum regem Francorum epistula, iteratis curis edidit et in linguam Germanicam transtulit Eduard Liechtenhan. Leipzig; Berlin, 1928. Переиздание: Berlin, 1963 (Corpus medicorum Latinorum 8, 1).

Anthimus. Anthimi epistulae de observatione ciborum ad Theodoricum regem Francorum Concordantiae / ed. P. Paolucci. Hildesheim, 2003.

Anthimus. On the Observance of Foods / Ed. M. Grant M. Blackawton, 1996, новое издание: 2007.

Libellus de arte coquinaria

Libellus de arte coquinaria: an Early Northern Cookery Book / ed. by R. Grewe, C. B. Hieatt. Tempe, AZ, 2001.

Enseignemenz qui enseingnent a apareillier toutes manieres de viandes

Наставление о том, как приготовить всякую снедь / пер. Н. С. Горелова // Горелов Н. С. Указ. соч.

Enseignemenz qui enseingnent a apareillier toutes manieres de viandes. // Un petit traité de cuisine écrit en français au commencement du XIVe siècle /

éd. par L.-Cl. Douët-d'Arcq // Bibliothèque de l'École des Chartes. 5ᵉ série. Vol. 1. Paris, 1860.

Enseignemenz qui enseignent a apareillier toutes manieres de viandes. // Traité de cuisine écrit vers 1300 // Le Viandier de Guillaume Tirel dit Taillevent / éd. par J. Pichon, G. Vicaire. Paris, 1892.

Enseignemenz qui enseignent a apareillier toutes manieres de viandes // La bataille de Caresme et de Charnage / éd. par G. Lozinski. Paris, 1933.

Les Enseignements qui apprennent à préparer toutes sortes de plats. Recettes de cuisine du XIVe siècle / éd. par J.-F. Kosta-Théfaine. Clermont-Ferrand, 2010.

Guillaume Tirel dit Taillevent

Снедь Таллевана. Кулинарная книга Гийома Тиреля, королевского повара [фрагменты] / пер. Н. С. Горелова // Горелов Н. С. Указ. соч.

Le Viandier de Guillaume Tirel dit Taillevent / éd. par J. Pichon et G. Vicaire. Paris, 1892.

The Viandier of Taillevent. An Edition of all Extant Manuscripts / ed. by T. Scully. Ottawa, 1988.

Le Viandier de Guillaume Tirel dit Taillevent / éd. par P. Aebischer. Lille, 1991.

The Vivendier. A Fifteenth-Century French Culinary Manuscript (Kassel, Gesamthochschul Bibliothek Kassel, 4 MS med. 1, ff 154r–164v.) / ed. by T. Scully. Totnes (Devon), 1997.

Le Ménagier de Paris

Парижский домохозяин [фрагменты] / пер. Н. С. Горелова // Горелов Н. С. Указ. соч.

Le Ménagier de Paris. Traité de morale et d'économie domestique composé vers 1393 par un Parisien pour l'éducation de sa femme. / éd. par J. Pichon. Paris, 1847.

Le Ménagier de Paris. Traité de morale et d'économie domestique, composé en 1393 par un bourgeois parisien / préface de P. Gaxotte. Paris, 1961.

Hieatt C. B., Butler S. Pain, vin et venaison: un livre de cuisine médiévale / trad., adapté par B. Thaon, Montréal, 1977.

Le Mesnagier de Paris / éd. par G. E. Brereton, J. M. Ferrier. Paris, 1994.

Le vivendier

Le vivendier de Kessel / éd. par B. Laurioux // Le Règne de Taillevent. Livres et pratiques culinaires à la fin du Moyen Âge. Paris, 1997.

Le Vivendier / éd. par. J.-F. Kosta-Théfaine. Clermont-Ferrand, 2009.

Recueil de Riom

Le recueil de Riom et la manière de henter soutillement, un livre de cuisine et un réceptaire sur les greffes du XVe siècle / éd. par C. Lambert. Montréal, 1987.

Le Recueil de Riom. Recettes de cuisine du XVe siècle (1466) // éd., trad. par J.-Fr. Kosta-Théfaine. Clermont-Ferrand, 2009.

Maître Chiquart
Du fait de cuisine par maistre Chiquart / éd. par T. Scully // Vallesia. 1985. XL.
Du fait de cuisine. On Cookery of Master Chiquart (1420) / ed. by T. Scully. Tempe, AZ, 2010.

Эпоха Возрождения
Michel Nostradamus
Le Traité des confitures de Nostradamus / éd. par J.-M. Deveau. La Rochelle, 2006.
Les Recettes de Nostradamus — Recettes culinaires et secrets de beauté / éd. par J.-L. Degaudenzi, J. Losfield. Paris, 1999.
Michel Nostradamus. Le vray et parfaict embellissement de la face suivi de la Seconde partie, contenant la façon et manière de faire toutes confitures liquides tant en succre, miel, qu'en vin cuit. Lyon, 1552.
Nostradamus. De confitures / éd. par F. Guérin. Paris, 1981.
Nostradamus. Manière de faire toutes confitures / éd. par C. Schmidt. Paris, 2001.
Nostradamus. Le Traité des Confitures / éd., trad. par J.-Fr. Kosta-Théfaine. Paris, 2010.

Lancelot de Casteau
Lancelot de Casteau. Ouverture de cuisine. Paris, 1604.
Ouverture de Cuisine par Lancelot de Casteau / prés. du livre par H. Liebaers, transl. en français moderne et glossaire par L. Moulin, comment. gastronomiques par J. Kother. Anvers-Bruxelles, 1983.

Новое время
François Pierre de La Varenne
La Varenne F. P. de. Le cuisinier françois, Paris, 1651 (Paris, 1680).
La Varenne F. P. de. Le Pâtissier françois. Paris, 1653.
La Varenne F. P. de. Le Parfaict Confiturier. Paris, 1664.
La Varenne F. P. de. L'École des ragoûts. Lyon, 1668.
La Varenne's Cookery: François Pierre, Sieur de La Varenne, The French Cook, The French Pastry Chef, The French Confectioner. A Modern English Translation and Commentary / ed. by T. Scully. Totnes (Devon), 2006.

Nicolas de Bonnefons
Nicolas de Bonnefons. Délices de la Campagne. Paris, 1655.

ИСТОЧНИКИ

Pierre de Lune
Pierre de Lune. Le Cuisinier. Paris, 1656.
Pierre de Lune. Le Nouveau et Parfait Cuisinier. Paris, 1660.

Jean Ribou
Ribou J. L'Ecole parfaite des officiers de bouche. Paris, 1680 (Paris, 1713).

François Massialot
Massialot Fr. Cuisinier royal et bourgeois. Paris, 1691 (Paris, 1693).
Massialot Fr. Le Nouveau Cuisinier royal et bourgeois. Paris, 1698 (Paris, 1712).
Massialot Fr. Nouvelle instruction pour les confitures, les liqueurs, et les fruits. Paris, 1712.
Massialot Fr. The court and country cook. London, 1702.

Vincent La Chapelle
La Chapelle V. Le Cuisinier moderne. La Hate, 1735.

Le Cuisinier Gascon
Le Cuisinier Gascon. Amsterdam, 1740.
Le Cuisinier Gascon: Nouv. édition, à laquelle on a joint la Lettre du Patissier Anglois. Amsterdam, 1747.

Menon
Menon. Nouveau Traité de la Cuisine. Paris, 1739.
Menon. La Nouvelle Cuisine. Paris, 1742.
Menon. Les Soupers de la Cour, ou L'art de travailler toutes sortes d'alimens. Paris, 1755.
Menon. La Science du Maître d'hôtel, confiseur. Paris, 1750.
Menon. Traité historique et pratique de la Cuisine. Paris, 1758.
Menon. La Cuisinière bourgeoise. Paris, 1746.

La Cuisinière républicaine
La Cuisinière républicaine. Paris, l'An III de la République (1794).

XIX век

André Viard
Viard A. Le Cuisiner impérial. Paris, 1806.
Viard A. Le Cuisinier royal. Paris, 1817.
Viard A. Le Cuisinier national. Paris, 1852.
Viard A. Le Cuisiner impérial. Paris, 1864.

Antoine Beauvilliers
Beauvilliers A. L'art du cuisinier. Paris, 1814.

Alexandre Grimod de La Reynière
Гримо де Ла Реньер А. Альманах гурманов / пер. с фр., вступ. ст., примеч. В. А. Мильчиной. М., 2014.
Almanach des Gourmands, servant de guide dans les moyens de faire excellente chère; par un vieil amateur. Paris, 1803–1810.
Grimod de La Reynière A. Manuel des amphitryons. Paris, 1808.
Grimod de La Reynière A. Néo-physiologie du gout par ordre alhabétique, ou Dictionnaire genéràl de la cuisine française ancienne et moderne. Paris, 1839.

Jean Anthelme Brillat-Savarin
Брийя-Саварен А. Физиология вкуса, сочинение Брилья-Саварена, переведенное на немецкий язык и дополненное Карлом Фогтом // Лаврентьева Е. В. Культура застолья XIX века: Пушкинская пора. М., 1999.
Brillat-Savarin J. A. Physiologie du Goût, ou Méditations de Gastronomie Transcendante. Paris, 1839.

B. Albert
Albert B. Le Cuisinier Parisien; ou, Manuel complet d'économie domestique. Paris, 1825.

Marie-Antoine Carême
Карем А. Искусство Французской кухни / пер. с фр. Т. Т. Учителева. СПб., 1866–1867.
Carême M.-A. Le Pâtissier Royal Parisien. Paris, 1815.
Carême M.-A. Le Pâtissier pittoresque. Paris, 1815.
Carême M.-A. Le maitre d'hotel français, ou Parallèle de la cuisine ancienne et moderne. Paris, 1822.
Carême M.-A. Le Cuisinier Parisien. Paris, 1828.
Carême M.-A. L'Art de la Cuisine Française au 19-me siècle. Paris, 1833–1834.
Carême A. Beauvilliers. La Cuisine ordinaire. Paris, 1848.

Jules Gouffé
Gouffé J. Le Livre de Cuisine. Paris, 1867 (Paris, 1877).
Gouffé J. Le Livre de Pâtisserie. Paris, 1873.

Alexandre Dumas
Дюма А. Большой кулинарный словарь / пер. с фр. Г. П. Мирошниченко. М., 2007.
Dumas A. Le Grand Dictionnaire de Cuisine. Paris, 1873.

Joseph Favre

Favre J. Dictionnaire universel de cuisine pratique. Paris, 1889–1891, 4 t.

Pierre Lacam

Lacam P., Charabot A. Le Glacier classique et artistique en France et en Italie, Paris, 1893.

Lacam P. Le mémorial historique et géographique de la pâtisserie: contenant 2800 recettes de pâtisserie, glaces & liqueurs. Paris, 1900.

Auguste Escoffier

Эскофье О. Кулинарный путеводитель: рецепты от короля французской кухни / пер. с фр. М. В. Орьевой. М., 2005.

Escoffier A. Mémoires d'un cuisinier de l'Armée du Rhin. Paris, 1883.

Escoffier A. Le Traité sur l'art de travailler les fleurs en cire. Paris, 1886.

Escoffier A. Le Guide Culinaire. Paris, 1903.

Escoffier A. Projet d'assistance mutuelle pour l'extinction du paupérisme. Paris, 1910.

Escoffier A. Le Livre des Menus. Paris, 1912.

Escoffier A. L'Aide-Mémoire culinaire. Paris, 1919.

Escoffier A. La Vie à bon marché. La morue. Paris, 1929.

Escoffier A. Ma Cuisine. Paris, 1934.

Escoffier A. Souvenirs culinaires. Paris, 2011.

Античные и средневековые источники

Авсоний. Стихотворения / пер., вступ. ст., комм. М. Л. Гаспарова. М., 1993.

Апиций [фрагменты De re coquinaria] / пер. Н. С. Горелова // Горелов Н. С. Указ. соч.

Афиней. Пир мудрецов: в 2 т. / пер. с древнегреч. Н. Т. Голинкевича. М., 2003–2010.

Винидарий. Выписки из Апиция, сделанные Винидарием, достопочтенным мужем / пер. Н. С. Горелова // Горелов Н. С. Указ. соч.

Рубрук Гильом де. Путешествие в восточные страны / пер. А. И. Малеина. М., 1957.

Гомер. Илиада / пер. Н. И. Гнедича, ст., прим. А. И. Зайцева. М., 1990.

Гомер. Одиссея / пер. В. А. Жуковского, ст., прим. В. Н. Ярхо. М., 2002.

Григорий Турский. История франков / пер., комм. В. Савуковой. М., 1987.

Тит Ливий. История Рима от основания города: В 3 т. / пер. под ред. М. Л. Гаспарова, Г. С. Кнабе, В. М. Смирина. М., 1989–1993.

Рабле Ф. Гаргантюа и Пантагрюэль / пер. Н. М. Любимова. М., 1973.

Эйнхард. Жизнь Карла Великого. / пер. М. С. Петровой // Историки эпохи Каролингов. М., 2000.

Alcuini Albini Carmina / ed. E. Dümmler. // Monumenta Germaniae Historica. Poetae latini aevi Carolini. Berlin, 1881.

Anonimo Toscano. Libro della cocina / ed. E. Faccioli // Arte della cucina. Milano, 1966. Vol. I.

Apicii decem libri qui dicuntur De re coquinaria / ed. M. E. Milham. Lipsia, 1969.

Apicius. A critical edition with an introduction and an English translation. N. Y., 2006.

Apici excerpta a Vinidario. Die Apizius-Exzerpte im codex Salmasianus / Hg. von M. Ihm // Archiv für lateinische Lexicographie und Grammatik. München, 1908.

Capitulare de villis // Kapitularien / Hg. von R. Schneider. Göttingen, 1968.

Estienne Ch. Vinetum, in quo varia vitium, uvarum, vinorum antiqua Latina, vulgariaque nomina. Parisiis, 1537.

Gace de La Buigne. Le roman des deduis / éd. par Å. Blomqvist. Stockholm; Paris, 1951.

Gregorius Turonensis. Historia Francorum // Gregorii Turonensi Opera omnia / ed. W. Arndt, Br. Crush // Monumenta Germaniae Historica. Scriptores Rerum Merovingicarum. Hannoverae, 1884. T. 1.

Gregorius Turonensis. De gloria beatorum confessorum // Patrologia Latina. T. 71.

Guillaume de la Villeneuve. Les Crieries de Paris // Proverbes et dictons populaires avec les dits du mercier et de marchands et les crieries de Paris aux XIII et XIV siècles. Paris, 1831.

Henricus Dacus (Henrik Harpestreng). De simplicibus medicinis laxativis. / Hg., komm. von J. W. S. Johnsson. // Janus. 1917. 22.

Hincmarus. Vita Remigii episcopi Remensis // Monumenta Germaniae Historica. Scriptores Rerum Merovigicarum. Hannoverae, 1896. T. 3.

Iustinus Iunianus. Historiarum Philippicarum Epitoma / ed. Iustus Ieep. Lipsiae, 1859.

Jean de Joinville. Histoire de S. Louys IX, du nom roy de France. Paris, 1668.

Libellus De Arte Coquinaria [Ms. Royal Irish Academy 23D 43] / ed. by Henning Larsen // An Old Icelandic Medical Miscellany. 1931.

Libellus de arte coquinaria: an Early Northern Cookery Book. / ed. by R. Grewe, C. B. Hieatt. Tempe, AZ, 2001.

Mulon M. Deux traité sine dits d'artculinaire medieval // Bulletin philologique et historique. 1968. Vol. 1.

Palmarius. Iuliani Palmarii De vino et pomaceo libri duo. Parisiis, 1588.

Pantaleo de Confluentia. Summa laticiniorum. Taurini, 1477.

Plinius Secundus. Naturalis Historia. Vol. II: Libri VII–XV / ed. L. Jan, C. Mayhoff. Leipzig, 1909.

Rabelais Fr. Les Cinq Livres // éd. par Paul Lacroix, variantes et glossaire par P. Chéron. Paris, 1884–1885.

Rutebeuf. Œuvres complètes de Rutebeuf // éd. par E. Faral et J. Bastin. Paris, 1959–1960.

Seneca. L. Annaei Senecae Opera / ed. F. Haase. Lipsiae, 1874. Vol. 1.

Villon Fr. Oeuvres. Moscou, 1984.

Wace. The Hagiographical Works: The Conception Nostre Dame and the Lives of St Margaret and St Nicholas. Leiden, 2013.

Watriquet de Couvin. Dits de Watriquet de Couvin / éd. par A. Scheler. Bruxelles, 1868.

Willemus de Rubruk. Itenerarium // Recueil de voyages et de mémoires. Paris, 1839.

Moréri Louis. Le Grand Dictionnaire Historique. Paris, 1759. T. 2.

Dictionnaire des aliments, vins et liqueurs. Paris, 1750.

Зарубежная литература XVIII–XX веков

Берхгольц Ф. В. фон. Дневник гольштейнского камер-юнкера Фридриха Вильгельма фон Берхгольца. Ч. 1: 1721 год, июнь. М., 1858.

Верн Ж. Собрание сочинений: в 8 т. М., 1985.

Гёте И. В. Собрание сочинений: в 10 т. М., 1976.

Готье Т. Путешествие в Россию. М., 1988.

Гюго В. Собрание сочинениий в шести томах. М., 1988.

Мопассан Ги де. Полное собрание сочинений: в 12 т. М., 1958.

Ремарк Эрих Мария. Триумфальная арка / пер. с нем. И. Шрайбера, Б. Кремнёва. М., 1982.

Русская литература XVIII — начала XX века

Агнивцев Н. Я. Блистательный Санкт-Петербург. Сборник стихотворений. Берлин, 1923.

Амфитеатров А. В. Девятидесятники. Санкт-Петербург, 1910, 2 т.

Андреев Л. Н. Рассказы и повести. М., 1980.

Анненков Ю. П. Дневник моих встреч. Цикл трагедий. Л., 1991, 2 т.

Анненский И. Ф. Стихотворения и трагедии. Л., 1990.

Апухтин А. Н. Сочинения. СПб., 1900.

Ахматова А. А. Лирика. М., 1989.

Бальмонт К. Д. Стихотворения. Л., 1969.

Баратынский Е. А. Полное собрание стихотворений в двух томах. Л., 1936.

Батюшков К. Н. Стихотворения. М., 1977.

Белый А. Серебряный голубь. М., 1990.

Белый А. Стихотворения и поэмы: в 2 т. СПб., 2006.

Блок А. А. Собрание сочинений: в 8 т. М.; Л., 1960.
Боборыкин П. Д. Сочинения: в 3 т. М., 1993.
Боборыкин П. Д. Китай-Город. СПб.; М., 1883.
Брюсов В. Я. Избранные произведения: в 3 т. М.; Л., 1926, 3 т.
Булгаков М. А. Мастер и Маргарита. М., 1989.
Бутурлин М. Д. Записки графа М. Д. Бутурлина. М., 2006.
Бунин И. А. Собрание сочинений: в 6 т. М., 1987–1988.
Бурлюк Д. Д., Бурлюк Н. Д. Стихотворения. СПб., 2002.
Веневитинов Д. В. Полное собрание сочинений. М.; Л., 1934.
Вересаев В. В. Невыдуманные рассказы. Тула, 1979.
Встречи с прошлым. М., 1985–1988.
Вяземский П. А. Стихотворения. Л., 1958.
Гарин-Михайловский Н. Г. Студенты. Инженеры. М., 1983.
Гаршин В. М. Сочинения. М., 1955.
Герцен А. И. Былое и думы. М., 1978.
Гиляровский В. А. Сочинения: в 4 т. М., 1989.
Глинка Ф. Н. Сочинения. М., 1986.
Гнедич П. П. Книга жизни. Воспоминания. 1855–1918. М., 2000.
Гоголь Н. В. Полное собрание сочинений. СПб., 1901.
Гоголь Н. В. Собрание сочинений: в 7 т. М., 1984–1986.
Гончаров И. А. Очерки. Статьи. Письма. Воспоминания современников. М., 1986.
Гончаров И. А. Обломов. СПб., 1993.
Городецкий С. М. Стихотворения и поэмы. Л., 1974.
Горький М. Собрание сочинений: в 30 т. М., 1949–1955.
Горький М. Собрание сочинений: в 8 т. М., 1987–1990.
Греков Н. П. Стихотворения. М., 1860.
Грин А. С. Новеллы. М., 1984.
Грибоедов А. С. Избранное. М., 1978.
Гумилев Н. С. Стихотворения и поэмы. Л., 1988.
Давыдов Д. В. Стихотворения. М., 1832.
Дельвиг А. А. Сочинения. Л., 1986.
Державин Г. Р. Сочинения: в 9 т. / под ред. Я. Грота. СПб., 1865–1883.
Державин Г. Р. Стихотворения. Л., 1957.
Державин Г. Р. Избранная проза. М., 1984.
Державин Г. Р. Стихотворения. Петрозаводск, 1984.
Дмитриев И. И. Сочинения. М., 1986.
Достоевский Ф. М. Полное собрание сочинений. СПб., 1894.
Достоевский Ф. М. Собрание сочинений: в 10 т. М., 1956–1958.
Достоевский Ф. М. Полное собрание сочинений: в 30 т. Л., 1972–1990.

ИСТОЧНИКИ

Друзья Пушкина. М., 1986.
Есенин С. А. Собрание сочинений в трех томах. М., 1970.
Есенин в воспоминаниях современников. М., 1986.
Жадовская Ю. В. В стороне от большого света. Отсталая. М., 1993.
Жемчужников А. М. Избранные произведения. М., 1963.
Жуковский В. А. Полное собрание сочинений: в 12 т. СПб., 1902.
Зайцев Б. К. Голубая звезда. М., 1989.
Ильф И., Петров Е. Собрание сочинений в пяти томах. М., 1961.
Капнист В. В. Избранные произведения. Л., 1973.
Карамзин Н. М. Письма русского путешественника. М., 1982.
Ковалевский В. Душа деянием жива. СПб., 1999.
Козлов И., Подолинский А. Стихотворения. Л., 1936.
Кольцов А. В. Стихотворения. М., 1979.
Короленко В. Г. Собрание сочинений: в 6 т. М., 1971.
Красов В. И. Сочинения. Архангельск, 1982.
Кручёных А. Е. Стихотворения. Поэмы. Романы. Опера. СПб., 2001.
Куприн А. И. Листригоны. Симферополь, 1975.
Куприн А. И. Собрание сочинений: в 5 т. М., 1982.
Курочкин В. С. Стихотворения. Статьи. Фельетоны. Москва, 1957.
Кюхельбекер В. К. Сочинения: в 2 т. Л., 1939.
Лажечников И. И. Последний Новик. М., 1983.
Лермонтов М. Ю. Собрание сочинений: в 4 т. М., 1969.
Лесков Н. С. Собрание сочинений: в 11 т. М., 1956–1959.
Лившиц Б. К. Полутораглазый стрелец: Стихотворения, переводы, воспоминания. Л., 1989.
Майков А. Н. Сочинения: в 2 т. М., 1984.
Мамин-Сибиряк Д. Н. Повести. Рассказы. Очерки. М., 1975.
Мандельштам О. Э. Камень. М., 1990.
Мандельштам О. Э. Собрание сочинений: в 4 т. М., 1993–1994.
Мариенгоф А. Б. Собрание сочинений: в 3 т. М., 2013.
Маяковский В. В. Сочинения: в 2 т. М., 1987.
Мей Л. А. Избранные произведения. Л., 1972.
Мельников П. И. На горах. М., 1988.
Мережковский Д. С. Собрание сочинений: в 4 т. М., 1990.
Мерзляков А. Ф. Стихотворения. Л., 1958.
Михневич В. О. Петербург весь на ладони. СПб., 1874.
Михневич В. О. Наши знакомые. СПб., 1884.
Мятлев И. П. Полное собрание сочинений: в 2 т. СПб., 1857.
Надсон С. Я. Полное собрание стихотворений. Л., 1962.
Некрасов Н. А. Полное собрание сочинений и писем: в 15 т. Л., 1981–1985.

Огарёв Н. П. Стихотворения и поэмы. Л., 1961.
Олимпов К. Жонглеры-нервы. СПб., 1913.
Павлова К. К. Полное собрание сочинений. М., 1964.
Панаев И. И. Повести. Очерки. М., 1986.
Панаева А. Я. Воспоминания. М., 1972.
Пастернак Б. Л. Стихотворения и поэмы. М., 1990.
Полежаев А. И. Стихотворения и поэмы. Л., 1987.
Полонский Я. П. Лирика. Проза. М., 1984.
Поэты XVIII века: в 2 т. Л., 1972.
Поэты 1820–1830-х годов: в 2 т. Л., 1972.
Поэты 1860-х годов. Л., 1968.
Поэты «Искры»: в 2 т. Л., 1987.
Поэты кружка Станкевича. Л., 1964.
Пушкин А. С. Полное собрание сочинений: в 10 т. Л., 1977–1979.
Пущин И. И. Записки о Пушкине. Письма. М., 1989.
Радищев А. Н. Полное собрание сочинений: в 3 т. М.; Л., 1938–1952.
Ростопчина Е. П. Талисман. Избранная лирика. М., 1987.
Русская литература XVIII века. М., 1979.
Русская поэзия середины XIX века. М., 1985.
Рылеев К. Ф. Думы. М., 1975.
Северянин И. Сочинения: в 5 т. СПб., 1995–1996.
Салтыков-Щедрин М. Е. Собрание сочинений: в 20 т. М., 1965–1977.
Случевский К. К. Стихотворения. Поэмы. Проза. М., 2015.
Соллогуб В. А. Повести. Воспоминания. Ленинград, 1983.
Сологуб Ф. К. Стихотворения. Л., 1975.
Сумароков А. П. Избранные произведения. Л., 1957.
Толстой А. К. Собрание сочинений: в 4 т. М., 1980.
Толстой А. Н. Собрание сочинений: в 10 т. М., 1982.
Толстой Л. Н. Собрание сочинений: в 22 т. М., 1978–1985.
Трубецкой В. С. Мемуары. М., 1991.
Тургенев И. С. Полное собрание сочинений: в 12 т. СПб., 1898.
Тургенев И. С. Полное собрание сочинений и писем: в 30 т. М., 1978–2018.
Тютчев Ф. И. Сочинения: в 2 т. М., 1980.
Успенский Н. В. Издалека и вблизи. М., 1986.
Федоров-Омулевский И. В. Проза и публицистика. М., 1986.
Фет А. А. Соловьиное эхо. Тула, 1978.
Фет А. А. Сочинения в двух томах. М., 1982.
Фет А. А. Мои воспоминания. М., 1890.
Филимонов В. С. Обед. Поэма. СПб., 1837.

Филимонов В. С. «Я не в Аркадии — в Москве рожден...» Поэмы. Стихотворения. Басни. Переводы. М., 1988.
Фонвизин Д. И. Собрание сочинений в двух томах. М.; Л., 1959.
Фофанов К. М. Стихотворения и поэмы. Л., 1962.
Ходасевич В. Ф. Собрание стихов. М., 1992.
Хомяков А. С. Стихотворения и драмы. Л., 1969.
Цветаева М. И. Стихотворения и поэмы. Л., 1990.
Черный С. Избранная проза. М., 1991.
Черный С. Собрание сочинений: в 5 т. М., 1996.
Чехов А. П. Полное собрание сочинений и писем: в 30 т. М., 1974–1984.
Шишков В. Я. Собрание сочинений: в 8 т. М., 1983.
Эренбург И. Г. Собрание сочинений: в 9 т. М., 1962–1967.
Языков Н. М. Стихотворения. СПб., 1831.
Языков Н. М. Новые стихотворения. М., 1845.
Якушкин П. И. Сочинения. М., 1986.

Исследования

Бакстер Дж. Франция в свое удовольствие. В поисках утраченных вкусов. М., 2015.
Бейкер Ф. Абсент. М., 2002.
Бройтман Л. И., Краснова Е. И. Большая Морская улица. М., 2005.
Вайль П., Генис А. Русская кухня в изгнании. М., 2013.
Вострышев М. Московские обыватели. М., 2003.
Встречи с Прошлым. 1988. № 6.
Выскочков Л. В. Шампанское в культуре Петербурга в XIX — начале XX века // Петербург в мировой культуре: сб. ст. СПб., 2005.
Гнедич П. П. Книга жизни. Воспоминания. 1855–1918. М., 2000.
Горелов Н. С. Закуска для короля, румяна для королевы. СПб., 2008.
Демиденко Ю. Рестораны, трактиры, чайные. Из истории общественного питания в Петербурге XVIII — начала XX века. М., 2011.
Джонсон Х. История вина. М., 2004.
Забозлаева Т. Б. Шампанское в русской культуре XVIII–XX веков. СПб., 2007.
Задворный В. Л. Застолье с Дон Кихотом // Simple Wine News. 2011. № 4 (53).
Задворный В. Л. Колыбель французских вин. // Simple Wine News. 2011. № 5 (54).
Задворный В. Токайского! // Simple Wine News. 2011. № 8 (57).
Задворный В. Л. Бургундия и Пьемонт у истоков // Simple Wine News. 2011. № 7 (56).

Задворный В., Лупандин И. Италия: история гастрономии от Лукулла до наших дней. М., 2014.

Задворный В., Лупандин И. Ars coquinaria. Гастрономия католического Средневековья. М., 2019.

Засосов Д. А., Пызин В. И. Повседневная жизнь Петербурга на рубеже XIX–XX веков. М., 2003.

Иванов А. А. Истории и легенды старого Петербурга. М., 2019.

Клэдстрап Д., Клэдстрап П. Шампанское. История праздничного напитка. Москва, 2008.

Ковалевский В. Душа деянием жива. СПб., 1999.

Конечный А. М. Былой Петербург. М., 2021.

Кунин В. Друзья Пушкина: в 2 т. М., 1986.

Лаврентьева Е. В. Культура застолья XIX века: пушкинская пора. М., 1999.

Лебек С. Происхождение франков. V–IX века. М., 1993.

Лермонтов в воспоминаниях современников / сост., подг. текста, комм. М. Гиллельсона, О. Миллер. М., 1989.

Лурье Л. Град обреченный. Петербург накануне революции. СПб., 2017.

Манкевич И. Чехов и «окрестности». Повседневность, литература, повседневность. СПб., 2018.

Мулен Л. Повседневная жизнь средневековых монахов Западной Европы (X–XV вв.). М., 2002.

Набоков В. В. Комментарии к «Евгению Онегину» Александра Пушкина. М., 1999.

Набоков В. В. Лекции по русской литературе. М., 1996.

Пономарев Е. Столичный ресторан как феномен русской жизни fin de siècle (от Тургенева, Достоевского и Толстого к Куприну и Бунину) // Новое литературное обозрение. 2018. № 1 (149).

Похлебкин В. Кулинарный словарь. М., 2015.

Пушкарев И. И. Николаевский Петербург. СПб., 2000.

Пушкин и его современники. Вып. XXXVIII–XXXIX. Л., 1930.

Пыляев М. И. Забытое прошлое окрестностей Петербурга. СПб., 1889.

Раевская М. Король репортеров. Найдены неизвестные статьи Владимира Гиляровского из «Вечерней Москвы» // Вечерняя Москва. 8 декабря 2015.

Резанов В. К вопросу о влиянии Вольтера на Пушкина // Пушкин и его современники. Пг., 1923. Вып. 36.

Руга В. Э., Кокорев А. О. Москва повседневная: очерки городской жизни начала XX века. М., 2015.

Русский Архив. 1903. № 1.

Adams J. N. The Regional Diversification of Latin 200 BC — AD 600. Cambridge, 2007.

Ariès P. Une histoire politique de l'alimentation: Du paléolithique à nos jours. Paris, 2016.

Barbier A.-A. Dictionnaire des ouvrages anonymes et pseudonymes. Paris, 1872. Vol. 1.
Bonal F. Le livre d'or du Champagne. Paris, 1984.
Bonnet J.-Cl. Les manuels de cuisine // Dix-Huitième Siècle, An. 1983. P. 53–63.
Cabouret B. D'Apicius à la table des rois «barbares» // Dialogues d'histoire ancienne. 2012. Supplement 7.
Cochet P. Ch. M. Notes historiques sur la Brie ancienne: ses terres, ses villages, ses monnaies, sa vie, ses moeures et ses coutumes. Melun, 1933.
Deroux C. Anthime, un médecin gourmet du début des temps mérovingiens. // Revue belge de philology et d'histoire. 2002. Vol. 80. № 4.
Diesbach G. de. La comtesse de Ségur née Rostopchine. Paris, 1999.
Drouard A. Les Français et la table: alimentation, cuisine, gastronomie du Moyen Âge à nos jour. Paris, 2005.
Forgeot P. Origines du vignoble bourguignon. Paris, 1972.
Gall M. Le maître des saveurs: La vie d'Auguste Escoffier. Paris, 2001.
Gandilhon R. Un amateur de vin de Champagne, l'abbé Bignon, bibliothécaire du roi // Bibliothèque de l'École des chartes Année 1983.
Gauffre Fayolle N. Mieux connaître les carrières et les fonctions du personnel des cuisines princières. Le cuisinier Maître Chiquart à la cour de Savoie sous Amédée VIII (1391–1439). // Food and History. 2014. Vol. 12. № 3.
Gay V. Glossaire archéologique du moyen âge et de la Renaissance. Paris, 1929.
Girard A. Le triomphe de "la cuisinière bourgeoise". Livres culinaires, cuisine et société en France aux XVIIe et XVIIIe siècles // Revue d'Histoire Moderne & Contemporaine. 1977. Vol. 24. № 4.
Godefroy F. Lexique de l'ancien français. Paris, 1901.
Goldstein D. Russia, Carême, and the Culinary Arts // The Slavonic and East European Review. Oct. 1995.
Grewe R. An Early XIII Century Northern-European Cookbook. Current Research in Culinary History: Sources, Topics and methods. Cambridge, Mass., 1986.
Histoire de l'alimentation. / dir. par J.-L. Flandrin, M. Montanari. Paris, 1996.
Labarte J. Histoire des arts industrielles au Moyen âge et à l'époque de la Renaissance. Paris, 1875.
Lafon B. Le Verjus du Périgord ou Le grand cuisinier: La cuisine au verjus du Moyen âge à nos jours. Sadirac (Bordeaux), 2005.
Larousse Gastronomique. Paris, 1997.
Laurioux B. Cuisiner à l'Antique: Apicius au Moyen Age. // Médiévales. 1994. № 26.
Lauriou B. Le Règne de Taillevent. Livres et pratiques culinaires à la fin du Moyen age Paris, 1997.
Legrand d'Aussy P. J.-B. Histoire de la vie privée des Français depuis l'origine de la nation jusqu'à nos jours. Paris, 1782. T. 2.
Littré E. Dictionnaire de la langue française. Paris, 1873–1877. T. 2.

Lutun A. Chateauneuf-du-Pape. Paris, 2001.
Nora P., Revel J. Le discours gastronimique français des origines à nos jours. Paris, 1998.
Perrier L. Mémoire sur le vin de Champagne. Paris, 1865.
Pinkard S. A Revolution in Taste: The Rise of French Cuisine 1650–1800. N. Y., 2009.
Pitte J.-R. Gastronomie française: Histoire et géographie d'une passion. Paris, 1991.
Plouvier L. L'Europe se met à table. Bruxelles, 2000.
Plouvier L., Dierkens A. Festins mérovingiens. Bruxelles, 2008.
Rambourg P. De la cuisine à la gastronomie: Histoire de la table française. Paris, 2005.
Rambourg P. Entre le cuit et le cru. La cuisine de l'uître, en France, de la fin du Moyen âge au XX-e siècle // La nourriture de la mer, de la criée à l'assiettte / éd. par E. Ridel, E. Barré, A. Zysberg. Caen, 2007.
Rambourg P. Histoire de la cuisine et de la gastronomie françaises, Paris, 2010.
Redon O., Sabban Fr., Serventi S. The Medieval Kitchen. Recipes from France and Italy. Chicago, 2000.
Říhová M. Uno sconosciuto: Reimbotus Eberhardi de Castro e il suo «Regimen ad Karolum». Bollettino dell'Istituto Storico Ceco di Roma (2000).
Rigaud P. L., comte de Vaudreuil. Tableau des Moeures Française. Paris, 1825. T. 3.
Roquefort B. de. Dictionnaire étymologique de la langue françoise. Paris, 1829.
Scully T. The Art of Cookery in the Middle Ages. Woodbridge, Suffolk, 1995.
Scully T. L'arte della cucina nel medioevo. Casale Monferrato, 1997.
Sender S. G., Derrien M. La grande histoire de la pâtisserie-confiserie française. Genève, 2003.
Toussaint-Samat M. Histoire de la cuisine bourgeoise: Du Moyen Âge à nos jours, Paris, 2001.
Vicaire G. Bibliographie Gastronomique. Paris, 1890 (Paris, 1993).
Villeneuve G. de, Dulaud J. Antelme Brillat-Savarin: 1755–1826. Ambérieu-en-Bugey, 1952.
Vitaux J. Le dessous des plats: Chroniques gourmandes. Paris, 2013.
Wheaton B. K. Savoring the Past: The French Kitchen and Table from 1300 to 1789. N. Y., 1996.

ПРИМЕЧАНИЯ

Глава 1. С чего все началось. Французские кулинарные книги VI–XIX веков

[1] *Афиней*. Пир мудрецов / пер. с древнегреч. Н. Т. Голинкевича. М., 2003. С. 366.

[2] *Plinius Secundus*. Naturalis Historia. Liber IX, 66: «M. Apicius, ad omne luxus ingenium natus».

[3] *Seneca*. De consolatione ad Helviam matrem. X, 8 // L. Annaei Senecae Opera / ed. F. Haase. Lipsiae, 1874. Vol. 1. P. 248: «Apicius... scientiam popinae professus disciplina sua saeculum infecit».

[4] Apicii decem libri qui dicuntur De re coquinaria / ed. M. E. Milham. Lipsia, 1969.

[5] *Laurioux B.* Cuisiner à l'Antique: Apicius au Moyen Age // Médiévales. 1994. № 26. P. 23.

[6] *Ihm M.* Die Apizius-Exzerpte im codex Salmasianus // Archiv für lateinische Lexicographie und Grammatik, München, 1908. P. 63–73. Новое исследование и издание «Апициевского корпуса», в состав которого входят «Apici decem libri de re coquinaria» и «Apici excerpta a Vinidario», осуществлено американскими исследователями Кристофером Грокуком и Селли Грейнджером: Grocock, Christopher; Grainger, Sally. Apicius. A critical edition with an introduction and an English translation. N. Y., 2006. P. 309–325.

[7] *Deroux C.* Anthime, un médecin gourmet du débu des temps mérovingiens // Revue belge de philology et d'histoire. Vol. 80. № 4 (2002). P. 1107–1124.

[8] Epistula Anthimi viri illustris comitis et legatarii ad gloriossimum Theodericum regem Francorum (De observatione ciborum) / ed. Valentin Rose // Anecdota graeca. Vol. 2. Berlin, 1870. P. 65–98. Отдельное издание: Leipzig, 1877.

[9] *Горелов Н. С.* Закуска для короля, румяна для королевы. СПб., 2008. С. 107–120. Николай Горелов не успел закончить свою замечательную и новаторскую в русской историографии книгу из-за преждевременной кончины. Издательство опубликовало те материалы, которые он успел написать. Поэтому переводы текстов кулинарных книг остались без комментариев, а сами переводы иногда нуждаются в редактировании, подчас очень существенном.

[10] De observatione ciborum, 14.

[11] Reichenau glosses, 116a.

[12] *Adams J. N.* The Regional Diversification of Latin 200 BC — AD 600. Cambridge, 2007. P. 333.

[13] De observatione ciborum, 15 // Anthimi De observatione ciborum ad Theodoricum regem Francorum epistula, iteratis curis edidit et in linguam Germanicam transtulit Eduard Liechtenhan. Berlin, 1963. P. 10. (Рус. пер. наш.— *В. З.*)

[14] Об истории вержуса во Франции см.: *Lafon B.* Le Verjus du Périgord ou Le grand cuisinier: La cuisine au verjus du Moyen âge à nos jours. Sadirac (Bordeaux), 2005.

[15] Enseignemenz qui enseingnent a apareillier toutes manieres de viandes, 183 // La bataille de Caresme et de Charnage / éd. par G. Lozinski. Paris, 1933. P. 186.

[16] «Onque ne but cidre ni vin» — «Он не пил ни сидра, ни вина», здесь речь идет об Иоанне Крестителе. Wace. The Hagiographical Works: The Conception Nostre Dame and the Lives of St Margaret and St Nicholas. Leiden, 2013. P. 108.

[17] Capitulare de villis, 45. Этот «Капитулярий о поместьях», изданный Карлом Великим около 800 года, который представляет собой инструкцию для управляющих поместьями. В «Капитулярии» содержались указания по ведению сельского хозяйства, изготовлению продуктов, вина и других напитков.

[18] *Rabelais F.* Gargantua et Pantagruel. Cinquesme Livre, XXIX // *Rabelais F.* Les cinq livres de F. Rabelais. Livre V / éd. P. Chéron. Paris, 1877. P. 125. В переводе Николая Любимова «постная пища»: *Рабле Ф.* Гаргантюа и Пантагрюэль / пер. с фр. Н. Любимова. М., 1973. С. 675.

[19] *Villon F.* Testament, CXLI, 1413–1417 // *Villon F.* Oeuvres. М., 1984. P. 202.

[20] Le ménagier de Paris. Traité de morale et d'économie domestique composé vers 1393 par un Parisien pour l'éducation de sa femme / éd. par Jérôme Pichon. Paris, 1847.

[21] Le Ménagier de Paris. Traité de morale et d'économie domestique, composé en 1393 par un bourgeois parisien / préf. de Pierre Gaxotte. Paris, 1961; Le Mesnagier de Paris / éd. par G. E. Brereton, J. M. Ferrier. Paris, 1994; *Hieatt C. B.*, *Butler S.* Pain, vin et venaison: un livre de cuisine médiévale / trad. et ad. en français par B. Thaon. Montréal, 1977; пер. на русский фрагментов этой книги: *Горелов Н. С.* Указ. соч. С. 173–189.

[22] Le Ménagier de Paris. Paris, 1847. T. 2. P. 92.

[23] Du fait de cuisine par maistre Chiquart / éd. par T. Scully // Vallesia. 1985. XL. P. 101–231; Du fait de cuisine. Traité de gastronomie medieval de maître Chiquart / éd. par F. Bouas, F. Vivas. Arles, 2008; Du fait de cuisine. On Cookery of Master Chiquart (1420) / transl. by T. Scully. Tempe, AZ, 2010.

[24] Le Vivendier de Kessel / éd. par Bruno Laurioux // Le Règne de Taillevent. Livres et pratiques culinaires à la fin du Moyen Âge. Paris, 1997; Le Vivendier / éd. par J.-F. Kosta-Théfaine. Clermont-Ferrand, 2009.

[25] Le Vivendier de Kessel, annexes.

[26] *Задворный В.*, *Лупандин И.* Ars coquinaria. Гастрономия католического Средневековья. М., 2019. С. 164–189.

[27] *Guillelmus Tyrensis.* Historia rerum in partibus transmarinis gestarum, XIII, 3 // Patrologia Latina. T. 201. Col. 551; см: *Du Cange C.* Glossarium mediae et infimae latinitatis. Paris, 1883. Vol. 2. P. 71.

[28] *Задворный В., Лупандин И.* Гастрономия Италии. От Лукулла до наших дней. М., 2014. С. 119–124.

[29] *Nostradamus M.* Le vray et parfaict embellissement de la face suivi de la Seconde partie, contenant la façon et manière de faire toutes confitures liquides tant en succre, miel, qu'en vin cuit. Lyon, 1552.

[30] *Nostradamus.* De confitures / éd. par F. Guérin. Paris, 1981; Les Recettes de Nostradamus — Recettes culinaires et secrets de beauté / ed. par J.-L. Degaudenzi, J. Losfield. Paris, 1999; Nostradamus. Manière de faire toutes confitures / ed. par C. Schmidt. Paris, 2001; Le Traité des confitures de Nostradamus / éd. par J.-M. Deveau. La Rochelle, 2006; Nostradamus. Le Traité des Confitures / éd., trad. par J.-F. Kosta-Théfaine. Paris, 2010.

[31] На русском языке кулинарные интересы и некоторые рецепты Мишеля Нострадамуса рассмотрены в статье: *Делиринс Г.* Гони, пророк, варенье! // Огонек. № 11 (5089), 27 июля — 2 августа 2009.

[32] *Casteau L. de.* Ouverture de cuisine. Paris, 1604.

[33] Ibid. P. 81.

[34] *Bonnefons N. de.* Délices de la Campagne. Paris, 1655. P. 111: «Des topinambours, ou pomme de terre».

[35] *Lémery L.* Traité des aliments. Paris, 1755. T. 1. P. 449: «Et topinambours sont appelles des poires de terre, parce qu'ils naissent dans la terre, attachés aux branches de la racine qui les porte».

[36] Dictionnaire de l'Académie Française. Sixième édition. Paris, 1835. T. 2. P. 454.

[37] *Albert B.* Le Cuisinier Parisien. Paris, 1838. P. 22.

[38] *Задворный В. Л.* Застолье с Дон Кихотом // Simple Wine News. 2011. № 4 (53). С. 74–77.

[39] *Casteau L. de.* Op. cit. P. 108: «le faictes bien boullir vn pater noster».

[40] Ibid. P. 98–99, 92–93.

[41] *La Varenne F. P. de.* Le Cuisinier François. Paris, 1651.

[42] *Louis M.* Le Grand Dictionnaire Historique. Paris, 1759. T. 2. P. 508–509.

[43] *La Varenne F. P. de.* Le Cuisinier François. Paris, 1680. P. 234.

[44] *La Varenne F. P. de.* Le Pâtissier François. Paris, 1653.

[45] *La Varenne F. P. de.* Le Parfaict Confiturier. Paris, 1664.

[46] *La Varenne F. P. de.* L'École des Ragoûts. Lyon, 1668.

[47] *Lune P. de.* Le Cuisinier. Paris, 1656.

[48] *Bonnefons N. de.* Op. cit.

[49] *Ribou J.* L'Ecole parfaite des officiers de bouche. Paris, 1680.

[50] *Massialot F.* Cuisinier royal et bourgeois. Paris, 1691; Le nouveau cuisinier royal et bourgeois. Paris, 1698 (Paris, 1712); The Court and Country Cook. London, 1702.

⁵¹ *Massialot F.* Nouvelle instruction pour les confitures, les liqueurs, et les fruits. Paris, 1712. P. 306.

⁵² Ibid. P. 312. О происхождении и эволюции термина «спирт» — *spiritus vini* («дух вина», на французском языке — *esprit de vin*) — см.: *Задворный В., Лупандин И.* Ars coquinaria. C. 190–208.

⁵³ *La Chapelle V.* Le Cuisinier moderne. La Hate, 1735.

⁵⁴ Ibid. T. 3. P. 287–288.

⁵⁵ Le Cuisinier Gascon. Amsterdam, 1740.

⁵⁶ *Sitwell W.* A History of Food in 100 recipes. N. Y., 2012.

⁵⁷ Le Cuisinier Gascon. P. 117.

⁵⁸ Ibid. P. 143.

⁵⁹ Ibid. P. 45–46.

⁶⁰ Ibid. P. 31, 36, 44, 52.

⁶¹ Le Cuisinier Gascon: Nouv. édition, à laquelle on a joint la Lettre du Patissier Anglois. Amsterdam, 1747.

⁶² Dictionnaire des aliments, vins et liqueurs. Paris, 1750.

⁶³ *Menon.* Les soupers de la cour, ou L'art de travailler toutes sortes d'alimens. Paris, 1755.

⁶⁴ Ibid. T. 1. P. 111–112.

⁶⁵ *Menon.* La Science du maître-d'hôtel cuisinier. Paris, 1789. P. XVIII.

⁶⁶ La Cuisinière républicaine. Paris, l'An III de la République (1794).

⁶⁷ *Barbier A.-A.* Dictionnaire des ouvrages anonymes et pseudonyms. Paris, 1872. Vol. 1. P. 826; *Vicaire G.* Bibliographie Gastronomique. Paris, 1890. P. 240.

⁶⁸ *Viard A.* Le Cuisiner impérial. Paris, 1806; Le Cuisinier royal. Paris, 1817; Le Cuisinier national. Paris, 1852; Le Cuisiner imperial. Paris, 1858.

⁶⁹ *Albert B.* Le Cuisinier Parisien; ou, Manuel complet d'économie domestique. Paris, 1825.

⁷⁰ *Beauvilliers A.* L'art du cuisinier. Paris, 1814.

⁷¹ *Brillat-Savarin J. A.* Physiologie du Goût, ou Méditations de Gastronomie Transcendante. Paris, 1825.

⁷² *Задворный В., Лупандин И.* Гастрономия Италии. С. 108–110; 411–417.

⁷³ *Brillat-Savarin J. A.* Physiologie du Goût, ou Méditations de Gastronomie Transcendante. Paris, 1844. P. 9–10.

⁷⁴ *Пушкин А. С.* Полное собрание сочинений в десяти томах. Л., 1979. Т. 10. С. 372.

⁷⁵ Там же. Т. 7. С. 355.

⁷⁶ Almanach des Gourmands, servant de guide dans les moyens de faire excellente chère; par un vieil amateur, 7 vol., 1803–1810.

⁷⁷ *Гримо де Ла Реньер А.* Альманах гурманов / пер. с фр., вступ. ст., прим. В. А. Мильчиной. М., 2011.

⁷⁸ Almanach des Gourmands. Paris, 1805. P. 29.
⁷⁹ *Grimod de La Reynière A.* Néo-physiologie du gout par ordre alhabétique, ou Dictionnaire généràl de la cuisine française ancienne et moderne. Paris, 1839.
⁸⁰ *Goldstein D.* Russia, Carême, and the Culinary Arts // The Slavonic and East European Review. Oct. 1995. P. 691.
⁸¹ *Carême M.-A.* Projets d'architecture dédiés à Alexandre 1ᵉʳ, empereur de toutes les Russies. Paris, 1821.
⁸² *Carême M.-A.* Projets de trente fontaines pour l'embellissement de la ville de Paris. Paris, 1835.
⁸³ *Carême M.-A.* Le Pâtissier Royal Parisien. Paris, 1815.
⁸⁴ *Carême M.-A.* Le Pâtissier pittoresque. Paris, 1815.
⁸⁵ *Carême M.-A.* Le maitre d'hotel français, ou Parallèle de la cuisine ancienne et moderne. Paris, 1822, 2 t.
⁸⁶ *Carême A.* Le Cuisinier Parisien. Paris, 1828.
⁸⁷ *Carême M.-A.* L'Art de la Cuisine Française au XIXme siècle. Paris, 1833–1834.
⁸⁸ *Карем Ф.* Искусство Французской кухни / пер. с фр. Т. Т. Учителева. СПб., 1866–1867.
⁸⁹ *Gouffé J.* Le Livre de Cuisine. Paris, 1867.
⁹⁰ *Gouffé J.* Le Livre de Pâtisserie. Paris, 1873.
⁹¹ *Gouffé J.* Le Livre de Cuisine. P. 39.
⁹² *Loiseau B.* Les fastes de la cuisine française: Les recettes de Jules Gouffé, reinterpretées par Bernard Loiseau. Paris, 1994.
⁹³ *Dumas A.* Le Grand Dictionnaire de Cuisine. Paris, 1873.
⁹⁴ *Дюма А.* Большой кулинарный словарь / пер. с фр. Г. П. Мирошниченко. М., 2007.
⁹⁵ *Favre J.* Dictionnaire universel de cuisine pratique. Paris, 1889–1891.
⁹⁶ Ibid. T. 4. P. 1646–1647.
⁹⁷ *Escoffier A.* Le Guide Culinaire. Paris, 1903.
⁹⁸ *Эскофье О.* Кулинарный путеводитель. Рецепты от короля французской кухни / пер. с фр. М. В. Орьевой. М., 2005.

Глава 2. Французский обед в русской литературе

¹ *Rigaud P. L.*, comte de Vaudreuil. Tableau des Moeures Française. Paris, 1825. T. 3. P. 282.
² *Толстой Л. Н.* Собрание сочинений: в 22 т. М., 1982. Т. 11. С. 148.
³ *Толстой А. Н.* Собрание сочинений: в 10 т. М., 1983. Т. 4. С. 221.
⁴ *Маяковский В. В.* Сочинения в двух томах. М., 1987. Т. 1. С. 252.
⁵ *Авсоний.* Стихотворения / пер., вступ. ст., комм. М. Л. Гаспарова. М., 1993. С. 177.

6 Anthimi de observatione ciborum Epistula ad Theodericum regem Francorum / ed. Valentin Rose. Leipzig, 1877. P. 16.

7 Le Viandier de Guillaume Tirel dit Taillevent. Paris, 1892. P. 128.

8 Ibid. P. 32.

9 Le Ménagier de Paris. Paris, 1847. T. 2. P. 174.

10 *Casteau L. de.* Op. cit. P. 72.

11 *La Varenne F. P. de.* Le Cuisinier François. P. 94.

12 *Albert B.* Le Cuisinier Parisien. Paris, 1838. P. 39.

13 *Rambourg P.* Entre le cuit et le cru. La cuisine de l'uître, en France, de la fin du Moyen âge au XX-e siècle // La nourriture de la mer, de la criée à l'assiettte / éd. E. Ridel, E. Barré, A. Zysberg. Caen, 2007. P. 212–220.

14 *Grimod de la Reynière A.* Almanach des gourmands. P. 82.

15 *Favre J.* Dictionnaire universel de cuisine. Paris, 1891. T. 3. P. 1152.

16 *Фонвизин Д. И.* Собрание сочинений. М.; Л., 1959. Т. 2. С. 606–607.

17 *Шишков В. М.* Собрание сочинений: в 8 т. М., 1983. Т. 6. С. 264–265. Этот исторический анекдот приводит, хотя и сомневается в его правдивости, Теофиль Готье: «Я слышал, что один ловкий мужик каким-то образом очень разбогател и благодаря бочонку со свежими устрицами, доставленному его хозяину в момент, когда их невозможно было нигде сыскать, получил свободу, за которую он безрезультатно предлагал огромные суммы денег: говорят, сто и пятьсот тысяч рублей» (*Готье Т.* Путешествие в Россию. М., 1988. С. 109).

18 Там же. Т. 5. С. 325–326.

19 *Державин Г. Р.* Стихотворения. Л., 1957. С. 272.

20 *Успенский Н. В.* Издалека и вблизи. М., 1986. С. 308.

21 *Чехов А. П.* Полное собрание сочинений и писем: в 30 т. Сочинения. М., 1983. Т. 1. С. 17.

22 *Гончаров И. А.* Обломов. СПб., 1993. С. 387.

23 *Салтыков-Щедрин М. С.* Собрание сочинений: в 20 т. М., 1970. Т. 10. С. 277.

24 *Некрасов Н. А.* Полное собрание сочинений и писем: в 15 томах. Л., 1983. Т. 1. С. 277.

25 Там же. Т. 7. С. 300.

26 *Панаев И. И.* Повести и очерки. М., 1986. С. 41.

27 Там же. С. 143.

28 *Достоевский Ф. М.* Собрание сочинений: в 10 т. М., 1956. Т. 1. С. 235–236.

29 *Толстой Л. Н.* Указ. соч. Т. 8. С. 43.

30 *Гиляровский В. А.* Сочинения: в 4 т. М., 1989. Т. 4. С. 275.

31 *Набоков В. В.* Лекции по русской литературе. М., 1996. С. 54.

32 *Чехов А. П.* Указ. соч. Т. 8. С. 145.

33 Там же. Т. 9. С. 114.

34 Там же. Т. 16. С. 28.

35 Там же. Т. 8. С. 11.

36 Там же. Т. 16. С. 59.

37 Там же. Т. 3. С. 133.

38 *Горький М.* Собрание сочинений: в 8 т. М., 1988. Т. 3. С. 82; 84.

39 *Ахматова А. А.* Лирика. М., 1989. С. 46.

40 Первое издание: Le Moyen âge et la Renaissance: Histoire et Description des mœurs et … Paris, 1848. Т. 1. Новое критическое издание: Gace de La Buigne. Le roman des deduis / ed. Åke Blomqvist. Stockholm; Paris, 1951.

41 *Достоевский Ф. М.* Указ. соч. Т. 3. С. 228.

42 *Некрасов Н. А.* Указ. соч. Л., 1983. Т. 7. С. 319.

43 Le Ménagier de Paris. Paris, 1847. Т. 2. P. 91.

44 *Albert B.* Le Cuisinier Parisien. Paris, 1838. P. 194.

45 *Menon.* Les soupers de la cour. Т. 2. P. 66–76.

46 *Gouffé J.* Le Livre de Cuisine. P. 215–222.

47 *Пушкин А. С.* Указ. соч. Т. 5. С. 13; 22.

48 Там же. Т. 1. С. 317.

49 *Панаев И. И.* Там же. С. 150.

50 *Филимонов В. С.* «Я не в Аркадии — в Москве рожден…» Поэмы. Стихотворения. Басни. Переводы. М., 1988. С. 140.

51 *Лесков Н. С.* Собрание сочинений: в 11 т. М., 1958. Т. 9. С. 361.

52 *Филимонов В. С.* Указ. соч. С. 182; 176.

53 De re coquinaria. Liber VII, III, 1–2.

54 *François Massialot.* Le nouveau cuisinier royal et bourgeois. Paris, 1712. Т. 1. P. 16, 79, 291, 337–339.

55 *Vincent La Chapelle.* Le Cuisinier moderne. La Hate, 1735. Т. 3. P. 51–54.

56 *Menon.* Les soupers de la cour, ou L'art de travailler toutes sortes d'alimens suivant les quatre saisons. Paris, 1755. Т. 2. P. 331–340.

57 *Jean Anthelme Brillat-Savarin.* Physiologie de gout, ou Méditations de gastronomie transcendante. Paris, 1839. P. 193.

58 *Пушкин А. С.* Полное собрание сочинений в десяти томах. М., 1979. Т. 10. С. 296.

59 *Филимонов В. С.* «Я не в Аркадии — в Москве рожден…» Поэмы. Стихотворения. Басни. Переводы. М., 1988. С. 183.

60 *Чехов А. П.* Полное собрание сочинений и писем в тридцати томах. Сочинения. М., 1977. Т. 7. С. 277.

61 *Vitaux J.* Le dessous des plats: Chroniques gourmandes. Paris, 2013. P. 66–68.

62 *Massialot F.* Cuisinier royal et bourgeois. Paris, 1693. P. 418–419.

63 *Gouffé J.* Le Livre de Cuisine. Paris, 1867. P. 384–385.

⁶⁴ Остафьевский Архив князей Вяземских. Т. II. Переписка князя П. А. Вяземского с А. И. Тургеневым 1820–1823 / под ред., с прим. В. И. Саитова. СПб., 1899. С. 192.

⁶⁵ Русский Архив. 1903. № 1. С. 70.

⁶⁶ Там же. С. 81.

⁶⁷ Там же.

⁶⁸ *Толстой Л. Н.* Указ. соч. Т. 4. С. 80.

⁶⁹ Там же. Т. 5. С. 16.

⁷⁰ *Некрасов Н. А.* Указ. соч. Т. 9. Кн. II. С. 108.

⁷¹ *Апухтин А. Н.* Сочинения. СПб., 1900. С. 639.

⁷² *Escoffier A.* Op. cit. P. 247–250.

⁷³ *Чехов А. П.* Указ. соч. Т. 4. С. 356–357.

⁷⁴ *Lune P. de.* Op. cit. P. 16.

⁷⁵ *Menon.* Les soupers de la cour. T. 1. P. 68.

⁷⁶ *Толстой Л. Н.* Указ. соч. Т. 8. С. 43.

⁷⁷ *Булгаков М. А.* Мастер и Маргарита. М., 1989. С. 60.

⁷⁸ *Мариенгоф А. Б.* Собрание сочинений: в 3 т. М., 2013. Т. 2. С. 41.

⁷⁹ *Escoffier A.* Op. cit. P. 235.

⁸⁰ *La Varenne F. P. de.* Le Cuisinier François. P. 10–11 (первый рецепт). P. 70 (второй рецепт).

⁸¹ *Massialot F.* Cuisinier royal et bourgeois. P. 404–405.

⁸² *Толстой А. Н.* Указ. соч. Т. 3. С. 182.

⁸³ *Massialot F.* Cuisinier royal et bourgeois P. 282–283.

⁸⁴ Potage de Julienne en gras & en maigre // Menon. Les soupers de la cour. T. 1. P. 100.

⁸⁵ *Beauvilliers A.* L'art du cuisinier. Paris, 1814. P. 17; 20.

⁸⁶ *Gouffé J.* Le Livre de Cuisine. P. 55.

⁸⁷ *Чехов А. П.* Указ. соч. Т. 2. С. 255.

⁸⁸ *Салтыков-Щедрин М. Е.* Указ. соч. Т. 11. С. 479–480.

⁸⁹ *Куприн А. И.* Листригоны. Симферополь, 1975. С. 232–233.

⁹⁰ *Бунин И. А.* Указ. соч. Т. 6. С. 295.

⁹¹ *Анненков Ю. П.* Дневник моих встреч. Цикл трагедий. Л., 1991. Т. 1. С. 196.

⁹² *Черный С.* Собрание сочинений: в 5 т. М., 1996. Т. 4. С. 205–209.

⁹³ *Зайцев Б. К.* Голубая звезда. М., 1989. С. 412.

⁹⁴ Русская литература XVIII века. М., 1979. С. 207.

⁹⁵ *Casteau L. de.* Op. cit. P. 9.

⁹⁶ *La Varenne F. P. de.* Le Cuisinier François. P. 40–44.

⁹⁷ *Радищев А. Н.* Полное собрание сочинений: в 3 т. М.; Л., 1938. Т. 1. С. 376.

[98] *Гоголь Н. В.* Собрание сочинений: в 7 т. М., 1984. Т. 3. С. 145.
[99] *Тургенев И. С.* Полное собрание сочинений: в 12 т. СПб., 1898. Т. 4. С. 139.
[100] Enseignemenz qui enseingnent a apareillier toutes manieres de viandes, 154–160.
[101] Le Viandier de Guillaume Tirel dit Taillevent. Paris, 1892. P. 17–18.
[102] *Casteau L. de.* Op. cit. P. 49 — 53.
[103] *Панаев И. И.* Повести и очерки. Указ. соч. С. 131–132.
[104] *Мопассан Ги де.* Полное собрание сочинений: в 12 т. М., 1958. Т. 4. С. 302.
[105] *Достоевский Ф. М.* Указ. соч. Т. 4. С. 100.
[106] *Толстой А. Н.* Указ. соч. Т. 2. С. 137.
[107] Filet de boeuf-braisé // *Carême M.-A.* L'art de la cuisine française au dix-neuvième siècle. Paris, 1847. Т. 3. P. 298–300.
[108] *La Varenne F. P. de.* Le Cuisinier François. P. 186.
[109] *Чехов А. П.* Указ. соч. Т. 9. С. 299–300.
[110] *Зайцев Б. К.* Указ. соч. М., 1989. С. 88.
[111] *Похлебкин В.* Кулинарный словарь. М., 2015.
[112] *Beauvilliers A.* Op. cit. Т. 1. P. 323; *Viard A.* Le Cuisinier royal. Paris, 1817. P. 296.
[113] *Апухтин А. Н.* Сочинения. С. 645.
[114] *Grimod de La Reynière A.* Manuel des amphitryons. Paris, 1808. P. 108.
[115] *Толстой Л. Н.* Указ. соч. Т. 8. С. 44.
[116] *Чехов А. П.* Указ. соч. Т. 4. С. 92.
[117] *Салтыков-Щедрин М. Е.* Указ. соч. Т. 11. С. 478–479.
[118] *Толстой А. Н.* Указ. соч. Т. 4. С. 261.
[119] *Чехов А. П.* Указ. соч. Т. 12. С. 10.
[120] *Escoffier A.* Op. cit. P. 290.
[121] *Апухтин А. Н.* Сочинения. С. 645.
[122] *Favre J.* Op. cit. Т. 4. P. 1762.
[123] *Alexandre Dumas.* Le Grand Dictionnaire de Cuisine. Paris, 1873. P. 1019.
[124] *Салтыков-Щедрин М. С.* Указ. соч. Т. 16. Кн. 2. С. 215.
[125] *Амфитеатров А. В.* Девятидесятники. СПб., 1910. Т. 1. С. 151.
[126] *Филимонов В. С.* Указ. соч. С. 182.
[127] *Толстой А. Н.* Указ. соч. Т. 6. С. 203.
[128] *Чехов А. П.* Указ. соч. Т. 6. С. 59.
[129] *La Varenne F. P. de.* Le Cuisinier François. P. 86.
[130] *Menon.* Les soupers de la cour. Т. 2. P. 365. Т. 3. P. 186.
[131] *Пушкин А. С.* Указ. соч. Т. 5. С. 13.
[132] *Панаева А. Я.* Воспоминания. М., 1972. С. 214.
[133] Там же. С. 110.

134 *Некрасов Н. А.* Указ. соч. Т. 5. С. 55.

135 *Тургенев И. С.* Указ. соч. Т. 9. С. 303.

136 *Мельников П. И.* (Андрей Печерский). На горах. М., 1988. С. 302.

137 *Апухтин А. Н.* Сочинения. С. 635.

138 *Филимонов В. С.* Указ. соч. С. 130.

139 *Massialot F.* Le nouveau cuisinier royal et bourgeois. P. 2; 153.

140 *Menon.* Les soupers de la cour. T. 2. P. 30–495.

141 *Филимонов В. С.* Указ. соч. С. 190.

142 *Menon.* Les soupers de la cour. T. 1. P. 153.

143 *Escoffier A.* Op. cit. P. 125.

144 *Menon.* Les soupers de la cour. T. 1. P. 123–155.

145 *Careme M.-A.* L'Art de la cuisine française au dix-neuvième siècle. Paris, 1833. T. 3. P. 1.

146 *Gouffé J.* Le Livre de Cuisine. P. 396.

147 *Escoffier A.* Op. cit. P. 132–136.

148 *Menon.* Les soupers de la cour. T. 1. P. 142.

149 *Albert B.* Le Cuisinier Parisien. Paris, 1825. P. 10–11.

150 *Beauvilliers A.* Op. cit T. 1. P. 40–41.

151 *Escoffier A.* Op. cit. P. 135.

152 *Albert B.* Le Cuisinier Parisien. Paris, 1825. P. 12.

153 *Филимонов В. С.* Указ. соч. С. 184.

154 *Салтыков-Щедрин М. Е.* Указ. соч. Т. 11. С. 478–479.

155 *Viard A.* Le Cuisinier royal. P. 51.

156 *Escoffier A.* Op. cit. P. 151.

157 Ibid. P. 154.

158 *Gouffé J.* Le Livre de Cuisine. P. 426.

159 Ibid. P. 419.

160 *Филимонов В. С.* Указ. соч. С. 130.

161 *Гиляровский В. А.* Сочинения. Т. 3. С. 338.

162 *Толстой Л. Н.* Собрание сочинений в двадцати двух томах. М., 1981. Т. 8. С. 44.

163 *Ходасевич В. Ф.* Собрание стихов. М., 1992. С. 393.

164 *Белый А.* Серебряный голубь. М., 1990. С. 404.

165 *La Varenne F. P. de.* Le Cuisinier François. P. 25; 78; 153–162.

166 *Чехов А. П.* Указ. соч. Т. 12–13. С. 44.

167 *Pantaleo de Confluentia.* Summa lacticiniorum. Taurini, 1477. Новое издание: Formaggio del medioevo: la «Summa lacticiniorum» di Pantaleone da Confienza / ed. Irma Naso. Taurini, 1990.

[168] *Задворный В., Лупандин И.* Ars coquinaria. С. 143–163.

[169] *Мулен Л.* Повседневная жизнь средневековых монахов Западной Европы (X–XV вв.). М., 2002. С. 53.

[170] *Guillaume de la Villeneuve.* Les Crieries de Paris // Proverbes et dictons populaires avec les dits du mercier et de marchands et les crieries de Paris aux XIII et XIV siècles. Paris, 1831. P. 139.

[171] Liber de coquina, I, 28.

[172] *Anonimo Toscano.* Libro della cocina / ed. E. Faccioli // Arte della cucina. Milano, 1966. Vol. I. P. 53.

[173] Русская поэзия середины XIX века. М., 1985. С. 293.

[174] *Гиляровский В. А.* Сочинения. Т. 4. С. 273–275.

[175] *Шишков В. Я.* Указ. соч. Т. 4. С. 49.

[176] *Кручёных А. Е.* Стихотворения. Поэмы. Романы. Опера. СПб., 2001. С. 289.

[177] *Толстой Л. Н.* Указ. соч. Т. 8. С. 44.

[178] *Некрасов Н. А.* Указ. соч. Т. 7. С. 319.

[179] *La Varenne F. P. de.* Le Cuisinier François. P. 387.

[180] Ibid. P. 387–393.

[181] Le Ménagier de Paris. Paris, 1847. T. 2. P. 265.

[182] *Bonnefons N. de.* Délices de la Campagne. Paris, 1655. P. 84–85.

[183] Поэты XVIII века. Л., 1972. Т. 2. С. 76.

[184] Encyclopédie ou Dictionnaire raisonné des sciences, des arts et des métiers. Paris, 1765. T. 11. P. 633.

[185] *Некрасов Н. А.* Указ. соч. Л., 1983. Т. 7. С. 239.

[186] *Пастернак Б. Л.* Стихотворения и поэмы. М., 1990. С. 283.

[187] *Чехов А. П.* Указ. соч. Т. 5. С. 198.

[188] Traité de cuisine écrit vers 1300 // Le Viandier de Guillaume Tirel dit Taillevent. Paris, 1892. P. 122.

[189] Le Viandier de Guillaume Tirel dit Taillevent. Paris, 1892. P. 25.

[190] *La Varenne F. P. de.* Le Cuisinier François. P. 156–165.

[191] *Massialot F.* Le nouveau cuisinier royal et bourgeois. Paris, 1721. P. 140.

[192] *Carême M.-A.* Le maitre d'hotel français. P. 337–341.

[193] *Escoffier A.* Op. cit. P. 151.

[194] *Пушкин А. С.* Указ. соч. Т. 5. С. 98–99.

[195] Там же. Т. 6. С. 102.

[196] Там же. Т. 6. С. 381.

[197] *Достоевский Ф. М.* Указ. соч. Т. 4. С. 45.

[198] *Толстой А. К.* Собрание сочинений: в 4 т. М., 1980. Т. 1. С. 328.

[199] *La Varenne F. P. de.* Le Cuisinier François. P. 442–443.

[200] *Joinville J. de.* Histoire de S. Louys IX, du nom roy de France. Paris, 1668. P. 36.

201 *Рубрук Г. де.* Путешествие в восточные страны / пер. с фр. А. И. Малеина. М., 1957. С. 204.
202 Traité de cuisine écrit vers 1300. P. 125.
203 *Bonnefons N. de.* Op. cit. P. 24–27.
204 *La Varenne F. P. de.* Le Cuisinier François. P. 311–318.
205 *Достоевский Ф. М.* Полное собрание сочинений. СПб., 1894. Т. 1. С. 445.
206 *Корнеев А.* Царь и бисквиты. // НГ-ExLibris. 01.08.2019.
207 *Чехов А. П.* Указ. соч. Т. 6. С. 410.
208 *Блок А. А.* Указ. соч. Т. 4. С. 97.
209 *Грин А. С.* Новеллы. М., 1984. С. 414.
210 *Ходасевич В. Ф.* Указ. соч. С. 378.
211 *Бурлюк Д. Д., Бурлюк Н. Д.* Стихотворения. СПб., 2002. С. 253.
212 *La Varenne F. P. de.* Le Cuisinier François. P. 159.
213 *Lacam P.* Le mémorial historique et géographique de la pâtisserie: contenant 2800 recettes de pâtisserie, glaces & liqueurs. Paris, 1900. P. 234; 236.
214 *Толстой Л. Н.* Указ. соч. Т. 8. С. 46.
215 *Massialot F.* Nouvelle instruction pour les confitures, les liqueurs, et les fruits. Paris, 1712. P. 213–214.
216 *Casteau L. de.* Op. cit. P. 139.
217 *Тургенев И. С.* Указ. соч. Т. 3. С. 53.
218 *Шишков В. Я.* Указ. соч. Т. 3. С. 168.
219 Dictionnaire de l'Académie française. Paris, 1933: «Pâtisserie: d'une Sorte de gâteau à la crème, ainsi appelé parce qu'il est vite mangé».
220 *Gouffé J.* Le Livre de Pâtisserie. Paris, 1873. P. 89.
221 *Северянин И.* Полное собрание сочинений в одном томе. М., 2014. С. 53.
222 *Задворный В., Лупандин И.* Италия: история гастрономии от Лукулла до наших дней. С. 445–452.
223 *Гёте И. В.* Собрание сочинений в десяти томах. М., 1976. Т. 3. С. 73.
224 *Lacam P.* Le Glacier classique et artistique en France et en Italie. Paris, 1893. P. 3.
225 *Favre J.* Op. cit. T. 4. P. 1591.
226 *Бунин И. А.* Указ. соч. Т. 4. С. 298.
227 De re coquinaria, I, 3.
228 *La Varenne F. P. de.* Le Cuisinier François. P. 384–385.
229 Встречи с Прошлым. № 6, 1988. С. 223.
230 *Бунин И. А.* Указ. соч. М., 1988. Т. 5. С. 399.
231 *Куприн А. И.* Собрание сочинений: в 5 т. М., 1982. Т. 1. С. 188–190.
232 *Толстой Л. Н.* Указ. соч. Т. 13. С. 47; *Чехов А. П.* Указ. соч. Т. 3. С. 45; там же. Т. 2. С. 300.
233 *Апухтин А. Н.* Сочинения. С. 641.

²³⁴ *Лесков Н. С.* Указ. соч. М., 1957. Т. 6. С. 270.

²³⁵ *Чехов А. П.* Указ. соч. Т. 12. С. 154.

²³⁶ *Горький М.* Указ. соч. Т. 7. С. 362.

²³⁷ *Бунин И. А.* Указ. соч. Т. 5. С. 259.

²³⁸ Там же. Т. 5. С. 349.

²³⁹ *Чехов А. П.* Указ. соч. Т. 4. С. 364.

²⁴⁰ Там же. Т. 6. С. 20.

²⁴¹ *Бунин И. А.* Указ. соч. Т. 5. С. 436.

²⁴² *Толстой А. Н.* Указ. соч. Т. 2. С. 296.

²⁴³ *Куприн А. И.* Собрание сочинений. Т. 4. С. 57.

²⁴⁴ Там же. С. 20.

²⁴⁵ Там же. С. 12.

²⁴⁶ *Толстой А. Н.* Указ. соч. Т. 2. С. 323.

²⁴⁷ *Ремарк Э. М.* Триумфальная арка / пер. с нем. И. Шрайбера, Б. Кремнева. М., 1982. С. 99.

²⁴⁸ *Гумилев Н. С.* Стихотворения и поэмы. Л., 1988. С. 304.

²⁴⁹ *Анненков Ю. П.* Указ. соч. Т. 1. С. 185

²⁵⁰ Цит. по: *Бейкер Ф.* Абсент. М., 2002. С. 39.

²⁵¹ *Горький М.* Указ. соч. Т. 19. С. 126.

²⁵² *Маяковский В. В.* Указ. соч. Т. 1. С. 256.

²⁵³ *Мариенгоф А. Б.* Указ. соч. Т. 1. С. 125–126.

Глава 3. Французские вина в произведениях русских поэтов и писателей

¹ *Чехов А. П.* Указ. соч. Т. 10. С. 80.

² *Филимонов В. С.* Указ. соч. С. 124.

³ *Лебек С.* Происхождение франков. V–IX века. М., 1993. С. 283; *Godefroy F.* L'exique de l'ancien français. Paris, 1901. P. 62.

⁴ *Iustinus Iunianus.* Historiarum Philippicarum Epitoma / ed. Iustus Ieep. Lipsiae, 1859. P. 212.

⁵ *Bonnefons N. de.* Op. cit. P. 50.

⁶ Exordium magnum cistercienses / ed. B. Griesser. Roma, 1961; Epistola II Odonis ad Robertum // Patrologia Latina. T. 157, col. 1293.

⁷ *Задворный В., Лупандин И.* Ars coquinaria. С. 86–90.

⁸ *Грибоедов А. С.* Избранное. М., 1978. С. 341.

⁹ Там же. С. 218.

¹⁰ *Панаев И. И.* Указ. соч. С. 262.

[11] *Толстой А. Н.* Указ. соч. Т. 4. С. 488.

[12] *Гарин-Михайловский Н. Г.* Студенты. Инженеры. М., 1983. С. 383.

[13] *Кунин В.* Друзья Пушкина: в 2 т. М., 1986. Т. 2. С. 293.

[14] *Салтыков-Щедрин М. Е.* Указ. соч. Т. 10. С. 277.

[15] *Чехов А. П.* Указ. соч. Т. 16. С. 28.

[16] *Толстой А. Н.* Указ. соч. Т. 2. С. 570.

[17] *Чехов А. П.* Указ. соч. Т. 3. С. 240.

[18] *Кузмин М. А.* Сети. СПб., 1908. С. 183.

[19] *Северянин И.* Полное собрание сочинений в одном томе. С. 74.

[20] *Feller F.-X. de, abbé.* Dictionnaire historique. Lyon, 1821. T. 3. P. 166.

[21] *Пушкин А. С.* Указ. соч. Т. 2. С. 40.

[22] *Толстой Л. Н.* Указ. соч. Т. 2. С. 46.

[23] *Гиляровский В. А.* Последняя «Троя»: Закрытие «Эрмитажа» // Вечерняя Москва. 28 апр. 1925. Цит. по: *Раевская М.* Король репортеров. Найдены неизвестные статьи Владимира Гиляровского из «Вечерней Москвы» // Вечерняя Москва. 8 дек. 2015.

[24] *Толстой Л. Н.* Указ. соч. Т. 8. С. 44; *Чехов А. П.* Указ. соч. Т. 4. С. 145; там же. Т. 4. С. 357.

[25] *Михеев В.* На островах. V // Русское богатство. 1900. № 6. С. 119.

[26] *Гоголь Н. В.* Указ. соч. М., 1985. Т. 5. С. 60.

[27] Menon. Les soupers de la cour. T. 1. P. 2.

[28] *Hugo V.* Notre-Dame de Paris. Livre IX, 1. В русском переводе Надежды Коган — «бонское вино» (*Гюго В.* Собрание сочинений: в 6 т. М., 1988. Т. 1. С. 508).

[29] *Méneval C. F. de.* Mémoires pour servir à l'histoire de Napoléon Ier depuis 1802 jusqu'à 1815. Paris, 1893. Vol. 1. P. 132.

[30] *Филимонов В. С.* Указ. соч. С. 182.

[31] *Толстой А. Н.* Указ. соч. Т. 2. С. 535.

[32] *Зайцев Б. К.* Указ. соч. С. 97.

[33] *Панаев И. И.* Указ. соч. С. 47.

[34] *Мятлев И. П.* Полное собрание сочинений. СПб., 1857. Т. 2. С. 71.

[35] *Авсоний.* Указ. соч. С. 92.

[36] *Пушкин А. С.* Указ. соч. Т. 5. С. 82–83.

[37] *Некрасов Н. А.* Указ. соч. Т. 3. С. 83.

[38] *Толстой Л. Н.* Указ. соч. Т. 6. С. 379.

[39] *Достоевский Ф. М.* Бесы. Л., 1998. С. 255.

[40] *Герцен А. И.* Былое и думы. М., 1978. С. 340.

[41] *Достоевский Ф. М.* Указ. соч. Т. 4. С. 147.

[42] *Пушкин А. С.* Указ. соч. Т. 1. С. 94.

43 Там же. Т. 5. С. 183
44 Там же. Т. 10. С. 345.
45 *Гоголь Н. В.* Указ. соч. Т. 3. С. 145.
46 *Панаев И. И.* Указ. соч. С. 139.
47 *Гончаров И. А.* Указ. соч. С. 430.
48 *Тургенев И. С.* Указ. соч. Т. 3. С. 234.
49 Там же. Т. 4. С. 413.
50 *Салтыков-Щедрин М. Е.* Указ. соч. Т. 10. С. 283.
51 *Успенский Н. В.* Издалека и вблизи. М., 1986. С. 275.
52 *Боборыкин П. Д.* Китай-Город. СПб.; М., 1883. Т. 1. С. 41.
53 *Панаев И. И.* Указ. соч. С. 131.
54 *Апухтин А. Н.* Сочинения. С. 639.
55 *Толстой Л. Н.* Указ. соч. Т. 3. С. 43.
56 *Шишков В. Я.* Указ. соч. Т. 3. С. 19.
57 *Бунин И. А.* Указ. соч. Т. 2. С. 80.
58 *Чехов А. П.* Указ. соч. Т. 1. С. 46.
59 Там же. С. 206.
60 *Грин А. С.* Указ. соч. С. 256.
61 *Куприн А. И.* Собрание сочинений. Т. 4. С. 361.
62 *Толстой Л. Н.* Указ. соч. Т. 5. С. 306.
63 *Чехов А. П.* Указ. соч. Т. 4. С. 364.
64 *Зайцев Б. К.* Указ. соч. М., 1989. С. 101.
65 О ней см.: *Diesbach G. de.* La comtesse de Ségur née Rostopchine. Paris, 1999.
66 *Герцен А. И.* Указ. соч. С. 99; 106.
67 *Достоевский Ф. М.* Указ. соч. Т. 3. С. 228.
68 *Успенский Н. В.* Издалека и вблизи. С. 133.
69 *Гиляровский В. А.* Сочинения. Т. 3. С. 401.
70 *Достоевский Ф. М.* Бесы. С. 311.
71 *Пастернак Б. Л.* Указ. соч. М., 1990. С. 306.
72 *Чехов А. П.* Указ. соч. Т. 3. С. 240.
73 *Гиляровский В. А.* Сочинения. Т. 4. С. 273.
74 *Мандельштам О. Э.* Собрание сочинений: в 4 т. М., 1994. Т. 3. С. 49.
75 *Пушкин А. С.* Указ. соч. Т. 2. С. 216.
76 *Филимонов В. С.* Указ. соч. С. 188–190.
77 *Бунин И. А.* Указ. соч. Т. 6. С. 295.
78 *Толстой А. Н.* Указ. соч. Т. 4. С. 261.

79 *Лермонтов М. Ю.* Собрание сочинений: в 4 т. М., 1969. Т. 2. С. 335–336.
80 *Лесков Н. С.* Указ. соч. Т. 5. С. 329.
81 *Чехов А. П.* Указ. соч. Т. 3. С. 240.
82 *Герцен А. И.* Указ. соч. С. 151.
83 *Забозлаева Т. Б.* Шампанское в русской культуре XVIII–XX веков. СПб., 2007.
84 Dits de Watriquet de Couvin / éd. par A. Scheler. Bruxelles, 1868. P. 382.
85 *Gregorius Turonensis.* Historia Francorum, V, 18.
86 Monumenta Germaniae Historica Scriptores Rerum Merovigicarum. T. 3. P. 337.
87 *Perrier L.* Mémoire sur le vin de Champagne. Paris, 1865. P. 6; *Bertin du Rocheret V.-Ph.* Mélanges. T. 1. P. 838.
88 В настоящее время из винограда деревни Аи производятся шампанские вина марок Bollinger и Ayala.
89 Iuliani Palmarii. De vino et pomaceo libri duo. Parisiis, 1588. P. 30.
90 *Perrier L.* Mémoire sur le vin de Champagne. Paris, 1865. P. 42–43.
91 Encyclopedie ou Dictionnaire Raisonné des Sciences, des Arts et des Métiers. Berne — Losanna, 1782. T. 7. P. 122–123.
92 *Карамзин Н. М.* Письма русского путешественника. М., 1982. С. 444.
93 *Чехов А. П.* Указ. соч. Т. 7. С. 286.
94 *Buvat J.* Journal de la Régence. Paris, 1865. T. 1. P. 271.
95 *Берхгольц Ф. В. фон.* Дневник гольштейнского камер-юнкера Фридриха Вильгельма фон Берхгольца. Часть 1: 1721 год, июнь. М., 1858. С. 140–141.
96 *Задворный В.* Токайского! // Simple Wine News. № 8 (57). 2011. С. 88–91.
97 *Державин Г. Р.* Избранная проза. М., 1984. С. 37.
98 *Державин Г. Р.* Стихотворения. Петрозаводск, 1984. С. 42.
99 Там же. С. 47.
100 *Капнист В. В.* Избранные произведения. Л., 1973. С. 152.
101 *Панаева А. Я.* Указ. соч. С. 121.
102 Это воспоминие записано Евгением Якушкиным, сыном декабриста Ивана Якушкина. См.: *Пущин И. И.* Записки о Пушкине. Письма. М., 1989. С. 441.
103 *Давыдов Д. В.* Стихотворения. М., 1832. С. 95.
104 *Пушкин А. С.* Указ. соч. Т. 10. С. 19.
105 *Распопов А. П.* Встреча с А. С. Пушкиным в Могилёве в 1824 г. // А. С. Пушкин в воспоминаниях современников: В 2-х т. Т. 1. М., 1974. С. 377–379.
106 *Чехов А. П.* Указ. соч. Т. 4. С. 124.
107 *Лесков Н. С.* Указ. соч. Т. 6. С. 478.
108 *Гнедич П. П.* Книга жизни. Воспоминания. 1855-1918. М., 2000. С. 188.
109 *Хомяков А. С.* Стихотворения и драмы. Л., 1969. С. 81–82.

110 *Герцен А. И.* Указ. соч. С. 435.
111 *Некрасов Н. А.* Указ. соч. Т. 3. С. 84.
112 *Гиляровский В. А.* Сочинения. Т. 4. С. 326.
113 *Пушкин А. С.* Указ. соч. Т. 1. С. 116.
114 Там же. Т. 1. С. 118; 120.
115 Там же. Т. 4. С. 275.
116 Там же. Т. 1. С. 327.
117 Там же. С. 53.
118 Там же. Т. 5. С. 178.
119 Там же. Т. 1. С. 340.
120 *Баратынский Е. А.* Полное собрание стихотворений: в 2 т. Л., 1936. Т. 1. С. 27.
121 *Грибоедов А. С.* Избранное. Указ. соч. С. 341.
122 *Лермонтов М. Ю.* Указ. соч. Т. 2. С. 330.
123 *Ростопчина Е. П.* Талисман. Избранная лирика. М., 1987. С. 103.
124 *Некрасов Н. А.* Указ. соч. Т. 4. С. 198.
125 *Лесков Н. С.* Указ. соч. Т. 7. С. 441.
126 *Боборыкин П. Д.* Китай-Город. Т. 1. С. 34
127 *Апухтин А. Н.* Сочинения. С. 46.
128 *Языков Н. М.* Стихотворения. СПб., 1831. С. 130.
129 Там же. С. 95.
130 *Блок А. А.* Указ. соч. Т. 3. С. 8.
131 Там же. С. 25.
132 Есенин в воспоминаниях современников. М., 1986. Т. 2. С. 355.
133 *Есенин С. А.* Собрание сочинений: в 3 т. М., 1970. Т. 3. С. 309.
134 *Белый А.* Стихотворения и поэмы. СПб., 2006. Т. 1. С. 242.
135 Там же. С. 249.
136 *Баратынский Е. А.* Указ. соч. Т. 1. С. 27.
137 *Вяземский П. А.* Стихотворения. Л., 1958. С. 65.
138 *Пушкин А. С.* Указ. соч. Т. 2. С. 216.
139 *Языков Н. М.* Новые стихотворения. СПб., 1845. С. 63–65.
140 *Грибоедов А. С.* Указ. соч. С. 96.
141 *Куприн А. И.* Собрание сочинений. Т. 2. С. 187.
142 *Толстой А. Н.* Указ. соч. Т. 5. С. 8.
143 *Гиляровский В. А.* Сочинения. Т. 3. С. 213.
144 Там же. Т. 4. С. 109.
145 *Бутурлин М. Д.* Записки графа М. Д. Бутурлина. М., 2006. С. 343–344.

146 *Гоголь Н. В.* Указ. соч. Т. 5. С. 312.

147 *Толстой Л. Н.* Указ. соч. Т. 2. С. 261.

148 *Булгаков М. А.* Указ. соч. С. 267.

149 *Зайцев Б. К.* Указ. соч. С. 304.

150 *Чехов А. П.* Указ. соч. Т. 16. С. 141.

151 *Достоевский Ф. М.* Бесы. С. 365.

152 *Панаев И. И.* Указ. соч. С. 41.

153 *Лермонтов М. Ю.* Указ. соч. Т. 4. С. 376.

154 *Панаев И. И.* Указ. соч. С. 31–32.

155 *Случевский К. К.* Стихотворения. Поэмы. Проза. М., 2015. С. 145.

156 *Еврипид.* Трагедии / пер. с древнегреч. И. Ф. Анненского. М., 1999. Т. 2. С. 274–284.

157 *Пушкин А. С.* Указ. соч. Т. 5. С. 313–314.

158 *Веневитинов Д. В.* Полное собрание сочинений. М.; Л., 1934. С. 81.

159 *Федоров-Омулевский И. В.* Проза и публицистика. М., 1986. С. 94.

160 *Блок А. А.* Указ. соч. Т. 3. С. 115.

161 *Герцен А. И.* Указ. соч. С. 266.

162 *Курочкин В. С.* Стихотворения. Статьи. Фельетоны. М., 1957. С. 248.

163 *Чехов А. П.* Указ. соч. Т. 3. С. 91.

164 *Зайцев Б. К.* Указ. соч. С. 539.

165 *Дельвиг А. А.* Сочинения. Л., 1986. С. 143–144.

166 *Вяземский П. А.* Указ. соч. С. 317–318.

167 *Некрасов Н. А.* Указ. соч. С. 23.

168 *Майков А. Н.* Сочинения: в 2 т. М., 1984. Т. 1. С. 226.

169 *Филимонов В. С.* Указ. соч. С. 192–193.

170 *Верн Ж.* Собрание сочинений: в 8 т. М., 1985. Т. 4. С. 9.

171 Там же.

172 Пушкин и его современники. Вып. XXXVIII–XXXIX. Л., 1930. С. 71–75.

173 *Пушкин А. С.* Указ. соч. Т. 2. С. 108.

174 Там же. Т. 5. С. 13.

175 Пушкин и его современники. Вып. XXXI. Пг., 1923. С. 71–77.

176 *Voltaire.* Ouvres completes. Paris, 1785. T. 14. P. 111.

177 *Набоков В. В.* Комментарии к «Евгению Онегину» Александра Пушкина. М., 1999. С. 159.

178 *Пушкин А. С.* Указ. соч. Т. 5. С. 82–83.

179 Там же. Т. 10. С. 257.

180 *Гоголь Н. В.* Указ. соч. Т. 5. С. 60.

[181] *Достоевский Ф. М.* Указ. соч. Т. 1. С. 235–236.

[182] *Чехов А. П.* Указ. соч. М., 1976. Т. 6. С. 13.

[183] *Блок А. А.* Указ. соч. Т. 3. С. 299–300.

[184] *Куприн А. И.* Собрание сочинений. Т. 5. С. 136; *Шишков В. Я.* Указ. соч. М., 1983. Т. 4. С. 342; *Толстой А. Н.* Указ. соч. Т. 1. С. 209.

[185] Цит. по: *Bonal F.* Le livre d'or du Champagne. Paris, 1984. P. 87.

[186] *Готье Т.* Указ. соч. М., 1988. С. 107.

[187] *Трубецкой В. С.* Мемуары. М., 1991.

[188] Современник. 1849. № 6. С. 3–4.

[189] Современник. 1849. № 9. С. 171.

[190] *Фет А. А.* Мои воспоминания. М., 1890. С. 276.

[191] Драгоценная находка. Неизданная повесть Н. А. Некрасова о Белинском, Достоевском и Тургеневе. С предисл., послесл. К. И. Чуковского // «Нива». 1917. № 34–57. С. 559.

[192] *Тургенев И. А.* Указ. соч. Т. 4. С. 48.

[193] Русская поэзия середины XIX века. М., 1985. С. 293.

[194] *Боборыкин П. Д.* Китай-Город. Т. 1. С. 26–27.

[195] *Гиляровский В. А.* Сочинения. Т. 4. С. 263.

[196] *Северянин И.* Сочинения: в 5 т. СПб., 1995. Т. 1: Громокипящий кубок. С. 204–205.

Глава 4. Французские рестораны Петербурга и Москвы в русской литературе

[1] Du fait de cuisine par maistre Chiquart. P. 188–189.

[2] *Titus Livius.* Ab Urbe condita libri, VI, 25.

[3] Alcuini Albini Carmina, Carmen CXI / ed. E. Dümmler // Monumenta Germaniae Historica. Poetae latini aevi Carolini. Berlin, 1881. Т. 1. P. 343. См. также: Beati Flacci Albini, seu Alcuini Opera. Carmina, CXIX, Ratisbonae, 1777. P. 217.

[4] *Задворный В., Лупандин И.* Ars coquinaria. С. 80–86; 143–163.

[5] Rue de poulie, правильнее — Rue des Poulies, улица в 1-м, самом древнем округе Парижа, расположенном на правом берегу Сены, соединявшая улицу Сент-Оноре с набережной Сены. В 1888 году при перестройке центра Парижа эта улица исчезла.

[6] *Legrand d'Aussy P. J.-B.* Histoire de la vie privée des Français depuis l'origine de la nation jusqu'à nos jours. Paris, 1782. Т. 2. P. 213–214.

[7] *Roquefort J.-B.-B. de.* Dictionnaire étymologique de la langue françoise. Paris, 1829, v. 1. P. 232.

[8] *Beauvilliers A.* Op. cit. Paris, 1814.

⁹ *Глинка Ф. Н.* Сочинения. М., 1986. С. 257.

¹⁰ *Демиденко Ю.* Рестораны, трактиры, чайные. Из истории общественного питания в Петербурге XVIII — начала XX века. М., 2011.

¹¹ *Конечный А. М.* Былой Петербург. Проза будней и поэзия праздника. М., 2021.

¹² Там же. С. 47.

¹³ *Пушкин А. С.* Указ. соч. Т. 5. С. 13.

¹⁴ Там же. Т. 2. С. 135. Entre-mets — дословно «между блюдами».

¹⁵ Там же. Т. 2. С. 368.

¹⁶ *Гоголь Н. В.* Указ. соч. Т. 5. С. 190.

¹⁷ Там же. Т. 3. С. 78.

¹⁸ *Полежаев А. И.* Стихотворения и поэмы. Л., 1987. С. 228.

¹⁹ *Демиденко Ю.* Указ. соч. С. 47.

²⁰ *Пушкин А. С.* Указ. соч. Т. 6. С. 495.

²¹ *Филимонов В. С.* Указ. соч. С. 137.

²² *Пушкин А. С.* Указ. соч. Т. 10. С. 368.

²³ Там же. С. 375.

²⁴ Лермонтов в воспоминаниях современников / сост., подгот. текста, комм. М. Гиллельсона, О. Миллер. М., 1989. С. 157.

²⁵ *Ф. Б.* [*Булгарин Ф. В.*] Петербургские записки. Толки и замечания сельского жителя (прежде бывшего горожанина) о Петербурге и петербургской жизни // Северная пчела. 1833. 14 марта.

²⁶ *Панаев И. И.* Указ. соч. С. 138.

²⁷ *Некрасов Н. А.* Указ. соч. Т. 6. С. 149.

²⁸ Там же. Т. 7. С. 329.

²⁹ *Соллогуб В. А.* Повести. Воспоминания. Л., 1983. С. 139.

³⁰ *Панаев И. И.* Указ. соч. С. 256–257.

³¹ *Панаева А. Я.* Указ. соч. С. 214.

³² *Некрасов Н. А.* Указ. соч. Т. 1. С. 110.

³³ Там же. Т. 4. С. 188.

³⁴ *Апухтин А. Н.* Полное собрание стихотворений. Л., 1991. С. 277.

³⁵ *Салтыков-Щедрин М. Е.* Указ. соч. Т. 10. С. 279.

³⁶ Там же. Т. 10. С. 287.

³⁷ Там же. Т. 16. Кн. 2. С. 86.

³⁸ *Апухтин А. Н.* Сочинения. С. 524. О ресторане «Дюкро» речь идет и на протяжении дальнейшего повествования, вплоть до С. 590.

³⁹ *Михневич В. О.* Петербург весь на ладони. СПб., 1874. С. 486.

⁴⁰ *Михневич В. О.* Наши знакомые. СПб., 1884. С. 22.

⁴¹ *Пономарев Е.* Столичный ресторан как феномен русской жизни fin du siècle (от Тургенева, Достоевского и Толстого к Куприну и Бунину) // Новое литературное обозрение. 2018. № 1 (149). С. 132–144.

⁴² *Салтыков-Щедрин М. Е.* Указ. соч. С. 286.

⁴³ *Успенский Н. В.* Издалека и вблизи. С. 265.

⁴⁴ *Viard A.* Le Cuisiner impérial. P. 387, напр., «quenelles de dindon» (кнели из индейки): p. 301.

⁴⁵ *Dumas A.* Le Grand Dictionnaire de Cuisine. Paris, 1873. P. 413.

⁴⁶ *La Varenne F. P. de.* Le Cuisinier François. P. 202.

⁴⁷ *Чехов А. П.* Указ. соч. М., 1977. Т. 9. С. 94.

⁴⁸ *Станюкович К. М.* Собрание сочинений: в 10 т. М., 1977. Т. 5.

⁴⁹ *Толстой А. Н.* Указ. соч. Т. 5. С. 116.

⁵⁰ Встречи с Прошлым. Вып. 6. М., 1988. С. 109.

⁵¹ *Чехов А. П.* Указ. соч. М., 1982. Т. 11. С. 170–171.

⁵² *Аверченко А.* Осколки разбитого вдребезги. М., 2018.

⁵³ *Агнивцев Н.* Блистательный Санкт-Петербург. Сборник стихотворений. Берлин, 1923. С. 41.

⁵⁴ *Демиденко Ю.* Указ. соч. С. 50.

⁵⁵ *Ковалевский В.* Душа деянием жива. СПб., 1999. С. 98–103.

⁵⁶ *Кузмин М. А.* Стихотворения. СПб., 1996. С. 473.

⁵⁷ *Лурье Л.* Град обреченный. Петербург накануне революции. СПб., 2017. С. 221.

⁵⁸ *Руга В. Э., Кокорев А. О.* Москва повседневная: очерки городской жизни начала XX века. М., 2015. С. 396–401.

⁵⁹ *Гиляровский В. А.* Сочинения. Т. 4. С. 149–155.

Глава 5. Французский гастрономический словарь в русском языке

¹ *Menon.* La Cuisinière bourgeoise. Paris, 1746. P. 28.

² *Боккаччо Джованни.* Декамерон / Перевод Н. М. Любимова. М., 1970. С. 193.

³ *Vallemont P. L. L. de.* La physique occulte ou traité de la baguette divinatoire. Paris, 1693.

⁴ *La Varenne F. P. de.* Le Cuisinier François. P. 21.

⁵ Enseignemenz qui enseignent a apareillier toutes manieres de viandes, 144–153.

⁶ *Gouffé J.* Le Livre de Cuisine. Paris, 1877. P. 70–86.

⁷ *Menon.* Les soupers de la cour. T. 4. P. 234–236.

⁸ *Dumas A.* Op. cit. P. 434.

[9] *Lacam P.* Le mémorial historique et géographique de la pâtisserie: contenant 2800 recettes de pâtisserie, glaces & liqueurs. Paris, 1900. P. 140.

[10] Ménagier de Paris / ed. J. Pichon. Paris, 1847. T. 2. P. 107.

[11] Dictionnaire de l'Académie Française. Paris, 1740. T. 1. P. 600.

[12] Ménagier de Paris / ed. J. Pichon. Paris, 1847. T. 2. P. 107.

[13] *François Pierre de La Varenne.* Le Cuisinier François. Paris, 1680. P. 432.

[14] Menon. Les soupers de la cour, ou L'art de travailler toutes sortes d'alimens. Paris, 1755. T. 1. P. 237–238.

[15] Контракт от 1 марта 1453 года на производство сахара на Сицилии между Алозием де Кампо и Исааком де Гульельмо и Галлулульфо де Аурифице «ad plantandum et cultivandum cannamellis» (на высаживание и выращивание сахарного тростника) (*Simonsohn S.* The Jews in Sicily. Leiden; Boston, 2007. Vol. 2. P. 6978–6979).

[16] *Casteau L. de.* Op. cit. P. 10.

[17] *La Varenne F. P. de.* Le Cuisinier François. P. 37–38.

[18] *Карамзин Н. М.* Указ. соч. С. 449.

[19] *Лермонтов М. Ю.* Указ. соч. Т. 1. С. 195.

[20] *Menon.* Les soupers de la cour. T. 2. P. 303–308.

[21] *Albert B.* Le Cuisinier Parisien. Paris, 1838. P. 24.

[22] Ibid. P. 41–42.

[23] Ménagier de Paris. Paris, 1847. P. 107.

[24] *La Varenne F. P. de.* Le Cuisinier François. P. 52.

[25] Ibid. P. 53.

[26] Ibid. P. 404–408.

[27] *Ribou J.* L'Ecole parfaite des officiers de bouche. Paris, 1713. P. 67–84.

[28] *M-lle Catherine.* Manuel complet de la cuisinière bourgeoise. Paris, 1851. P. 25.

[29] *La Varenne F. P. de.* Le Cuisinier François. P. 23.

[30] *Lune P. de.* Op. cit. P. 16

[31] Ménagier de Paris. Paris, 1847. T. 2. P. 127; 266.

[32] *La Varenne F. P. de.* Le Cuisinier François. P. 39.

[33] *Menon.* Les soupers de la cour. T. 1. P. 268–275; 355–364; T. 2. P. 62; 382.

[34] *Albert B.* Le Cuisinier Parisien. Paris, 1838. P. 65; 71–72; 82–83.

[35] *Мариенгоф А. Б.* Указ. соч. Т. 1. С. 147.

[36] *Гюго В.* Указ. соч. Т. 3. С. 223.

[37] Ménagier de Paris. Paris, 1847. T. 2. P. 94.

[38] *La Varenne F. P. de.* Le Cuisinier François. P. 39–43; 125; 132.

[39] *La Chapelle V.* Op. cit. T. 3. P. 255–272.

[40] *Massiallot F.* Nouveau cuisinier royal et bourgeois. P. 219.

[41] *La Chapelle V.* Op. cit. T. 3. P. 267.
[42] Le Cuisinier Gascon. Amsterdam, 1740. P. 29.
[43] *Menon.* Les soupers de la cour. T. 1. P. 338; 403.
[44] *Viard A.* Le Cuisiner impérial. P. 81; 220.
[45] *Escoffier A.* Op. cit. P. 258; 513; 638.
[46] *Favre J.* Op. cit. T. 2. P. 660-661.
[47] *Littré E.* Dictionnaire de la langue française. Paris, 1863. T. 1. P. 910.
[48] *Lacam P.* Le mémorial historique et géographique de la pâtisserie. P. 248.
[49] Larousse Gastronomique. Paris, 1997. P. 658.
[50] *Viard A.* Le Cuisiner impérial. P. 326; 342.
[51] *La Varenne F. P. de.* Le Cuisinier François. P. 93.
[52] *Lune P. de.* Op. cit. P. 34.
[53] *Menon.* Les soupers de la cour. T. 1. P. 134; 270.
[54] *Viard A.* Le Cuisiner impérial. P. 74.
[55] *Albert B.* Le Cuisinier Parisien. Paris, 1838. P. 17-18.
[56] *Casteau L. de.* Op. cit. P. 18; 151.
[57] *La Varenne F. P. de.* Le Cuisinier François. P. 410.
[58] Ibid. P. 316.
[59] *Menon.* Les soupers de la cour. T. 4. P. 300-303.
[60] *La Varenne F. P. de.* Le Cuisinier François. P. 170-172; 288.
[61] *Carême M.-A.* Le Pâtissier Royal Parisien. T. 2. P. 76-78.
[62] *Рабле Ф.* Указ. соч. С. 471.
[63] *Rabelais F.* Le Quart Livre des faicts et dicts Heroiques du bon Pantagruel. Paris, 1552. P. 20.
[64] *Escoffier A.* Op. cit. P. 375.
[65] Dictionaire étymologique ou Origines de la langue françoise. Paris, 1694. P. 30.
[66] Ménagier de Paris. Paris, 1847. T. 2. P. 208.
[67] *La Varenne F. P. de.* Le Cuisinier François. P. 343-358.
[68] *Albert B.* Le Cuisinier Parisien. Paris, 1825. P. 175-177.
[69] *Филимонов В. С.* Указ. соч. С. 188-190.
[70] *Lacam P., Charabo A.* Le Glacier classique et artistique en France et en Italie. Paris, 1893. P. 3.
[71] *Favre J.* Op. cit. P. 1591.
[72] *Balzac H. de.* Splendeurs et misères des courtisanes. Paris, 1844. P. 323. Рус. пер. Н. Г. Яковлевой.
[73] *Lune P. de.* Le Cuisinier. P. 31.
[74] *Gouffé J.* Le Livre de Pâtisserie. Paris, 1873. P. 292-293.

75 *Филимонов В. С.* Указ. соч. С. 186.
76 Там же. С. 189.
77 *Толстой Л. Н.* Указ. соч. Т. 8. С. 46.
78 Du fait de cuisine par maistre Chiquart. P. 191–192.
79 *La Varenne F. P. de.* Le Cuisinier François. P. 71–72.
80 *Albert B.* Le Cuisinier Parisien. Paris, 1825. P. 19–21.
81 *La Varenne F. P. de.* Le Cuisinier François. P. 38.
82 *Lune P. de.* Le Nouveau et Parfait Cuisinier. P. 38–50; 72–75; 106–120; 130; 221–222.
83 *Dumas A.* Op. cit. P. 968–969.
84 *La Varenne F. P. de.* Le Cuisinier François. P. 347.
85 *Escoffier A.* Op. cit. P. 123; 685.
86 *La Varenne F. P. de.* Le Cuisinier François. P. 156–165.
87 *La Sale A. de.* La Salade nouvellement imprimée… Paris, 1521.
88 *La Varenne F. P. de.* Le Cuisinier François. P. 389–393.
89 *Massialot F.* Nouvelle instruction pour les confitures, les liqueurs, et les fruits. Paris, 1712. P. 339–352.
90 Ménagier de Paris. Paris, 1847. T. 2. P. 266.
91 *Casteau L. de.* Op. cit. P. 10.
92 Le Viandier de Guillaume Tirel dit Taillevent. Paris, 1892. P. 22.
93 *La Chapelle V.* Op. cit. T. 4. P. 209.
94 *Beauvilliers A.* Op. cit P. 266; 280; 287; 332.
95 *Viard A.* Le Cuisiner impérial. P. 377–378; *Carême M.-A.* Le Cuisinier Parisien. P. 387–389.
96 *Lune P. de.* Le Cuisinier. P. 30.
97 *Menon.* Les soupers de la cour. T. 1. P. 200–210; 368–372; 280–282.
98 Enseignemenz qui enseignent a apareillier toutes manieres de viandes. P. 125.
99 *La Varenne F. P. de.* Le Cuisinier François. P. 262.
100 *Gouffé J.* Le Livre de Pâtisserie. Paris, 1873. P. 280–285.
101 Enseignemenz qui enseignent a apareillier toutes manieres de viandes. P. 118.
102 Le Viandier de Guillaume Tirel dit. Paris, 1892. P. 11.
103 *Casteau L. de.* Op. cit. P. 152.
104 *Carême M.-A.* Le maitre d'hotel français. P. 272.
105 *Viard A.* Le Cuisiner impérial. P. 380.
106 *Rutebeuf.* La vie sainte Elysabel, 1860 // Œuvres complètes de Rutebeuf / éd. par E. Faral, J. Bastin. Paris, 1960. T. 2. P. 157.
107 *Massiallot F.* Nouveau cuisinier royal et bourgeois. P. 258.
108 *Menon.* Les soupers de la cour. T. 1. P. 175; 373; T. 2. P. 351.

УКАЗАТЕЛЬ ИМЕН

Авсоний (Ausonius; около 310 — около 394), римский государственный деятель, поэт и ритор 50, 129

Агнивцев Николай Яковлевич (1888–1932), русский поэт и драматург 185

Аксаков Константин Сергеевич (1817–1860), русский писатель 149

Александр I (1777–1825), российский император 38–39, 104, 166

Александр II (1818–1881), российский император 166, 184

Александр III (1845–1894), российский император 184

Алкуин (Alcuinus; около 735 — 804), английский ученый, теолог и поэт 172–173

Альбер Б. (B. Albert; конец XVIII — начало XIX века), французский кулинар 25, 34, 52, 60, 89, 90, 191, 197, 199, 203, 206

Амадей VIII (Amédée VIII; 1383–1451), герцог Савойи, антипапа Феликс V 19

Амфитеатров Александр Валентинович (1862–1938), русский писатель 82

Андрие (первая половина XIX века), французский ресторатор, работавший в России 177–178

Анненков Павел Васильевич (1813–1887), русский литературный критик и историк литературы 83, 180

Анненков Юрий Павлович (1889–1974), русский художник 73, 118

Анфим (Anthimus; первая половина VI в.), врач остготского короля Теодориха 10–11, 50

Апиций Марк Гавий (Marcus Gavius Apicius; I век до нашей эры — I век нашей эры), римский гурман и кулинар 8–9, 31, 110

Апион (20-е годы до нашей эры — около 45–48 года нашей эры), греческий ритор и писатель 8

Апухтин Алексей Николаевич (1840–1893), русский поэт 67, 79, 81, 84, 112, 133, 151, 180, 181

Арну Артур (Arthur Arnould; 1833–1895), французский социалист и писатель 43

Арчимбольдо Джузеппе (Giuseppe Arcimboldo; 1527–1593), итальянский художник 41

Афиней (конец II — начало III века), греческий писатель, историк античной кулинарии 8

Ахматова Анна Андреевна (1889–1966), русская поэтесса 59

Багратион Екатерина Павловна (1783–1857), русская княгиня, известная своим парижским салоном 39

Байи Сильвен (Sylvain Bailly; конец XVIII — начало XIX века), французский кондитер 38

Бакунин Михаил Александрович (1814–1876), русский мыслитель и революционер 43

Бальзак Оноре де (Honoré de Balzac; 1799–1850), французский писатель 36, 207

Баратынский Евгений Абрамович (1800–1844), русский поэт 150, 153

Белый Андрей (1880–1934), русский поэт и писатель 152

Бенедикт XIII (Педро Мартинес де Луна, Pedro Martínez de Luna; 1328–1423), антипапа 27

Берхгольц Фридрих Вильгельм фон (Friedrich Wilhelm von Bergholtz; 1699–1765), немецкий политический деятель, писатель-мемуарист 146

Бешамель Луи де, маркиз де Нуантель (Louis de Béchamel, marquis de Nointel; 1630–1703), французский финансист, меценат 88

Бисмарк Отто фон (1815–1898), канцлер Германской империи 184

Блок Александр Александрович (1880–1921), русский поэт 105, 152, 157, 163

Блуа, Тибо I де (Thibaut I le Tricheur de Blois; около 910 — 975), французский аристократ 139

Боборыкин Петр Дмитриевич (1836–1921), русский писатель 133, 151, 167

Бовилье Антуан (Antoine Beauvilliers; 1754–1817), французский ресторатор 35, 40, 71, 79, 89, 174–175, 177, 212

УКАЗАТЕЛЬ ИМЕН

Боккаччо Джованни (1313–1375), итальянский гуманист, писатель 189

Боннефон Николя де (Nicolas de Bonnefons; XVII век), французский агроном и гастрономический писатель 27–28, 99

Борель (Borel; XIX век), французский ресторатор, работавший в России 181–182, 184

Боткин Василий Петрович (1811–1869), русский литературный критик и переводчик 83–84

Боткин Сергей Петрович (1832–1889), русский врач 83

Брийя-Саварен Жан Антельм (Jean Anthelme Brillat-Savarin; 1755–1826), французский юрист, политик, литератор и кулинар 32, 35–38, 63, 202, 217

Брюсов Валерий Яковлевич (1873–1924), русский поэт и писатель 185

Булгаков Константин Яковлевич (1782–1835), русский дипломат 66

Булгаков Михаил Афанасьевич (1891–1940), русский писатель 69, 155

Бунин Иван Алексеевич (1870–1953), русский писатель и поэт 73, 81, 109, 111, 112, 115, 116, 133, 139, 182

Бурбон Луи-Огюст де, принц де Домб (Louis-Auguste de Bourbon, prince de Dombes; 1700–1755), французский военачальник 30

Бурлюк Давид Давидович (1882–1967), украинский и американский поэт и художник-футурист 105

Бутурлин Михаил Дмитриевич (1807–1876), русский историк и писатель-мемуарист 154

Бюва Жан (Jean Buvat; 1660–1729), французский писатель-мемуарист 145

Вальмон де, аббат (abbé de Vallemont), см.: Ле Лоррен Пьер

Ван Гог Винсент (Vincent van Gogh; 1853–1890), французский художник 118

Вас (Wace), нормандский поэт XII века 15

Ватрике де Кувен (Watriquet de Couvin; XIV), французский поэт 142

Веневитинов Дмитрий Владимирович (1805–1827), русский поэт 157

Верн Жюль (Jules Verne; 1828–1905), французский писатель 161

Виар Андре (André Viard; 1759–1834), французский кулинар 34, 79, 92, 182, 201, 202, 203, 212, 214

Вийон Франсуа (François Villon; 1431 — после 1463), французский поэт 16–17

Вильнёв Гийом де (Guillaume de la Villeneuve; XIII век), французский поэт 96

Вильгельм I (Wilhelm I; 1797–1888), император Германии 184

Вильгельм Тирский (Willelmus Tyrensis; около 1130 — 1186), архиепископ, историк 22

Винидарий (Vinidarius; V век), автор первой средневековой кулинарной книги 8–9

Винчи Леонардо да (Leonardo da Vinci; 1452–1519), итальянский художник и ученый 22

Виньола Джакопо да (Jacopo da Vignola; 1507–1573), итальянский архитектор 38

Вито Жан (Jean Vitaux; 1684–1721), французский историк гастрономии 65

Вольтер (Voltaire; 1694–1778), французский философ и писатель 143, 161, 162, 180

Всеволожский Александр Всеволодович (1793–1864), петербургский знакомый Пушкина 150

Вяземский Петр Андреевич (1792–1878), русский поэт 65, 104, 153, 159, 163

Гаксотт Пьер (Pierre Gaxotte; 1895–1982), французский историк 19

Галич Александр Иванович (1783–1848), русский философ, преподаватель Царскосельского лицея 150

Гарин-Михайловский Николай Георгиевич (1852–1906), русский инженер и писатель 124

Гас де Ла Бинь (Gace de La Buigne; около 1328 — 1380), французский поэт 59

Гед Жюль (Jules Guesde; 1845–1922), французский социалист 43

Георг III (George III; 1738–1820), король Великобритании 214

Георг IV (George IV; 1762–1830), король Великобритании 39, 214

Герцен Александр Иванович (1812–1870), русский писатель и публицист-революционер 130, 135, 141, 149, 157, 166

Гёте, Иоганн Вольфганг фон (Johann Wolfgang von Goethe; 1749–1832), немецкий писатель, философ, государственный деятель 108

Гильом де Рубрук (Guillaume de Rubrouck; между 1220 и 1230 — около 1270), монах-францисканец, путешественник 103

УКАЗАТЕЛЬ ИМЕН

Гиляровский Владимир Алексеевич (1855–1935), русский писатель и журналист 57, 93, 98, 126, 136, 137, 149, 154, 167, 187

Гислер Фридрих (Friedrich Giesler; около 1793 — 1870), немецкий купец и винодел 164

Гиппократ (лат. Hippocrates; 460–370 до нашей эры), древнегреческий врач и философ 110

Глинка Федор Николаевич (1786–1880), русский офицер, поэт и писатель 175

Гнедич Николай Иванович (1784–1833), русский поэт, переводчик «Илиады» 147, 148

Гнедич Петр Петрович (1855–1925), русский писатель и драматург 148

Голицын Лев Сергеевич (1845–1915), русский винодел 145

Гомер (VIII век до нашей эры), древнегреческий поэт 50, 218

Гончаров Иван Александрович (1812–1891), русский писатель 132

Горелов Николай Сергеевич (1974–2008), русский историк-медиевист 10–11

Горький Максим (1868–1936), русский писатель 58, 115

Готье Теофиль (Théophile Gautier; 1811–1872), французский поэт и писатель 164

Грёсбек Жерар де (Gérard de Groesbeek; 1517–1580), князь-архиепископ Льежский, кардинал 23

Грибоедов Александр Сергеевич (1795–1829), русский дипломат и драматург 123–124, 151

Григорий Турский (Gregorius Turonensis; 538 или 539 — 594), французский историк 142

Гримо де Ла Реньер Александр (Alexandre Grimod de La Reynière; 1758–1837), французский писатель и гастроном 37–38, 42, 53, 80, 217

Грин Александр Степанович (1880–1932), русский писатель 105, 133, 218

Гуго I Шампанский (Hugues I de Champagne; 1074–1126), первый граф Шампани 142

Гумилев Николай Степанович (1886–1921), русский поэт 117

Гуффе Жюль (Jules Gouffé; 1807–1877), французский кулинар 41–42, 60, 65, 71, 191, 207, 213

Давыдов Денис Васильевич (1784–1839), русский военачальник, поэт 147

Даламбер Жан (Jean D'Alembert; 1717–1783), французский ученый-энциклопедист и философ 31, 100

Дега Эдгар (Edgar Degas; 1834–1917), французский художник 118

Дельвиг Антон Антонович (1798–1831), русский поэт 158

Демиденко Юлия Борисовна, русский историк, искусствовед 175

Державин Гавриил Романович (1743–1816), русский государственный деятель, поэт и писатель 54, 75, 119, 146

Дидро Дени (Denis Diderot; 1713–1784), французский философ и писатель 31, 100, 144

Дом Периньон (Dom Pérignon; 1638–1715), монах-бенедиктинец, виноградарь и винодел 143–144

Донон Жан-Батист (XIX век), французский ресторатор, работавший в России 185–186

Достоевский Федор Михайлович (1821–1881), русский писатель 56, 59, 77, 102, 104, 130, 131, 135–136, 155, 163, 166, 180, 182, 219

Дюбонне Андре (André Dubonnet; 1897–1980), французский летчик 48

Дюбонне Жозеф (Joseph Dubonnet; 1818–1871), французский винодел 48

Дюбонне Эмиль (1883–1950), французский летчик 48

Дюбуа Пере (Dubols Pere; конец XVIII — начало XIX века), основатель винного дома по изготовлению шампанского «Дюбуа Пере и сыновья» 165

Дюглерэ Адольф (Adolphe Dugléré; 1805–1884), французский кулинар 184

Дюма Александр (Alexandre Dumas; 1802–1870), французский писатель и драматург 42, 81, 183, 192

Дюме (первая половина XIX века), французский ресторатор, работавший в России 177–178

Дюссо (XIX век), французский ресторатор, работавший в России 179–182

Дюэз, Жак, см. Иоанн XXII

Еврипид (около 480 — 406 до нашей эры), древнегреческий драматург 156

Екатерина II (1729–1796), императрица России 34, 146

Есенин Сергей Александрович (1895–1925), русский поэт 119, 152

Жако Поль (Paul Jacot; XIX век), французский архитектор, работавший в России 178

Жан VI де Бюссьер (Jean VI de Bussières; ум. 1376), аббат Сито, кардинал 126

Жан XI Луазие (Jean XI Loisier; 1494–1559), аббат Сито 126

Жан де Жуанвиль (Jean de Joinville; 1224–1317), французский историк 103

Жанна I Наваррская (Jeanne Ire de Navarre; 1273–1305), королева Франции 142

Жуан V (João V; 1689–1750), король Португалии 29

Жуэн Альмир (конец XIX — начало XX века), французский ресторатор, работавший в России 186

Забозлаева Татьяна Борисовна (р. 1945), русский искусствовед, историк 141, 156

Зайцев Борис Константинович (1881–1972), русский писатель 74, 79, 128, 134, 155, 158

Ильф Илья Арнольдович (1897–1937), русский писатель 165

Им Макс (Maximilian Ihm; 1863–1909), немецкий филолог-классик 9

Иоанн XXII (Ioannes XXXII; 1244–1334), папа римский 138

Камилл Марк Фурий (Marcus Furius Camillus; около 447 — 365 до нашей эры), римский государственный и военный деятель 172

Кан Гюстав (Gustave Kahn; 1859–1936), французский поэт 118

Капнист Василий (1758–1823), русский поэт и драматург, украинский общественный деятель 146

Карамзин Николай Михайлович (1766–1826), русский писатель и историк 144, 196

Карем Мари-Антуан (Антонен) (Marie-Antoine Carême; 1784–1833), французский кулинар 38–42, 48, 78, 87, 101, 184, 205, 212, 214

Карл V Мудрый (Charles V le Sage; 1338–1380), король Франции 16

Карл VI (Charles VI; 1368–1422), король Франции 16

Карл Анжуйский (Charles d'Anjou; 1227–1285), король Неаполя и Сицилии 97

Касто Лансело де (Lancelot de Casteau; середина XVI века — около 1613), французский кулинар 23–25, 52, 75–77, 80, 106, 195, 204, 211, 214

Кастро Реймботус Эберхард де (Reimbotus Eberhardus de Castro; 1353 — около 1389), врач 13–14

Кетчер Николай Христофорович (1809–1886), русский писатель, переводчик, врач 166

Кир Феликс (Félix Kir; 1876–1968), французский католический священник, политический деятель, винодел 47

Климент V (Clemens V; 1264–1314), папа римский 137

Клико Понсарден Барб Николь, Вдова Клико (Barbe Nicole Ponsardin Clicquot, dite la Veuve Clicquot; 1777–1866), французский винодел, глава дома шампанских вин 160–161, 163, 164

Клико Филипп (Philippe Clicquot; 1743–1819), французский винодел 160

Клоз Жан-Пьер (Jean-Pierre Clause; XVIII век), французский повар 63

Книппер-Чехова Ольга Леонардовна (1868–1959), русская актриса 185

Коленкур, маркиз Арман Коленкур, герцог Висанский (1773–1827), французский посол в Петербурге в 1807–1812 годах 176

Колумб Христофор (Cristoforo Colombo; 1451–1506), итальянский мореплаватель 24

Кольбер Жан-Батист (Jean-Baptiste Colbert; 1619–1783), министр финансов Франции 81

Конечный Альбин Михайлович (р. 1935), русский историк и литературовед 175, 177, 178

Контад Луи Жорж Эразм де (Louis Georges Érasme de Contades; 1704–1795), маршал Франции 63

Контан Огюст (XIX век), французский ресторатор, работавший в России 185

Коста-Тефен Жан-Франсуа (Jean-François Kosta-Théfaine; р. 1971), французский историк-медиевист 20, 23

Кручёных Алексей Елисеевич (1886–1968), русский поэт 98

Кулон (Coulon; XIX век), французский ресторатор, работавший в России 177, 179

Куприн Александр Иванович (1870–1938), русский писатель 72, 112, 116, 134, 153, 164, 165, 182

Курочкин Василий Степанович (1831–1875), русский поэт и литературный критик 97, 157, 167

Кюба Жан-Пьер (Cubat, Jean Pierre; 1844–1922), французский ресторатор 183–185

Ла Варенн Франсуа де (François Pierre de La Varenne; 1615–1678), французский кулинар 25–27, 52, 69, 75, 78, 82, 88, 94, 98, 99, 101, 102, 104, 105, 110, 171, 183, 190, 193, 194, 195, 198–199, 200, 202, 203, 204, 206, 208–209, 210, 213

Ла Саль Антуан де (Antoine de La Sale; около 1386 — около 1462), французский писатель 210

Лакам Пьер (Pierre Laca; 1836–1902), французский кондитер 105, 109, 192, 202, 206

Ланин Николай Петрович (1832–1895), русский купец 145

Ла Шапель Венсан (Vincent La Chapelle; 1690 или 1703 — 1745), французский кулинар 29–30, 62, 200, 212

Ла Шене-Дебуа Франсуа-Александр Обер де (François-Alexandre Aubert de La Chenaye des Bois; 1699–1784), французский литератор 31

Ле Лоррен Пьер (Pierre Le Lorrain; 1649–1721), он же аббат де Валлемон (abbé de Vallemont), французский натурфилософ и литератор 189

Ле Полмье де Грантмеснил Жюльен (Julien Le Paulmier de Grantemesnil; 1520–1588), французский медик и писатель 143

Легран Александр-Проспер-Убер (Alexandre-Prosper-Hubert Le Grand; 1830–1898), французский промышленник и виноторговец 116

Легран д'Осси Пьер Жан-Батист (Pierre Jean-Baptiste Legrand d'Aussy; 1737–1800), французский историк 174

Легран (Legrand; XIX век), французский ресторатор, работавший в России 178–179

Лесков Николай Семенович (1831–1895), русский писатель 61, 115, 140, 148, 151

Летелье, Франсуа-Мишель, маркиз де Лувуа (François-Michel Le Tellier, marquis de Louvois; 1641–1691), военный министр Франции 28

Лилле Поль (Paul Lill; 1839–1901), французский винодел 47

Лилле Раймон (Raymond Lillet; 1845–1916), французский винодел 47

Литтре Эмиль (Émile Littré; 1801–1881), французский филолог и философ 201

Лорью Бруно (Bruno Laurioux; р. 1959), французский историк-медиевист 20

Луазо Бернар (Bernard Loiseau; 1951–2003), французский кулинар 42, 44

Лувуа Франсуа-Мишель де (François-Michel de Louvois; 1641–1691), маркиз, военный министр короля Людовика XIV 28

Луи-Шалон дю Бле (Louis-Chalon du Blé; 1619–1658), маркиз Укселя, губернатор Шалон-сюр-Саон 26

Любимов Николай Михайлович (1912–1992), русский переводчик 189

Людовик IX (Louis IX; 1214–1270), король Франции 97, 103

Людовик X (Louis X; 1289–1316), король Франции 142

Людовик XIV (Louis XIV; 1638–1715), король Франции 28, 30, 81

Людовик XV (Louis XV; 1710–1774), король Франции 69

Людовик XVI (Louis XVI; 1754–1793), король Франции 187

Людовик XVIII (Louis XVIII; 1755–1824), король Франции 34, 37

Лун Пьер де (Pierre de Lune; XVII век), французский кулинар 27, 68, 89, 171, 199, 203, 207, 209, 213

Майков Аполлон Николаевич (1821–1897), русский поэт 160

Малатеста Эррико (Errico Malatesta; 1853–1932), итальянский коммунист-анархист 43

Малон Бенуа (Benoît Malon; 1841–1893), французский социалист и писатель 43

Мане Эдуар (Édouard Manet; 1832–1883), французский художник 118

Мандельштам Осип Эмильевич (1891–1938), русский поэт 138

Мариенгоф Анатолий Борисович (1897–1962), русский поэт, прозаик, мемуарист 69, 119, 199

Массьяло Франсуа (Massialot François; 1660–1733), французский кулинар 28–29, 62, 65, 70, 71, 85–86, 101, 106, 198, 200, 210, 216

Маяковский Владимир Владимирович (1893–1930), русский советский поэт 48, 73, 105, 117–118

Мельников-Печерский Павел Иванович (1818–1883), русский писатель 84

Меневаль Клод-Франсуа де (Claude François de Méneval; 1778–1850), секретарь Наполеона Бонапарта 128

Менон (Menon; XVIII век), французский автор книг по кулинарии 31–32, 60, 62, 64, 68, 71, 80, 82, 85, 86, 88, 128, 189, 191, 192, 194, 196, 199, 201, 203, 204, 213, 216

Мериго, мадам Мериго (Madame Mérigot), предполагаемый автор французской кулинарной книги «La Cuisinière républicaine» 33

Мериго Младший (Mérigot Jeune), французский издатель 33

Мильчина Вера Аркадьевна (р. 1953), русская переводчица, историк литературы 37

Минаев Дмитрий Дмитриевич (1835–1889), русский поэт-сатирик 180

Мирабо Виктор Рикети де (Victor Riqueti, marquis de Mirabeau; 1717–1789), французский экономист и философ 183

Михеев Василий Михайлович (1859–1908), русский писатель и журналист 127

Михневич Владимир Осипович (1841–1899), русский писатель и историк 181

Мобек Жером (Jérôme Maubec; XVIII век), монах-картузианец, аптекарь монастыря Великая Шартреза 114

Монморанси-Люксембург Шарль-Франсуа-Фредерик II де (Charles II Frédéric de Montmorency-Luxembourg; 1702–1764), маршал Франции 79

Монтень Мишель де (Michel de Montaigne; 1533–1692), французский философ 136

Монтеспан, маркиза де (Marquise de Montespan), фаворитка Людовика XIV 30

Мопассан Ги де (Guy de Maupassant; 1850–1893), французский писатель 77

Моэт Виктор (Victor Moët; 1797–1881), французский политик и винодел 159

Моэт Жан-Реми (Jean-Rémy Moët; 1748–1841), французский политик и винодел 159

Моэт Клод (Claude Moët; 1683–1760), французский винодел 159

Мулен Лео (Léo Moulin; 1906–1996), бельгийский историк и писатель 96

Мумм Готлиб (Gottlieb Mumm; XIX век), германо-французский винодел 164

Мумм Жакоб (Jacob Mumm; XIX век), германо-французский винодел 164

Мумм Филипп (Philipp Mumm; XIX век), германо-французский винодел 164

Мурон Адольф-Жан-Мари (Adolphe Jean-Marie Mouron; 1901–1968), французский художник 48

Мятлев Иван Петрович (1796–1844), русский поэт 129

Набоков Владимир Владимирович (1899–1977), русский и американский писатель 57, 162

Наполеон I Бонапарт (Napoléon Bonaparte; 1769–1821), император французов 34, 79, 128, 189, 204–205

УКАЗАТЕЛЬ ИМЕН

Наполеон III (Napoléon III; 1808–1873), император французов 34, 41

Некрасов Николай Алексеевич (1821–1877), русский поэт 55–56, 59, 66, 83, 98, 100, 130, 149, 151, 160, 166, 178, 180, 219

Николай I (1796–1855), российский император 40

Николай II (1868–1918), российский император 184

Николев Николай Петрович (1758–1815), русский поэт и драматург 99

Нострадамус Мишель (Michel de Nostredame, Nostradamus; 1503–1566), французский медик и астролог 23

Обер де Ла Шене-Дебуа Франсуа-Александр (François-Alexandre Aubert de La Chenaye-Desbois; 1699–1784), французский литератор 31

Огарев Николай Платонович (1813–1877), русский поэт, публицист-революционер 166

Олива Виктор (Viktor Oliva; 1860–1928), чешский художник 118

Оливье Люсьен (Lucien Olivier; 1838–1883), французский ресторатор, работавший в России 58, 127, 186, 187

Островский Александр Николаевич (1823–1886), русский драматург 148

Павел I (1754–1801), российский император 41, 54

Палладио Андреа (Andrea Palladio; 1508–1580), итальянский архитектор 38

Панаев Иван Иванович (1812–1862), русский писатель 56, 61, 77, 124, 129, 132, 155–156, 166, 178, 179

Панаева Авдотья Яковлевна (1820–1893), русская писательница и мемуаристка 83, 147, 180

Панталеоне да Конфиенца (Pantaleo de Confluentia; 1417–1497), итальянский врач, писатель 95

Пастернак Борис Леонидович (1890–1960), русский поэт 100, 136

Пегов Яков (XIX век), русский купец 187

Периньон Пьер, см. Дом Периньон

Перро Шарль (Charles Perrault; 1628–1703), французский поэт, сказочник, теоретик искусства 189

Петр I (1672–1725), российский император 119, 145–146

Петров Евгений Петрович (1902–1942), русский писатель 165

Пешель (XIX век), хозяйка петербургского великосветского салона 83

Пий VII (Pius VII; 1742–1823), папа римский 34

Пикассо Пабло (Pablo Picasso; 1881–1973), испанский художник 118

Пишон Жером (Jérôme Pichon; 1812–1896), французский историк и библиофил 18

Платина Бартоломео (Bartolomeo Platina; 1421–1481), итальянский гуманист, философ 36

Платон (между 439 и 427 — 347), древнегреческий философ 32

Плиний Старший (Gaius Plinius Secundus, Plinius Maior; 23/24–79), римский ученый-энциклопедист 8

Полежаев Александр Иванович (1804–1838), русский поэт 177–178

Помпадур маркиза де (marquise de Pompadour; 1721–1764), официальная фаворитка короля Франции Людовика XV 29

Пономарев Евгений Рудольфович (р. 1975), русский филолог 181

Похлебкин Вильям Васильевич (1923–2000), русский историк кухни 79

Прюнье Альфред (Alfred Prunier; 1848–1925), французский ресторатор 73, 139

Прюнье Эмиль (Émile Prunier; конец XIX — первая половина XX), французский ресторатор 73

Пуанкаре Раймон (Raymond Poincaré; 1860–1934), президент Франции 44

Пушкин Александр Сергеевич (1799–1837), русский поэт и писатель 37, 60–61, 63, 83, 102, 121, 124, 126, 129, 130, 131–132, 138, 147, 149–151, 153, 157, 161–163, 175–176, 177, 180, 218

Пушкина Наталья Николаевна (1812–1863), жена Александра Пушкина 37, 63, 177

Пушкин Лев (1805–1852), младший брат Александра Пушкина 138

Пущин Иван (1798–1859), декабрист, друг Пушкина 147, 149

Рабле Франсуа (François Rabelais; около 1494 — 1553), французский писатель 16, 205

Радищев Александр Николаевич (1749–1802), русский писатель и философ 75

УКАЗАТЕЛЬ ИМЕН

Распопов Александр Петрович (1803–1882), русский генерал 147

Рёдерер Луи (Louis Roederer; 1809–1870), французский винодел 165–166

Ремигий (Saint Remi; около 437 — 533), епископ Реймсский, святой 142

Рене Добрый (Bon Roi René; 1409–1480), герцог Анжуйский, титулярный король Неаполя и Иерусалима 139

Ремарк Эрих Мария (Erich Maria Remarque; 1898–1970), немецкий писатель 117

Рибу Жан (Jean Ribou; XVII век), французский кулинар 28, 198

Роберт Бергский (Robert de Berghes; около 1520 — 1565), князь-архиепископ Льежский 23

Роган Шарль де, принц де Субиз (Charles de Rohan, prince de Soubise; 1717–1787), маршал Франции 92

Розе Валентин (Valentin Rose; 1829–1916), немецкий филолог-классик 10

Рокфор Жан-Батист-Бонавантюр де (Jean-Baptiste-Bonaventure Roquefort; 1777–1834), французский историк и филолог 174

Ростопчин Федор Васильевич (1763–1826), русский военный и государственный деятель 134

Ростопчина Евдокия Петровна (1811–1858), русская поэтесса и писательница 151

Ростопчина Екатерина Петровна (1775–1859), жена Федора Ростопчина, писательница 134

Ротшильд Джеймс де (James de Rothschild; 1792–1868), французский банкир 39, 131

Рубрук Гильем де (Guillaume de Rubrouck; между 1220 и 1230 — около 1270), монах-францисканец, путешественник 103

Рудольф II (Rudolf II; 1552–1612), император Священной Римской империи 42

Руйе Жан (Jean Rouyer; XVIII век), французский кулинар 183

Рюинар Тьерри, Дом Рюинар (Thierry Ruinart, Dom Ruinart; 1657–1709), монах-бенедиктинец, историк и винодел

Рюинар Николя (Nicolas Ruinart; 1697–1769), французский винодел 144

Рютбёф (Rutebeuf; около 1230 — около 1285), французский поэт 215

УКАЗАТЕЛЬ ИМЕН

Салтыков-Щедрин Михаил Евграфович (1826–1889), русский писатель и драматург 55, 72, 81, 91, 124, 132, 181, 182

Сальмазий Клавдий, см. Сомез Клод де

Северянин Игорь (1887–1941), русский поэт 107, 125, 158, 167

Сегюр Луи-Гастон де (Louis-Gaston de Ségur; 1820–1881), французский прелат, писатель 135

Сегюр Луи-Филипп де (Louis Philippe, comte de Ségur; 1753–1830), французский дипломат, историк 34, 135

Сегюр Николя-Александр де (Nicolas-Alexandre de Ségur; 1697–1755), маркиз, французский политический деятель, винодел 135

Сегюр Софи де (Sophie Rostopchine, comtesse de Ségur; 1799–1874), русская и французская писательница 134

Сегюр Филипп-Поль де (Philippe Paul de Ségur; 1780–1873), французский генерал, мемуарист 135

Сегюр Эжен де (Eugène de Ségur; 1798–1863), французский государственный деятель 134

Сементовский-Курило Митрофан Константинович (1857 — около 1917), русский предприниматель 186

Сенека (Seneca; 4 год до нашей эры — 65 год нашей эры), римский философ и политический деятель 8

Сервантес Мигель (Miguel de Cervantes; 1547–1616), испанский писатель 25

Случевский Константин Константинович (1837–1904), русский поэт 156

Соболевский Сергей Александрович (1803–1870), русский литератор и библиофил 63, 124

Соллогуб Владимир Александрович (1813–1882), русский поэт и писатель 179

Сомез Клод де (Claude de Saumaise), Клавдий Сальмазий (Claudius Salmasius; 1588–1653), французский филолог, гуманист 9

Стэнхоуп Филипп Дормер, граф Честерфилд (Philip Dormer Stanhope, Earl of Chesterfield; 1694–1773), английский государственный деятель, дипломат и писатель 29

Суворин Алексей Сергеевич (1834–1912), русский писатель и издатель 81, 158

Сумароков Александр Петрович (1717–1777), русский писатель и драматург 75

Талейран Шарль Морис (Charles Maurice de Talleyrand; 1754–1838), министр иностранных дел Франции 38, 86

Талон Пьер (Pierre Talon; XIX век), французский ресторатор, работавший в России 175, 177

Тардиф (Tardif; XIX век), французский ресторатор, работавший в России 176

Теодорих Великий (Theodericus Magnus; 451–526), король Остготского королевства в Италии 10

Теофред (Théofrède), или Шаффр (Chaffre; ум. около 630), святой, бенедиктинский аббат 139

Тиран Александр Францевич (1815–1865), русский офицер 178

Тирель Гийом, прозванный Тайеван (Guillaume Tirel, dit Taillevent; 1310–1395), французский кулинар 16–20, 51, 76, 80, 101, 188, 212, 214

Тит Ливий (Titus Livius; 59 год до нашей эры — 17 год нашей эры), римский историк 172

Толстой Алексей Константинович (1817–1875), русский поэт и писатель 102

Толстой Алексей Николаевич (1883–1945), русский писатель 47–48, 71, 73, 78, 81, 82, 116, 117, 124, 125, 128, 139, 154, 164, 185

Толстой Лев Николаевич (1828–1910), русский писатель и мыслитель 46, 56, 66, 80, 93, 98, 104, 112, 126, 127, 133, 135, 155, 182, 218

Толстой Яков Николаевич (1791–1867), поэт и театральный критик 161

Труа Жан-Франсуа де (Jean-François de Troy; 1679–1752), французский художник 53

Трубецкой Владимир Сергеевич (1892–1937), русский писатель 164

Трубецкой Никита Юрьевич (1699–1767), русский военный и государственный деятель 185

Тулуз-Лотрек Анри де (Henri de Toulouse-Lautrec; 1864–1901), французский художник 118

Тургенев Александр Иванович (1784–1845), русский историк 65

Тургенев Иван Сергеевич (1818–1883), русский писатель 76, 84, 106, 132, 166, 182, 219

Тьерри I (Thierry I; между 485 и 490 — 534), король франков 10, 50

УКАЗАТЕЛЬ ИМЕН

Успенский Николай Васильевич (1837–1889), русский писатель 55, 132, 136, 182

Урбан II (Urbanus II; 1042–1099), папа римский 143

Урбан IV (Urbanus IV; около 1200 — 1261), папа римский 143

Устинова Елизавета Алексеевна (первая половина XX века), жена писателя Георгия Устинова 152

Учителев Тимофей Тимофеевич (XIX век), тафельдекер российского императорского двора 40

Фавр Жозеф (Joseph Favre; 1849–1903), французский кулинар и журналист 42–43, 53, 81, 109, 201, 207

Федоров-Омулевский, Иннокентий Васильевич (1836–1883), российский прозаик и поэт 157

Фельет (XIX век), французский ресторатор, работавший в России 175, 177, 178, 179

Фенелон Франсуа (François Fénelon; 1651–1715), французский священнослужитель и писатель 198

Феон (IV век), друг римского поэта Авсония 50

Фет Афанасий Афанасьевич (1820–1892), русский поэт 166

Феш Жозеф (Joseph Fesch), французский кардинал, коллекционер живописи 34, 52

Филимонов Владимир Сергеевич (1787–1858), русский государственный деятель, поэт и литератор 61–62, 64, 82, 84, 85, 91, 92, 121, 128, 138, 160, 177, 206, 207

Филипп I Орлеанский (Philippe I, duc d'Orléans; 1640–1701), французский герцог, брат короля Людовика XIV 28

Филипп II Орлеанский (Philippe II, duc d'Orléans; 1674–1723), герцог, регент Франции при малолетнем короле Людовике XV 28

Филипп IV Красивый (Philippe IV le Bel; 1268–1313), король Франции 142

Филипп VI Валуа (Philippe VI de Valois; 1293–1350), король Франции 16

Фонвизин Денис Иванович (1745–1792), русский литератор и драматург 53

Харпестренг Хенрик (Henrik Harpestræng; около 1161 — 1244), или Генрих Дак (Henricus Dacus) — каноник, автор трудов по ботанике и медицине 13

УКАЗАТЕЛЬ ИМЕН

Хлодвиг I (Clovis I; около 466 — 511), первый король франков 142

Ходасевич Владислав Фелицианович (1886–1939), русский поэт 93, 105

Хомяков Алексей Степанович (1804–1860), русский поэт и философ 148

Хрущев Никита Сергеевич (1894–1971), советский государственный деятель, первый секретарь ЦК КПСС и председатель Совета министров 47

Цезарь Гай Юлий (Gaius Julius Caesar; 100–44 до нашей эры.), римский государственный деятель, полководец, писатель 7, 129

Черный Саша (1880–1932), русский поэт и писатель 74

Чехов Антон Павлович (1860–1904), русский писатель 55, 57–59, 65, 67, 71, 78, 80, 81, 82, 95, 100, 104, 112, 115, 116, 121, 125, 127, 133, 135, 136, 141, 145, 148, 155, 158, 163, 184, 185, 219

Шандон Пьер Габриэль (Pierre Gabriel Chandon; 1778–1850), французский винодел 159

Шарабо Антуан (Charabot, Antoine; конец XIX — начало XX века), французский кондитер 109, 206

Шикар, мэтр (Maistre Chiquart; конец XIV — начало XV века), повар герцогов Савойских 19–20, 80, 169, 171, 208

Шишков Вячеслав Яковлевич (1873–1945), русский писатель и инженер 53, 98, 107, 133

Шрейдер Николя Анри (Nicolas Henri Schreider; XIX век), французский винодел 165

Шустов Николай Леонтьевич (1813–1898), русский предприниматель, виноторговец 112

Щербинин Михаил Андреевич (1793–1841), русский помещик, друг Пушкина 60

Эврё Жанна д' (Jeanne d'Évreux; 1310–1371), королева Франции 16

Эрик IV Плужный Грош (Erik IV Plovpenning; 1216–1250), король Дании 13

Эрнест Баварский (Ernest de Bavière; 1554–1612), князь-архиепископ Льежский 23

Эскофье Огюст (Auguste Escoffier; 1846–1935), французский кулинар 43–44, 67, 69, 81, 86, 88, 89, 92, 101, 201, 205, 209

Эстре Сезар д' (César d'Estrées; 1628–1714), французский кардинал 28

Эстре Франсуа Аннибал д' (1573–1670), маршал Франции 114

Языков Николай Михайлович (1803–1846), русский поэт 151, 153

Якушкин Евгений Иванович (1826–1905), русский юрист и историк 147

Виталий Задворный

ФРАНЦУЗСКАЯ КУХНЯ В РОССИИ И РУССКОЙ ЛИТЕРАТУРЕ

Редакторы А. Пудов, Л. Оборин
Дизайнер обложки С. Тихонов
Корректор Е. Полукеева
Верстка Д. Макаровский

Налоговая льгота — общероссийский
классификатор продукции ОК-005-93, том 2;
953000 — книги, брошюры

ООО «Редакция журнала „Новое литературное обозрение"»

Адрес редакции:
123104, Москва, Тверской бульвар, 13, стр. 1
тел./факс: +7 495 229-91-03
e-mail: real@nlobooks.ru
сайт: http://www.nlobooks.ru

Формат 84×108 1/32. Бумага офсетная № 1
Офсетная печать. Печ. л. 8,75. Тираж 1000. Зак. № 23К0636.
Отпечатано в АО "ИПК "Чувашия",
428019, г. Чебоксары, пр. И. Яковлева, 13.

в серии: КУЛЬТУРА ПОВСЕДНЕВНОСТИ

Эдвард Брук-Хитчинг
Подбрасывание лисиц
И другие забытые и опасные виды спорта

Некоторые виды спорта известны и любимы. Некоторые прочно забыты. А некоторые просто не должны были существовать. Детский бокс и лыжный балет, древнеримские инсценировки морских сражений и шотландский гольф в темноте, охота на птиц с двухметровым ружьем и живодерские развлечения с кошками... На протяжении своей истории человечество придумало множество курьезных, удивительных и возмутительных способов провести досуг и продемонстрировать удаль. В своей книге Эдвард Брук-Хитчинг дает краткие описания более чем 90 видов спорта и показывает, на что способна человеческая изобретательность, часто граничащая с жестокостью и безрассудством. Эдвард Брук-Хитчинг — писатель, автор бестселлеров «Библиотека сумасшедшего» (книга года 2020 по версии Sunday Times), «Небесный атлас» (2019), «Золотой атлас» (2018) и других. Автор популярной телепрограммы QI (Quite Interesting) на BBC, член Королевского географического общества.

в серии: КУЛЬТУРА ПОВСЕДНЕВНОСТИ

Сабин Мельхиор-Бонне
Оборотная сторона любви
История расставаний

От средневековой трагической невозможности совместить честь и страсть до современной идеи свободных отношений: книга Сабин Мельхиор-Бонне посвящена эволюции представлений о любви и расставании. Автор прослеживает ее на примере личных историй знаменитых людей: среди героев этой книги — Абеляр и Элоиза, Наполеон и Жозефина, Пушкин и Гончарова, Аристотель Онассис и Мария Каллас, принц Чарльз и принцесса Диана… Их письма и дневники хранят свидетельства о любви и изменах, ссорах и разочарованиях, в которых находят отражение идеалы и ценности разных эпох, а сам разрыв отношений становится точкой, в которой сходятся в трагическом конфликте долг и чувство, свобода и табу, интимное и социальное. Анализируя эти документы, автор демонстрирует, как с XII века по настоящее время менялись представления о репутации, чести, счастье, самореализации и свободе. Сабин Мельхиор-Бонне — историк, специалист по истории эмоций. Работала в Коллеж де Франс, автор книги «История зеркала», вышедшей в издательстве «Новое литературное обозрение».